Também os brancos sabem dançar

Kalaf Epalanga

Também os brancos sabem dançar

Um romance musical

todavia

Para Kiéne e Catarina

parte I **9**
parte II **115**
parte III **193**

parte I

Svinesund, 9 de agosto de 2008

"Quando o cano das armas se cala
O kuduro também fala
Porque a voz tem mais poder que a bala."

Bruno M, "Já Respeita Né"

7h26

Devo me ter distraído com os versos do Bruno M, pois nem me dei conta de que o autocarro abrandou a marcha e estacionou na berma da estrada, no meio de um verde exuberante. Não me apercebi da travessia do canal de Svinesund, que separa a Suécia da Noruega, através da nova ponte erguida sobre o Iddefjord e batizada com o mesmo nome da velha ponte vizinha: Svinesund. Gostaria de ter visto, pois nunca antes viajei pelas terras do norte. Estamos a cento e treze quilómetros a sul de Oslo e cento e oitenta quilómetros a norte de Gotemburgo onde, na noite anterior, no festival Way Out West, nos cento e trinta e sete hectares do parque Slottsskogen, uma multidão de loiros suecos, bem-dispostos e inesperadamente obedientes, dançou freneticamente com nossa receita de kuduro, house e techno tropical, como se fosse aquele o último agosto das suas vidas, ou o dia do juízo final, e as cidades de Luanda e Lisboa não lhes fossem tão distantes, tão desconhecidas.

A porta abriu-se e dois agentes da polícia, ambos vestidos à paisana, carregando os crachás ao pescoço, subiram a bordo. O homem, loiro e alto como só os vikings conseguem ser, apresentou-se aos passageiros. Não me recordo das suas palavras exatas, mas naquele instante voltei a repetir na minha cabeça a resposta que ensaiei dezenas de vezes por precaução, não fosse deparar-me com agentes de fronteiras algures nos cerca de três mil e quinhentos quilómetros de caminho que percorri desde Lisboa. Viajava sem passaporte, que perdi algures num hotel em Paris, umas semanas antes. Um pesadelo que, naquela altura, nos obrigou a cancelar uma série de datas no pico do verão e porque – a desgraça nunca aparece na festa desacompanhada, traz sempre mais um – sou cidadão angolano. Quando se é um cidadão angolano comum, a última coisa que se deseja é perder os documentos. Daria tudo para que tivesse sido o telefone, a mala de roupa, o computador, não o passaporte, pois isso significava viajar até Luanda, encontrar um facilitador, pagar a taxa de urgência e rezar para que a Kianda, nossa santa Efigénia, abençoasse os computadores do Serviço de Migração e Estrangeiros para que o sistema não falhasse.

E rezei, roguei a santo Elesbão e a são Benedito para que não titubeasse, para que não me falhasse a voz quando chegasse a minha vez de mostrar os documentos, para que a mentira que tinha preparado para a ocasião me saísse convincente. Mas não saiu. Mostrei-lhe o meu cartão de residência e o loiro olhou para ele desconfiado, perguntou-me pelo passaporte, menti, disse que o tinha na mala. A agente, uma mulher morena e com ar de lutadora de judo, que já tinha verificado os restantes passageiros, juntou-se a nós. Aparentemente, eu era o único a bordo com um documento suspeito – tenho a certeza de que nenhum outro estrangeiro com cartão de residência emitido pelos Serviços de Estrangeiros e Fronteiras de Portugal alguma vez atravessou aquela fronteira.

O loiro, que bem poderia ter estado entre o público da noite anterior, pediu-me que fosse buscar o passaporte, dizendo ao motorista para abrir o compartimento da bagagem. Os dois agentes escoltaram-me até à mala, e naqueles escassos metros ainda pensei em voltar atrás e dizer a verdade: confessar que não tinha um passaporte e que o que tinha para lhes mostrar estava caducado, tão massacrado pelo tempo que ninguém no seu pleno juízo alguma vez iria deixar-me seguir caminho com um documento naquele estado. Além de ter caducado quando ainda Jonas Savimbi respirava, tinha no lugar da fotografia um retrato que mais parecia uma obra pintada pelo mestre expressionista Willem de Kooning.

Com as pernas bambas, mas com a postura mais confiante que alguma vez ostentei, estendi-lhes o passaporte, assim, "cara podre", como dizem os angolanos, e o meu gesto audaz e irresponsável deve ter acionado todos os alarmes na cabeça daqueles dois agentes. Só um louco – ou um criminoso de primeira categoria – é que se atreveria a cruzar a Europa toda de autocarro e comboio com a desculpa esfarrapada de que é músico de uma banda lisboeta e que naquela noite teria um concerto num dos mais emblemáticos festivais de música eletrónica da Europa. Nem eu acreditaria se estivesse na posição deles.

Os agentes convidaram-me a recolher a bagagem e a acompanhá-los até à esquadra mais próxima para averiguações. Não disse nem uma palavra, sentia o suor a formar-se na testa, a boca seca, o coração aos pulos. Tinha a certeza de que qualquer movimento brusco me faria vomitar.

Ninguém me pediu para virar missionário e enfrentar o mundo, como um Élder, a espalhar o evangelho do kuduro. Os dois agentes não trocaram uma única palavra desde que entraram no carro e, com tanto silêncio, ainda pensei em explicar-me, algo entre implorar pela minha liberdade e dizer-lhes a verdade, toda a verdade. Mas... Que verdade? De que me adiantaria explicar-lhes o kuduro?

Os dois agentes não estariam, com certeza, interessados na minha verdade. Se juntasse na mesma frase movimentos de anca do Van Damme, Tailândia, Luanda e Bélgica, campeonatos de muay thai e raves em Lisboa, no mínimo pensariam que estava associado a uma rede de crime organizado a operar em três continentes. Calei-me e fixei os olhos na paisagem, talvez esta fosse a última oportunidade para ver a Escandinávia. Dava tudo para estar sozinho, queria perder-me naquele verde e pensar livremente. Kuduro, passaportes, serei livre?

Estou aqui porque escolhi, mas a minha escolha é também, e em última análise, um fator inibidor de movimentos. Foi preciso ser apanhado sem documentos numa fronteira para me descobrir prisioneiro. O kuduro mostrou-me o mundo, com ele e por ele visitei lugares que nunca imaginaria. Já nem precisava de ouvir a sentença, ela foi-me dada no momento em que decidi embarcar nesta viagem. O que me espera naquela cela já pouco importa.

A vontade de clamar por inocência dissipou-se.

7h30

Jean-Claude Van Damme foi a epifania. Numa das cenas de *Kickboxer*, um dos filmes de porrada que mais debate gerou na Benguela da minha meninice, tornando-se um dos favoritos da minha geração, o ator belga, o próprio rei da espargata, dança embriagado ao som do tema "Feeling So Good Today", de Beau Williams, acompanhado por duas tailandesas.

A icónica cena de Van Damme a dançar de forma desengonçada e sem ginga, movendo o corpo sem mexer o quadril, que parecia preso – ou duro –, acendeu uma luz qualquer em Tony Amado, nosso Joseph Smith Jr., que, usando o molde rítmico dessa coisa eletrónica a que chamávamos batida, saltou inspirado para o sintetizador, sacando praticamente de uma assentada só o clássico "Amba kuduro", uma homenagem à "musa" Jean-Claude. E assim nasceu, em género e dança, o kuduro.

Aquela coreografia sugestiva acabaria por se tornar o veículo através do qual se expandiria o kuduro, uma dança vizinha do break dance norte-americano, que não se inibe na apropriação e recriação de passos de danças originárias de outras latitudes africanas, como o ndombolo do Congo, bem como elementos plásticos reconhecidamente angolanos, procurando, de forma natural e progressiva, um acabamento musical em que a melodia e a harmonia são visivelmente relegadas para um plano secundário, enfatizando o ritmo e a palavra inusitada.

Vaca Louca e Salsicha, dançarinos que acompanharam tanto Tony Amado como Sebem, outro dos pioneiros do kuduro, são dois nomes de referência incontornável, e que levaram ao apogeu a plástica mais arrojada desta dança acrobática.

7h42

Olhei para os dois agentes sem medo e pensei que, com aquilo que a música nos obriga a fazer, algo assim teria de acontecer um dia. Já desafiei seguranças, autênticos caenches, que noutra circunstância me teriam partido em dois, mas como tinha um microfone na mão desrespeitei-lhes a autoridade e gritei para que deixassem subir ao palco os fãs mais eufóricos.

Dentro da lista dos meus maiores martírios, os causados pela polícia são quase nada quando comparados com os provocados pelos funcionários de consulados. Desses, sim, tenho medo, sinto calafrios só de pensar neles. Sempre que preciso de pedir um visto, na noite anterior à visita ao consulado ou embaixada tenho pesadelos. De manhã visto sério, aquela roupa à vista da qual ninguém diria que, afinal, vivo do kuduro. Apareço sempre um par de horas antes da minha marcação, com postura e fatiota de devoto em plena primeira comunhão.

Os meus amigos dizem-me para me casar e parar com as minhas visitas às embaixadas. Mas casar por documentos? A ideia já me ocorreu, é claro, e até tinha uma candidata, Sofia, de cabelos dourados e dona de gingado bonito. Se não soubesse que nascera em Rio de Mouro diria que era uma dessas benguelenses de origem tuga que no 11 de novembro de 1975 esqueceu de retornar para Portugal. Mas não foi assim que imaginei... E nessas coisas gostaria de ser o mais foleiro possível. Levar a futura noiva a passear num lugar bonito, ajoelhar-me, tirar do bolso o anel de noivado e pedir-lhe para aceitar o meu último nome e me aturar até ao último fôlego. Essas ou outras palavras, improvisadas no momento, com pausas, hesitações, mãos suadas, voz grave e pernas bambas – daí colocarmo-nos de joelhos, não vá o diabo tecê-las e levar-nos o equilíbrio. Quem inventou a genuflexão providencial dos pedidos de casamento sabia o que estava a fazer.

Já pensei em desistir muitas vezes, ninguém gosta de ser humilhado sempre que precisa de solicitar um visto. Mas, no minuto a seguir, penso nas pessoas que ouvem aquilo que eu e os meus cúmplices musicais criamos, a partir daquela cave no pacato bairro de Campo de Ourique, e nos profissionais que dedicam todo o seu tempo a dar forma em palco, em estúdio e vídeo, a tudo aquilo que moldamos musicalmente. Penso nas famílias deles, que não os têm por perto na maioria das noites porque estão connosco, a dar oxigénio às ideias que conspiramos. Penso em todas as pessoas que enchem as salas de concertos sempre que visitamos as suas cidades, as que compraram os discos, as que pagam bilhete para nos ver. E sinto-me responsável por cada uma delas. Não estar presente, não fazer o esforço total, é uma espécie de traição. Tento não dramatizar. Não é pelo facto de na minha folha de impostos a profissão exercida ser a de músico que ganho o direito de me lamentar sobre o preço a pagar pela condição de ser estrangeiro sempre que parto à conquista do mundo para lá do rio Minho ou, no meu caso, e de acordo com a nacionalidade que carrego, do rio Zaire.

Rygge, 9 de agosto de 2008

"If you catch me at the border I got visas in my name."

M.I.A., "Paper Planes"

8h05

Ao longo do caminho os agentes altos que me levaram sob custódia continuaram sem palavras. Aquele silêncio era terreno fértil para a minha imaginação crescer solta. Talvez conseguisse provar que sou um músico, um "agitador cultural", como os jornalistas portugueses me caracterizam para justificar a diversidade de linguagens artísticas que abracei para expressar essa *luso-qualquer-coisa*, essa mistura, mestiçagem até, que tem como palco a mais africana das capitais europeias: Lisboa. Posso até convencê-los de que sou isso tudo e mais, o músico não-músico, o poeta-cantor, mas isso não significa automática beatificação. A História está carregada de músicos que vivem à margem da lei, que usam as suas carreiras como fachada e, atrás da cortina, fazem trinta por uma linha. Não queria ceder aos pensamentos paranoicos que se formavam na minha cabeça, mas a possibilidade de ser confundido com um traficante de drogas começava a fazer todo o sentido. Em que outra atividade poderão aplicar os seus talentos os músicos africanos que são presos a atravessar uma fronteira sem documentos? Todo o mundo sabe o difícil que é viver da música. A minha própria mãe, por mais feliz que esteja por ver o filho a seguir os seus sonhos, se questionada sobre que tipo de vida desejaria que eu levasse, estou certo de que responderia algo que envolvesse uma secretária e um horário das nove às dezessete horas. Mãe é assim, quer para nós sempre o melhor.

O meu coração sossegou a partir do momento em que me apercebi de que estava a ser conduzido para um aeroporto. Pensei que seria deportado. *Rygge*, lia-se no néon pendurado numa fachada. O viking loiro apressou-se a abrir-me a porta, estendeu o braço e puxou-me para fora. Não lhe ofereci qualquer resistência. Estava muito cansado para estrebuchar e deixei que exercesse a sua autoridade sobre mim como se fosse uma criança, ou talvez mesmo como um criminoso. Colocou a mão na minha cabeça para, ao sair, evitar qualquer acidente. E eu até teria apreciado o cuidado, fosse outra a circunstância que me trouxera até ali.

Naquele momento eu só queria colocar fim àquela humilhação e voltei-me para os polícias para perguntar sobre os meus pertences. "Não te preocupes, segue em frente", obtive como resposta. Foi imediatamente depois da minha pergunta que senti o toque, um ligeiro empurrão nas costas, o primeiro de vários que se iriam repetir sempre que abrandasse o passo. Continuo sem saber se o toque serve para manter a velocidade ou se é procedimento comum da polícia quando escolta suspeitos para a esquadra. Estavam algumas pessoas a olhar para nós e, para mostrar serviço, nada como um empurrão para marcar posição. Deve ser protocolo, daqueles demorados e cumpridos à letra, que se repetiu e repetiu, mesmo depois de passarmos a porta do edifício, e já dentro da esquadra, que mais parecia uma repartição de Finanças, de tão esterilizada que era.

Os semblantes dos agentes pelos quais passávamos eram quase tão cinzentos quanto as paredes. Fui conduzido a toque de caixa até uma porta, onde pediram os meus documentos. Entreguei-os ao viking loiro no mesmo instante em que a judoca abriu a porta de uma sala e, com o mesmo gesto simpático com que me trouxera do carro até ali, com um empurrão nas costas, me convidou a entrar. Não fiz caso, sabia que aquela rispidez fazia parte do jogo. Queriam testar-me e ver até onde conseguiria levar o meu ar sereno, altivo até, como se estivesse convencido de que tudo não passava de um equívoco e cedo estaria livre para seguir o meu caminho.

A sala era como seria de esperar: cinza, nenhuma janela e uma luz de aviário no teto. Cheirava a novo, a edifício acabado de inaugurar. O chão era da mesma cor que as paredes, de um material que não consegui identificar. Não me incomodei. Os meus olhos estavam postos no móvel junto à parede oposta à porta da sala, cujos extremos ligavam às duas paredes laterais. Alto demais para ser uma secretária, duro demais para ser uma cama, decidi no entanto que seria uma cama e deitei-me. Não havia mais nada que pudesse fazer. O meu destino estava agora nas mãos dos deuses escandinavos e, como as interpelações divinas nunca são céleres, fechei os olhos.

8h39

"E no princípio era o ndombolo."

Era assim que esta história deveria começar.

Os Langas e os Zaicós é que sabem. Admito-o, mesmo sabendo que dificilmente encontrarão um angolano que venha a público afirmar que, sem os zairenses, o kuduro, tal como conhecemos a dança hoje, não seria a mesma coisa. O andamento ndombolo é o funge*, o pilar central, a base que serve de alicerce a todos os outros movimentos e passos do kuduro. Este foi o passo que me levou mais tempo a aprender, e ainda estou longe da perfeição. Mas sempre que a ocasião se apresenta chego-me à frente e, com os joelhos ligeiramente fletidos, ensaio um movimento de fora para dentro com as pernas,

* Espécie de pirão de milho ou mandioca. [N. E.]

numa flutuação sincopada que me leva a alternar o peso no pé de apoio ao ritmo de 140bpm. O movimento cria no espectador a ilusão de que as pernas do dançarino têm uma elasticidade extra e que desrespeitam completamente a lógica da coordenação motora. Se estivéssemos no Brasil, diria que o andamento ndombolo é feijão com arroz e, tal como o nome indica, foi inspirado no ndombolo da agora República Democrática do Congo (RDC), presente na nossa cultura através da grande comunidade de zairenses que, durante décadas, contribuíram para tornar o Roque Santeiro um dos maiores mercados a céu aberto em África.

Pepetela escreveu, "se não tem no Roque, é porque ainda não foi inventado". A frase de um dos pais da literatura angolana resume para mim, e para muitos dos meus conterrâneos, a essência daquele que é o espaço mais fascinante e, ao mesmo tempo, intimidante da cidade de Luanda. Desde a sua fundação, em meados dos anos 1980, o Roque Santeiro sempre foi mais do que um mercado, foi o pulmão que alimentou a economia de Luanda e, até certo ponto, do país.

Meu batismo no Roque se deu pela mão do meu primo Tininho, o meu primeiro ídolo. Ainda hoje o tenho no mesmo patamar dos meus filósofos e poetas de estimação. Foi com ele que descobri o gosto pelas *mixtapes* gravadas em cassetes. As da BASF eram as nossas preferidas. Passávamos tardes a fio junto ao rádio, a gravar a seleção perfeita que, regra geral, oferecíamos aos amigos ou às garinas. "Que nunca se subestime o poder de uma *mixtape* no jogo da sedução", dizia Tininho. "Uma cassete com a seleção certa, na nossa era, vale tanto quanto os sonetos de Shakespeare", acrescentava. Ainda mantenho essa tradição, embora com menos frequência, e de vez em quando mando umas *mixtapes* para os amigos em formato digital. Perde-se um pouco o encanto *retrô* dos saudosos anos 1980 e 1990, é certo, mas elas seguem respeitando e carregando o mesmo espírito. Tal como as fotografias, as canções perpetuam momentos cujo prazo de validade não é definido pelo tempo.

Nesse dia fomos ao Roque para comprar cassetes da BASF e, assim que saímos do carro, saltaram-me imediatamente duas coisas à vista. A primeira foi o mar de gente que se perdia até à linha do horizonte. "Bem-vindo ao maior entreposto a céu aberto de África", disse-me o meu primo. "Dentro destes cinco hectares cobertos por chapas de zinco, algo como cinco campos de futebol, estão cerca de sete mil barracas registadas e outras tantas a funcionar na 'ilegalidade"', brindou-me ele com os dados estatísticos que sempre gostou de partilhar. "Sabes quantas pessoas trabalham aqui?", perguntou. Eu torci o nariz e lancei o número "dois mil" para o ar. Ele riu-se e pediu-me que prestasse atenção ao som, ao ruído que cobria o chão da colina do Sambizanga, um som como nunca antes tinha ouvido, o de uma panela de pressão gigante em ebulição.

"Este é som de mais de cinco mil vendedores que atendem às necessidades dos cerca de vinte mil clientes que visitam este mercado diariamente. É aqui que se alimentam as quitandeiras que descem para zungar as suas mercadorias no centro da cidade. E, se faltam dólares nas casas de câmbio, aqui haverá sempre uma kinguila com suficientes 'Benjamins' para nos fornecer", partilhou.

Ao passarmos pela zona de restauração, o cheiro do funge de mandioca acabado de fazer e do óleo de palma da moamba dançava pelos céus. Pelas barracas, tudo se vendia, móveis para o lar, eletrodomésticos, sapatos, perfumes franceses, sexo, automóveis, peças para automóveis, aparelhagens de som, livros escolares, medicamentos, material de construção, uísque escocês, roupa de marca, roupa feita à medida, caixões feitos no momento, cabelo postiço brasileiro, cabelo postiço indiano – tudo. Os clubes de vídeo projetavam os mais recentes filmes americanos de ação. Entre as barracas, o mar da baía de Luanda. "Vista magnífica, não é?", suspirou Tininho.

O Roque estava estrategicamente situado a escassos quilómetros do porto de Luanda, e sempre foi do conhecimento geral que os contentores destinados ao abastecimento do comércio da cidade não chegavam a passar pela alfândega. No auge da guerra civil, até os produtos destinados à ajuda humanitária iam parar ao Roque. Confrontados com realidades para as quais poderíamos não estar preparados, se o Roque tinha um lado pitoresco, colorido e até festivo de mercado no coração de uma capital africana com as características de Luanda, era também palco de tensões raciais, políticas e regionais que circulavam no interior da sociedade angolana em silêncio, mas que aqui poderiam assumir proporções assustadoras.

"Já ouvi pessoas mestiças queixarem-se da 'taxa do mulato'. Os donos das barracas, por estar subentendido na nossa sociedade que os mulatos são o grupo social com mais posses e, consequentemente, maior poder de compra, cobram mais aos mulatos", explicou-me o Tininho. "O Roque espelha aquilo em que a cidade e o país se transformaram desde a Independência", disse, cabisbaixo.

No meio dessa aula de roquelogia, o meu primo explicou-me que o Roque se chamava oficialmente Mercado Popular da Boavista, e que o "Roque Santeiro", que foi pescado da novela que agitou os serões das famílias angolanas em 1985, com Regina Duarte, José Wilker e Lima Duarte como protagonistas, colou não se sabe bem por quê.

Tininho falava da história do Roque, mas a minha cabeça vagueava por outras décadas, e, sem conseguir segurar mais a pergunta, interrompi a sua história com um "Tininho, não acredito em fantasmas, mas as 'violências' que acontecem neste labirinto mercantil não são uma herança dos acontecimentos trágicos do maio de 1977?". Tininho parou, surpreendido com a minha pergunta, e calou-se durante um minuto. "Antes de ser cedido para a implementação de um mercado informal, este lugar foi palco de execuções em massa de angolanos que discordavam do regime do MPLA. Sei que a escolha de colocar aqui o Roque não passa de uma infeliz coincidência, mas não consigo deixar de pensar que, se a utopia terá terminado naquele 27 de maio, não terá sido este mercado o símbolo do início do nosso pesadelo?", respondeu-me. E agora era a minha vez de ficar calado.

O momento foi interrompido por uma música que se fazia acompanhar de uma mulher congolesa a dançar. Balançava ao som de OK Jazz, o grupo do lendário Franco Luambo Makiadi que, verdade seja dita, juntamente com a Zaiko Langa Langa e liderado pelo grande Jossart N'yoka Longo, vieram a inspirar o nascimento de muitos dos nossos conjuntos musicais como Os Jovens do Prenda e os Kiezos, nos idos de 1960.

Lembro-me como o ndombolo daquela mulher congolesa trazia movimentos fluidos e sensuais, o corpo entregava-se ao ritmo da música, descrevendo um movimento de trás para a frente. A cintura desenhava um oito num ondular vertiginoso e sensual que projetava assim, com as ancas, o símbolo do infinito. O movimento das pernas, ligeiramente arqueadas, aproximava-se do que reconhecemos nas danças tradicionais africanas. Os braços sublinhavam os movimentos coreográficos, acrescentando drama à performance dela. O mesmo acontecia com as expressões faciais, que ajudavam na interação com o público. No ndombolo, todo o corpo dança, numa ondulação de ancas suave nas mulheres, rápida e irregular nos homens.

O andamento ndombolo do kuduro bebe do *footwork* dos zairenses e congoleses, sendo mais acelerado para corresponder às exigências rítmicas e teatrais do género.

Aprendi o básico do ndombolo com o dançarino Heráclito Aristóteles, conhecido por Multibanco, um homem recatado, que não falava muito e que quando nos acompanhava em espetáculos fazia questão de dizer piadas que apenas os angolanos do grupo poderiam compreender. Com ele, fizemos dois concertos, no início de 2007. O primeiro em Lisboa, na sala do Musicbox, um clube pequeno que para nos ver encheu para lá da lotação permitida, e que serviu para afinar pormenores para a turnê de lançamento do *Black Diamond*, o nosso primeiro álbum, antes da primeira data em Londres, no Hoxton Bar & Grill logo no dia seguinte. Lembro-me de que o Multibanco apareceu no aeroporto bem aprumado, como se fosse para a missa, calça engomada, camisa abotoada até ao pescoço e blazer preto, um ou dois tamanhos acima da sua medida. Trazia ainda uma mala de viagem de tamanho familiar, que pesava mais do que qualquer outra peça do *backline*. Quando perguntámos o que transportava, confessou que levava comida, linguiças, presuntos e bacalhau, a pedido dos amigos angolanos a viverem em Londres. Tivemos que pagar excesso de bagagem.

Na chegada a Londres, metade do grupo dirigiu-se para a fila dos cidadãos europeus, deixando para trás os angolanos. Nada de preocupante, todos tínhamos vistos de entrada e cartões de residência em ordem. O primeiro a ser atendido foi o Andro, e eu e o Multibanco fomos atendidos ao mesmo tempo em guichês diferentes. Depois das perguntas da praxe, "o que o senhor faz", "quanto tempo tenciona ficar no Reino Unido", e por aí fora, o agente da fronteira deu-me as boas-vindas a Londres e, quando me preparava para recuperar os documentos e dirigir-me para a zona da recolha das bagagens, vi o Multibanco cabisbaixo, a ser mandado esperar numa zona lateral, reservada aos passageiros em situação irregular. Senti-lhe a dor. Eu, mais do que qualquer outro membro do grupo, conheço bem aquele olhar de desolação.

Aproximei-me para tentar saber o que se passava, mas fui abordado por um polícia que me fez sinal de que não podia estar naquela zona, uma vez passada a fronteira. Apontei para o Multibanco e disse que viajávamos juntos e que eu estava apenas a tentar saber por que razão não permitiam que ele passasse, já que possuíamos o mesmo tipo de visto. O polícia assentiu com a cabeça e voltou-se. Multibanco, envergonhado, confessou-me que foi impedido de entrar porque detetaram no seu cadastro uma situação com a polícia na Irlanda do Norte. Em tempos, o jovem Heráclito Aristóteles, na altura emigrado na Irlanda, envolveu-se numa rixa de bar e foi detido, passou a noite na esquadra* e, no dia seguinte, ainda aturdido com os acontecimentos da noite anterior, tomou a decisão de deixar o reino de Isabel II e mudar-se para Lisboa. Desde então, sempre que viaja para a Inglaterra é parado na fronteira para averiguações antes de lhe ser permitida a entrada. E foi o que aconteceu. Graças aos deuses do ndombolo, Multibanco não foi enviado de volta. E mais, com os seus passos de dança, fez a alegria da multidão de foliões que encheu o Hoxton Bar & Grill para ver Buraka.

9h50

Acordei desnorteado com mais um dos toques simpáticos da judoca. De repente, queria saber tudo sobre a minha atividade, tipo de música, cidade, por que viajava sem passaporte – tudo. Por instantes ocorreu-me começar do início, pela versão mais longa: a descolonização, a guerra civil em Angola e a diáspora que habita os subúrbios de Lisboa. Mas hesitei, senti que os iria matar de tédio, e ambos pareciam impacientes. A prudência levou-me a brindá-los com a versão de bolso: "Buraka Som Sistema, foi o que me trouxe até aqui", disse-lhes de rosto sincero.

* Delegacia. [N. E.]

Numa tarde igual a muitas outras, no pacato bairro de Campo de Ourique, numa cave com compartimentos minúsculos, um som, estridente de tão compressado que era, escapava pelas ranhuras das portas e respiradores, trepando pelas paredes do prédio. Não esqueci o som, mas não me lembro do nome de quem o assinara. Era daquelas invenções que encontramos em Angola, talvez Pai Xuxu, DJ Marimbondo ou qualquer coisa nessa praia.

A canção tinha voz, um MC que cuspia rimas intermináveis em código num calão rebuscado, que torciam e esticavam a língua de Camões até ao limite, com verbos e adjetivos que nunca ouvira antes. As palavras saíam-lhe da boca como de uma metralhadora em noite de final de ano, nos idos de 1980, e iluminavam a sala. O mais impressionante é que nada do que ouvimos fora feito com a intenção de agradar ao ouvinte, poderíamos até dizer que era feio, distorcido, ou até de má qualidade, e era isso que nos fascinava, era exatamente isso que tornava todo aquele pacote genial.

Como muitos adolescentes angolanos na diáspora, a minha educação musical foi obtida dentro de uma discoteca de kizomba, ainda que chamá-la de discoteca não seja fazer-lhe a devida justiça. Durante anos, aqueles clubes cumpriram o papel de centros culturais, o lugar de todas as iniciações, os únicos sítios que nos permitiam ser nós próprios. Dentro daquelas quatro paredes, até o sol nascer, deixávamos de ser imigrantes, bolsistas com as anuidades da faculdade em atraso, ajudantes de pedreiro, empregados de mesa, guardas-noturnos ou simplesmente desempregados a kunangar no sofá de um parente distante. Éramos só angolanos a dançar as canções feitas por nós, para nós e sobre nós.

Na altura, Lisboa vivia a aurora da música eletrónica, com raves um pouco por todo o lado, tendo como epicentro do movimento a zona que se estendia da avenida 24 de Julho a Alcântara. Para nós, angolanos, que sempre fomos dados à desbunda, era mais do que evidente que não nos iríamos contentar com as noites de kizomba. Era uma questão de tempo até metermos o pé dentro do Alcântara Mar, então a catedral da música de dança em Portugal, com filas intermináveis à porta, onde o ator Robert De Niro viu ser-lhe recusada a entrada, e de onde o piloto de Fórmula 1 Ayrton Senna, agarrado pelas calças, quase foi posto na rua por mau comportamento. Foram assim os anos 1990, a música e a maneira como a consumíamos estavam a mudar e, cientes desta realidade, e talvez para compensar o facto de não oferecerem os BPM que seduziam os jovens, os arquitetos das noites africanas trataram de providenciar o que entendiam ser a resposta africana à escalada do house e do techno, que dominavam grande parte dos espaços noturnos no país.

Os clubes de kizomba tornaram-se assim o berço do kuduro, o único lugar onde se podia ouvir aquela música, já que rádio nenhuma se atrevia a passá-la. Em Lisboa, nenhum DJ ou produtor de música de dança se interessava pelo género. As lojas da especialidade recusavam-se a distribuí-la, a maior parte dos DJs cool da cidade abastecia-se em lojas como a Bimotor e a Question of Time, e estou convencido de que nenhum dos meninos cool da música eletrónica em Portugal alguma vez imaginou, nem sob o efeito de drogas, a possibilidade de comprar música no mercado da Praça de Espanha, até há bem pouco tempo o único lugar onde se podia adquirir discos de kuduro.

Que me lembre, nem os DJs de origem africana que surfavam a onda do techno e do house se interessaram pelo que se passava no universo da kizomba, nem quando passavam os discos da dupla nova-iorquina Masters At Work, que combinavam as suas origens porto-riquenhas com o house de Chicago. Os nossos DJs e produtores locais olharam para as batucadas. As da África que lhes era mais próxima, a do Duo Ouro Negro, de Bonga e de Dani Silva, as batucadas da linha de Sintra, da muamba e da cachupa. Nada. Apesar de lhes ser familiar, ninguém sentiu ser possível trazê-las para as pistas do Alcântara Mar, do Kremlin ou da Kadok.

No entanto, o inverso era já uma realidade na noite africana, o house e o techno, principalmente o house, tinham espaço nas discotecas africanas. Anos mais tarde, quando Manuel Reis e a sua equipa de programadores nos convidaram para fazermos uma noite no Lux, dei por mim a olhar para os rostos dos presentes e a pensar: "Por que demorámos tanto tempo?". Não existe nada mais lisboeta do que o kuduro e, no entanto, a cidade levou décadas a reconhecê-lo.

Além da Praça de Espanha, a internet foi o lugar que nos permitiu ter acesso ao kuduro mais fresco, acabado de sair dos subúrbios de Luanda. O Youtube, na altura, não era muito popular, e por isso passávamos horas a vasculhar fóruns, como o Canal Angola, e a chatear familiares e amigos que viviam em Luanda para nos enviarem música, instrumental de preferência. Digo "chatear" porque naquele tempo a internet em Angola ainda era movida a carvão, e fazer o upload de uma canção demorava séculos. Tudo o que nos chegava era em MP3. Ainda as oiço, distorcidas, e, se um dos agentes noruegueses me trouxesse um leitor adequado, não me demoraria em explicações verbais, punha-os a ouvir música, talvez o "Comboio" dos Lambas.

Ainda devo ter guardado um dos Ku Mix, com clássicos como o "Felicidade" do Sebem, e o "Rhythm Is a Dancer" dos Snap!. Da série dos Ku Mix, o terceiro volume é para mim a obra-prima do DJ Amorim. O primeiro da série foi lançado em 1997 e, segundo o próprio, o projeto pretendia "oferecer aos apreciadores da música africana um disco repleto de misturas, montagens e efeitos especiais", o que passava por aplicar aos temas escolhidos a técnica utilizada na realização dos Megamix europeus e americanos. Sem o kuduro, provavelmente os DJs do universo da música africana nunca se aventurariam na edição desse tipo de projetos. DJ Amorim foi o pioneiro, e o sucesso dessas compilações ajudou a solidificar o estatuto de deus-da-cabina da Mussulo, a discoteca africana mais importante dos finais dos anos 1990, e início dos 2000, em Lisboa. São lendárias as quartas-feiras de *ladies nights*, bem como os domingos, o dia mais difícil para se entrar na discoteca: era a noite predileta dos africanos famosos a residirem em Lisboa, quer fossem jogadores da bola, músicos, políticos, empresários ou construtores civis. O domingo era o grande dia da Mussulo.

A primeira vez que entrei na cave do número 5D da rua Sousa Martins, em Picoas, foi pela mão do DJ Beleza, um baixinho barrigudo da Amadora, branco, ou melhor, um "bollycao", que é o que chamamos aos brancos que gostam da cultura dos pretos: branco por fora, negro como chocolate por dentro. Nascido e criado na Amadora, a namorar uma mulata de Benguela, que se poderia esperar?

Tinha acabado de me mudar para Lisboa e estava naquela fase difícil de fim da adolescência quando fui fazer uns biscates numa discoteca africana no Marquês de Pombal para ganhar uns trocos. O DJ residente era o Beleza. O espaço não oferecia nada de extraordinário; inclusive já encerrou mas, justiça se lhe faça, era um lugar discreto, onde os kotas iam afogar a saudade no uísque e nos compassos da "Cherry", de Paulo Flores, nos braços de algumas das mulheres mais bonitas que Lisboa já viu.

Na minha candura de rato do campo vivia tão fascinado por aquelas filhas da lua que passei a frequentar o espaço até nos meus dias de folga. "Wi, não dá bandeira", diziam os sempre sensatos *bartenders*, psicólogos de plantão, verdadeiros túmulos dos segredos mais cabeludos que as madrugadas lisboetas produziram e que, se contados, fariam corar o próprio diabo. Aquelas mulheres assumiam, aos meus olhos, a mesma proeminência de um monumento plantado numa rotunda. Eram belas, mas não era só a beleza que me hipnotizava. Raramente as ouvia dizer mais do que meia dúzia de palavras: "uísque--cola", quando lhes anotava os pedidos, "mais gelo" ou ainda "dás-me lume?". O que lhes conhecia bem eram os lábios rasgados e os dentes a cintilar como bolas de espelhos. Isso e o ondular das ancas quando kizombavam. E como dançavam!

Todos os angolanos sabem que as discotecas não são o lugar ideal para dançar. As festas de quintal e os casamentos é que são os lugares para se dar passadas. Mas aquela discoteca não era só o santuário da nostalgia quinquagenária dos africanos naufragados em Lisboa num mar de uísque e de mulheres deslumbrantes, era o lugar que as melhores dançarinas de kizomba que Lisboa já conheceu escolhiam para dançar antes de irem terminar a noite, como não podia deixar de ser, no Mussulo.

A melhor dançarina que vi abençoar o chão daquela pista não era negra nem africana, era Sofia, a loira de Rio de Mouro, a que sugeriu que nos casássemos para resolver o meu drama com os passaportes. Os meus colegas do bar fartaram-se de me chamar de boelo por ter recusado. "Ela é linda", diziam--me, como se eu fosse cego. Para mim, não era a beleza física de Sofia que a tornava especial. Era a forma como dançava, como uma deusa, capaz de fazer o mais medíocre dos dançarinos, como eu, parecer o Mateus Pelé do Zangado. A memória permite-me alguns exageros, mas a verdade é que ela, na sua generosidade sem fundo, dava-me a honra de a ter nos braços a descompassar até no mais elementar dos passos. Sofia fazia parecer o mais elementar "um dois, um dois" um momento mágico, fazendo-me sentir o melhor dançarino do mundo, a concorrer para o primeiro lugar do Concurso Internacional de Kizomba do "África a Dançar".

O DJ Beleza deve ter percebido o meu fascínio por aquela loira e, solidário, ou tentando entender até onde me levaria o meu fascínio, convidou-me para a Mussulo, porque era para lá que todas aquelas mulheres maravilhosas seguiriam. Ele sabia que Sofia era muita areia para o meu cangulo, o mais provável era ter que sair da história com o coração em cacos.

Suponho que o dececionei, pois, assim que me vi dentro da Mussulo, a Sofia deixou automaticamente de ser o meu foco de atenção para me concentrar na viagem musical que o DJ Amorim me proporcionava. As noites africanas já não se resumiam às batidas melosas da kizomba, havia um som nervoso que reclamava espaço na pista de dança e ninguém lhe ficava indiferente. Uma euforia de dia de aniversário, ou noite de réveillon, tomava conta das pessoas. Abria-se uma roda no meio do salão e os dançarinos mais dotados revezavam-se, cada um dando um toque mais aparatoso do que o anterior. Ninguém se sentia deixado de fora, a música era contagiante e todos se mexiam.

Embora o último Ku Mix, editado já em 2008, não tivesse alcançado o mesmo sucesso das edições anteriores, e embora o DJ Amorim já tenha pendurado os headphones, não podemos deixar de reconhecer o contributo que este deu para que o gênero florescesse, bem como o papel da Mussulo, santuário de celebração musical para onde os angolanos peregrinavam todos os santos fins de semana, para reencontrar velhas amizades e resgatar, através da dança, a identidade cultural de um povo assombrado por uma guerra civil, que nos amputava a vida e a capacidade de sonhar. O espaço já não existe, mas as memórias dos domingos passados naquela cave ainda hoje ecoam em mim.

Foi também na Mussulo que ouvi pela primeira vez o gênero que, anos mais tarde, viria a transformar a minha relação com a música para sempre. Naquele instante, algures na primeira metade dos anos 1990, década em que Lisboa se tornaria a minha cidade-nação, ouvir kuduro representava uma descoberta. Pela primeira vez, o medo que sentia do estigma de estrangeiro deixou de ser grave e passei a aceitá-lo, tal como alguém que fala uma segunda língua – aquela que, para além da que usamos para comunicar com o mundo, existe e repousa em nós, manifestando-se somente quando sonhamos. A kizomba, e tudo o que existia dentro deste universo, era essa língua interior, algo que guardava em mim e partilhava somente com aqueles que, como eu, viviam entre mundos. O jazz, rock, hip-hop e eletrónica, todas as linguagens musicais que adotei em Lisboa, e que acrescentei àquela que já habitava em mim, desde que me lembro de existir.

Descobri-me através da música, foi com ela que a cor da minha pele passou a ser fator preponderante para a minha autoafirmação. Antes desta consciencialização, o termo "música negra" não existia sequer no meu léxico. Foi preciso fixar-me em Lisboa para iniciar a viagem por aquilo que julgava saber sobre mim e por aquilo que o outro pensava saber sobre mim. Identidade passou a ser sinónimo de sobrevivência, e a kizomba e o kuduro a sua banda sonora secreta.

10h30

Na sala, a judoca continuava a olhar para mim desconfiada, a estudar-me os movimentos em busca de um gesto que fosse de encontro à sentença que já havia formado a meu respeito desde o momento em que lhe entreguei o passaporte caducado. Um gesto, mínimo que fosse – uma coceira na nuca, um esfregar de olho –, qualquer sinal que, ao invés de me inocentar, me condenasse. Parecíamos dois gladiadores prestes a embarcar num combate de vida ou morte. Tal qual Chuck Norris *vs* Bruce Lee naquela luta final dentro do coliseu de Roma, no clássico *O voo do dragão*. Já o viking loiro parecia-me mais disponível. Ele bem podia tentar disfarçar, mas aquele ar de polícia zeloso não conseguia esconder que, no seu tempo, devia ter curtido algumas raves. Tem todo o ar de quem passou verões inesquecíveis em Ibiza, de quem religiosamente não perdia uma edição do International Music Summit, saltitando entre a Playa d'en Bossa e a avenida 8 d'Agost, jurando fidelidade eterna diante das duas cerejas do Pacha. Mas agora que é agente da lei resguarda-se para coisas mais profundas como underground tech house... Se lhe perguntar onde vai este sábado depois de largar o expediente, quase que posso apostar que será ao The Villa.

Os dois voltaram a sair da sala e, desta vez, por um período mais longo.

11h15

Se a Europa me ensinou alguma coisa foi a de que não existe nada mais assustador do que um africano a atravessar-lhe as fronteiras. "Escondam o vosso dinheiro, escondam as vossas filhas, os pretos estão a invadir-nos o quintal." Oiço-lhes os pensamentos quando nos veem a aproximar do guichê e lhes entregamos o nosso passaporte do terceiro mundo.

— Qual é a razão da sua visita?

— Férias.

— Onde vai ficar hospedado?

— Em casa do meu pai.

— Quanto dinheiro traz consigo?

— Acredito que o suficiente para apanhar o táxi. Cerca de cinquenta mil escudos.

O oficial da fronteira parou de folhear as páginas do meu passaporte e levantou a cabeça, fixando os seus olhos nos meus. Sorri-lhe. Voltou a olhar para o meu visto, pousou o meu passaporte de lado e pediu-me que, enquanto ele falava com o inspetor, esperasse junto a uma parede, onde se encontravam alguns passageiros do meu voo, assim como duas mulheres do Leste Europeu e um rapaz brasileiro, talvez nos seus vinte anos. Naquele momento não me passou pela cabeça que corria o risco de me ser recusada a entrada e enviado de volta para Luanda. Nem sequer pensei que, aos olhos daqueles polícias fronteiriços, um jovem de dezessete anos acabado de aterrar em Lisboa com um visto de turismo, com quase toda a certeza que não regressaria ao seu país – só se fosse louco. As notícias da guerra civil em Angola deviam fazer manchete em todos os jornais. Não era refugiado, não vinha pedir asilo político, mas, no meu visto de turista, essas deviam ser as palavras que gritavam mais alto.

Aquelas foram as minhas primeiras horas em Portugal e não sei quantas delas fiquei ali parado até ser finalmente chamado. Fui levado para uma sala sem janelas, com uma secretária e duas cadeiras, onde um homem nos seus cinquenta, vestindo o mesmo uniforme que o do oficial da fronteira que estava sentado com os olhos postos no meu passaporte, folheava as páginas vazias, com a impaciência de quem já vira uma centena de passaportes só naquela manhã. Quando finalmente voltou o olhar na minha direção já eu estava sentado. Repetiu-me as mesmas perguntas que me fizera o oficial da fronteira. Perguntou sobre a profissão do meu pai.

— Médico.

— Ele vem buscar-te?

Acenei afirmativamente e ele, olhando para a página do meu visto de turista, proferiu um som, um longo "hummmm", como se já soubesse quais seriam as minhas respostas para as perguntas seguintes. Aquele som era para ganhar balanço, coragem talvez, para fazer de mim mais um número na estatística crescente de imigrantes africanos que todos os dias chegam às fronteiras dos países da União Europeia. Se pudessem trancavam as fronteiras, não tenho dúvidas. Por mim, naquela altura, podiam trancar. Daria tudo para não sair de Angola. Seria até um alívio se me mandassem de volta. Sabia que não era bem-vindo. Seria um alívio para todos, até para o meu pai. Tenho a certeza de que ele preferia que eu não estivesse em Portugal. Mal nos conhecíamos, mal nos conhecemos. Desde que saiu de Benguela para Coimbra, as notícias que me chegaram foram por carta e ocasionais telefonemas. As cartas foram sempre dirigidas à minha mãe, que depois de ler em silêncio as coisas que só a eles diziam respeito lá lia alguns parágrafos dirigidos a mim. Não me lembro de quando recebi ou enviei a última, devo ter perdido o interesse, e ele deixado de se importar.

O inspetor pegou num dos carimbos e... Estava livre para entrar na Europa.

Atravessei o terminal das chegadas num passo apressado e avistei o meu pai junto às portas automáticas de vidro, onde se lia o sinal de "Saída". Os meus passos eram largos mas sentia-me como se corresse, não para os braços do meu pai, pois estes representavam apenas o desconhecido, mas para fora dali. Tinha acabado de chegar à Europa e já só queria fugir dela.

Mas segui em direção ao meu pai, à ténue imagem que guardava dele. Sempre me questionei se saberia como reagir nesse reencontro. Pensei até, durante a viagem, se nos reconheceríamos. Talvez fosse mais simples ele identificar em mim os traços que são, ou que já foram, seus. Já eu, teria de fazer um esforço bem maior, uma vez que a imagem que tinha do seu rosto era formada apenas pelas fotografias do álbum de casamento da minha mãe, a preto e branco, numa Benguela de 1975, uma Angola que não existe mais, e pelas imagens enviadas nas tais cartas que a minha mãe lia sem conseguir disfarçar quanto aquelas palavras de circunstância, distantes, a afetavam. O acesso que tinha a essas poucas fotos era também limitado. Só de vez em quando, na fase mais aguda da minha curiosidade infantil, durante a qual inundei a minha mãe de questões sobre "quando voltaria ele", "como se parecia ele", o meu pai, é que ela, para me acalmar, ia buscar as fotografias. A minha mãe sempre foi hábil a satisfazer-me a curiosidade, mas, quando a apanhava cansada, e já não lhe restavam respostas para explicar a distância, nem a, mais profunda ainda, ausência do meu pai, ela lá ia buscar o álbum das fotografias de casamento e narrava a história da família e os protagonistas presentes naquelas imagens.

Treze anos passaram e há muito tempo que não vejo aquelas fotografias. Também há muito que deixei de fazer perguntas – obtive todas as respostas logo ali, naquele aeroporto. Senti-me duplamente forâneo, não só por ter acabado de aterrar em terra estrangeira mas também por sentir que entre mim e o meu progenitor existia um estreito igual ao de Gibraltar, em que só nos dias sem nuvens podíamos avistar a outra margem. Logo à saída do aeroporto, não me lembro já a que propósito, o meu pai disse, com as duas mãos firmes no volante e os olhos postos na estrada, com a expressão banal de quem descreve o estado do tempo para quebrar o silêncio num grupo de pessoas, "os meus dias em Lisboa são casa-trabalho-casa, não tenho amigos". Pensei como poderia um homem viver sem amigos? Que tipo de relação poderíamos construir? Tendo em conta que, nos meus quase dezoito anos de vida, não me recordava de termos vivido sob o mesmo teto em momento algum, aquela confissão arrepiou-me. Senti pena de nós, do fosso instalado entre ambos, e que, até hoje, nenhum dos dois teve a paciência, ou a coragem, de atravessar. A ser filho, só o tempo me poderia ensinar, tal como a ser pai, pensei para mim. Entretanto, a hipótese com maior probabilidade de sucesso seria a da amizade. Mas como ensinar um homem de cinquenta e cinco anos a ter amigos? A ter um filho?

Talvez tenha desistido cedo demais. Nem tentei assim tanto, não tinha planos de ficar muito tempo por terras lusas. Na minha cabeça ficaria só até Jonas Savimbi e José Eduardo dos Santos voltarem à mesa de negociações e se convencerem de que a paz era mais vantajosa para ambas as partes. Assim que as armas se calassem em Angola, não ficaria nem mais um minuto. A Europa não era para mim. Quem queria viver ali quando se tem um país como Angola em paz? Nos primeiros anos, estas eram as questões que me inquietavam. Não podia acreditar como nós, africanos, preferimos desperdiçar os nossos melhores anos na Europa, a construir os seus prédios, a limpar-lhes as casas, a fritar-lhes os hambúrgueres. Não seria melhor levar essa força bruta para um lugar que, mesmo que não fosse o nosso, o que nos viu nascer, fosse habitado, pertencesse, a uma maioria de negros como nós: negros. Dos cinquenta e quatro países africanos, pensava, haverá certamente um que nos sirva de abrigo enquanto o MPLA e a Unita não se entendem. Um que não viva sob a constante ameaça de uma guerra civil, um, por mais pequeno que fosse, que estivesse grato por nos receber e nos desse a oportunidade de contribuirmos para a sua economia. Qualquer um, menos os da Europa. Estes eram os pensamentos que me ocupavam a mente naqueles longos dois primeiros anos em Portugal. Criei uma aversão tão grande ao país que nem desfiz a mala com que desembarquei.

Ali estava eu, sentindo-me refugiado, exilado, emigrado... Tudo palavras das quais desconhecia o significado, até Savimbi se ter convencido de que houve fraude nas eleições de 1992 e a minha mãe, que viu Angola independente, e que conhecia melhor do que eu o coração dos senhores da guerra, temendo pela minha vida, me enviou para Lisboa na primeira oportunidade que teve. Não a censuro, ela é mãe, no seu lugar é provável que todas as mães angolanas fizessem o mesmo. Não consigo imaginar como devia ser agonizante para uma mãe, no contexto de então, ver o filho homem crescer com a certeza de que um dia ele teria que ir para a guerra, sem saber se de lá iria voltar.

11h27

Do quinto andar do Hotel Ritz, em Lisboa, via-se uma réstia da cúpula de folhas verdes que envolve a Estufa Fria, no parque Eduardo VII de Inglaterra. Teria partilhado com eles a história do parque se não estivessem ambos, o Kalunga e o dr. Eugénio Neto, a olhar fixamente para mim, à espera da minha resposta.

"E quanto é que custa", perguntou-me o dr. Eugénio enquanto pousava a chávena do café no pires. Reparei num sorriso a formar-se no canto dos lábios e pensei que aquilo era um teste. Olhei para o Kalunga, que se manteve mudo durante todo o meu monólogo de apresentação, e procurava nele uma palavra, uma pista que me ajudasse a decifrar a questão que o *doutor*, seu patrão, me colocara. Mas o rosto dele estava mais sereno do que o de uma velhinha a tricotar. Nem uma ruga entre os olhos, nem sobrancelha esticada ou olhos esbugalhados, nada. Conhecia-o havia anos, bem antes de Buraka, bem antes da música. Na altura queria apenas ser poeta. Acabara de me mudar para Lisboa e, como versos não pagavam a renda, fui trabalhar num restaurante de comida rápida no Centro Comercial Saldanha.

Kalunga Lima era meu cliente. Apresentou-se como realizador de cinema. Vim a descobrir mais tarde, nas conversas que fomos tendo nos meses em que esteve em Lisboa antes de partir para Luanda, que aquela era no mínimo a sua quarta encarnação. Antes disso já havia sido militar no Exército do Canadá, professor de mergulho e de literatura em Santa Lucia, Caribe. Como o homem não para de aprender até à morte, disse-me que tinha voltado para a escola, enquanto esperava que lhe confecionasse um *teriaky* de frango e uns *temakis* de atum. Matriculou-se na Escuela Internacional de Cine y Televisión (EICTV), em San Antonio de los Baños, Cuba, escola esta que o Nobel da literatura colombiano, Gabriel García Márquez, convenceu Fidel Castro a criar. Já tinha ouvido histórias incríveis sobre aquela escola, algumas sobre as visitas que Steven Spielberg, George Lucas, Robert Redford e Steven Soderbergh fizeram àquele oásis do cinema latino-americano. Numa das suas visitas à Escola de Três Mundos ou Escola de Todos os Mundos, como também é conhecida, Francis Ford Coppola não somente falou sobre arte e cinema como fez ainda questão de convidar toda a escola a comer uma *pasta al pomodoro* cozinhada por si. Perguntei se ele havia lá estado nessa altura, e Kalunga apenas sorriu. A resposta era irrelevante. Eu vivia fascinado pela vida daquele homem, admirava-lhe a coragem, queria ser como ele. E ele, talvez identificando em mim as mesmas inquietações que sentira quando moço, incentivava os meus ímpetos de poeta e oferecia-me conselhos: "Lê cinco livros por semana, viaja para todos países que te for possível". Falava de coisas simples, mas, para um miúdo que largara tudo para ser poeta, ver um homem negro com tanto mundo, tanto saber, e ainda assim acessível, apaziguava as minhas incertezas. Não me esqueço de quando, muito sério, se virou para mim e me aconselhou a "não fazer filhos antes do tempo". Dizia-me para tentar entender sempre até quando precisaria de tempo para correr o mundo, sozinho. Palavras que me acompanham até hoje. Talvez o silêncio de Kalunga naquela suite do Ritz fosse mais uma das suas lições.

O dr. Eugénio Neto, sobrinho do poeta dr. Agostinho Neto, que proclamou a Independência em Angola, era um empresário ligado à banca e aos diamantes que me ouviu durante algum tempo a dissertar sobre os feitos e desfeitos do coletivo musical do qual fazia parte. Não conseguia deixar de pensar que a minha conversa o entediava mortalmente. Era sobejamente conhecido o seu amor pela música, uma relação que começou ainda no tempo colonial, e justamente na minha Benguela umbilical, nos idos de 1972 ou 1973, onde se promoviam encontros musicais nos quais o semba e a rumba dominavam. "Trouxemos pela primeira vez o Bonga a Angola", disse-me orgulhoso.

Antes de sermos interrompidos pelo empregado, que entrou no quarto arrastando o carrinho do pequeno-almoço, Eugénio contava as histórias de David Zé, Artur Nunes, músicos que agitaram as mentes da juventude da época, bem como as do velho Luís Montez, pai de um dos maiores produtores de festivais da atualidade em Portugal. Nos anos 1960, ainda antes da Independência, era nos eventos do velho Montez que se ouvia o melhor da música angolana.

Os olhos dele brilhavam ao falar daquele seu antigamente. Antes da Independência e de embarcar integrado no primeiro grupo de estudantes angolanos para as universidades da antiga União Soviética, em 1976. Foi lá que se licenciou em medicina, pelo Instituto Estatal de Medicina Piragova de Moscou, num curso que durou seis longos invernos. O primeiro ano foi dedicado ao domínio da língua, contou-me. "Quando cheguei a Moscou só sabia dizer três palavras em russo." Hoje é poliglota, falando fluentemente russo, francês e inglês. Não me espantaria se me dissesse que arranha também o mandarim.

Antes da reunião, Kalunga já me tinha dado o toque sobre o percurso do dr. Empresário. Membro de diferentes sociedades médicas, como a de Gastrenterologia ou a da Endoscopia portuguesas, foi ainda fundador da Vida, do seu Sport Club, e da União Nacional de Artistas e Compositores. Era também um executivo de topo em diferentes empresas, entre outras a Tranquilidade, a Escom, a GE-GLS Oil & Gas Angola. Aparentemente, o senhor não dormia, era conhecido por ser o primeiro a chegar e o último a sair do escritório. Sempre ligados, os dois telemóveis que repousavam na mesa tocaram meia dúzia de vezes durante o nosso encontro. Interrompeu a nossa conversa para atender algumas das chamadas, pedindo sempre desculpas pela indelicadeza e justificando com um "é importante" ou "não me largam".

Aparentemente, o bichinho da música deixou-lhe sequelas irreversíveis, pois mal pôde criou uma editora de música, a LS Produções, que possui o maior catálogo de música moderna angolana. Anselmo Ralph e Lambas são alguns dos artistas do seu *roster*. Numa primeira leitura, seria a casa ideal para editar a nossa música em Angola, um sonho antigo mas que até então parecia impossível de realizar. O meu anfitrião pediu-me para o iluminar. E não me fiz rogado, contei-lhe tudo, tintim por tintim, os nossos feitos, a internacionalização do kuduro, os palcos que pisamos. Deixou-me falar.

Comecei a envolver-me com o rock e, embora não me sentindo particularmente atraído pelo género, entendi que precisava de aprender a construir canções pop. Depois disso, misturei-me com músicos de jazz e aprendi com eles a liberdade e o sentido da aventura. Tropecei com a eletrónica e a música de dança e com elas aprendi a enfrentar o palco. O coletivo que criámos, no início dos 2000, nasceu por necessidade. João Barbosa (Branko) e Rui Pité (Riot) conheceram-se enquanto frequentavam o ensino médio na Amadora, uma cidade nos arredores de Lisboa, e tiveram uma banda de rock durante algum tempo. Mas rapidamente se cansaram dos ensaios intermináveis para concertos que não acrescentavam valor ao que faziam, e decidiram comprar alguns *samplers* numa loja de produtos em segunda mão, saltando assim para a produção de música eletrónica. Colaboraram com vários artistas da cena musical de Lisboa, entre os quais eu. Na altura, tínhamos um contrato de gravação com uma editora independente, mas o disco nunca aconteceu. Fazíamos coisas muito arrojadas e que ninguém tinha a coragem de editar. Foi preciso desbravar terreno virgem e mostrar que era possível ter uma abordagem contemporânea às músicas que tínhamos na cidade de Lisboa. Criámos a nossa própria editora, a Enchufada.

O grupo formou-se depois da entrada de Andro Carvalho, que, na altura, tinha uma sensibilidade especial para traduzir em linguagem convencional a música vinda da periferia de Luanda. Juntos, começámos a editar e a remisturar algumas músicas kuduro para tocar na residência mensal no Clube Mercado, frequentado maioritariamente por um público que nunca havia pisado um clube africano. Talvez daí a falta de preconceitos com que lhes propúnhamos a nossa música. Foi a loucura total. Era tudo novo, fresco e cru. Canções como "Yah!" e "Sem Makas" foram *bangers* locais, que apenas as pessoas que participavam nesses eventos conheciam.

O "Yah!" foi o nosso primeiro single e quem lhe deu voz foi a Petty, uma miúda espalha-brasas de quinze anos que tinha acabado de chegar de Luanda. O culto à volta do projeto Buraka começou com aquele tema, naquela pequena cave com uma lotação de cento e cinquenta pessoas, que todas as semanas apinhavam o Clube Mercado para ouvir aquela nova sonoridade, que misturava kuduro com outros sons de periferias do Rio de Janeiro, Joanesburgo e Londres. O "yah" do refrão pulsa como uma palavra de ordem, um incentivo à insurreição coletiva de quatro minutos e meio embrulhados num beat 808 e numa linha de baixo infeciosa e minimal, dando espaço para que Petty cuspa as suas rimas de forma sincopada, como se a voz fosse também ela um instrumento percussivo. A música acendeu o rastilho para que "os líderes de opinião" que ditavam tendências e moldavam o gosto dos consumidores de música de dança se rendessem às sonoridades do kuduro. O vídeo, que nos custou cinquenta euros a produzir, obteve rapidamente mais de um milhão de visualizações, contribuindo ainda mais para que o kuduro se fixasse no vocabulário da música eletrónica mundial.

Para mim, o "Yah!" é a única música dos nossos primórdios que reflete a crueza daquelas noites no Clube Mercado, onde, de forma espontânea e caótica, MCs e dançarinos invadiam o palco para celebrarem connosco o nascimento de um movimento. O espaço foi fechado por ordens da polícia, problemas com as licenças. Mas o encerramento do Mercado não impediu que o vírus contaminasse a cidade, o que nos obrigou, perante tantas solicitações, a levar para a estrada os Buraka Som Sistema, nome que escolhemos em homenagem à Buraca, na altura uma das onze freguesias da Amadora, a quarta cidade mais populosa em Portugal, onde Branko e Riot cresceram. A maior cidade africana de Portugal.

Aproveitei para lhe entregar presentes. Estendi-lhe a primeira edição do EP *From Buraka to the World*, a primeira coleção de canções que serviu de introdução ao som dos BSS. Na altura, a edição de setecentas cópias esgotou em três semanas. Ofereci também o 7 polegadas de "Yah!", uma autêntica relíquia se pensarmos que, além do número limitado de cópias disponíveis, este vinil foi distribuído porta-a-porta em algumas lojas londrinas. Esse foi o pontapé de saída para a internacionalização do kuduro. Depois disso nada mais voltou a ser o mesmo. O género tinha entrado na arena internacional de forma oficial. De um momento para o outro éramos aliados de uma legião emergente de artistas globais dispersos pelos quatro cantos do mundo, ligados via internet e com a missão de trazer bandas sonoras urbanas exóticas às massas. Ao lado de artistas como os brasileiros Bonde do Rolê, os britânicos M.I.A. e Sinden, e o norte-americano Diplo, contribuímos para que uma nova geração de *ravers* abanasse as ancas como se as suas vidas dependessem disso e, durante o processo, ainda conseguimos que a world music ganhasse um novo vigor cool que poucos julgavam ser possível.

Depois desse discurso, expliquei-lhe que seria um sonho poder estar presente no mercado angolano. O dr. Eugénio voltou a sorrir, olhou para os discos que repousavam na mesa, tocou-lhes, como se os lesse com os dedos, mas os olhos estavam claramente longe daquela suite, e rematou:

"Quanto custa?"

Por instantes pensei que estivesse a referir-se aos discos e hesitei, mas disse-lhe que se tratava de ofertas. Voltou a olhar para mim e, desta vez, soltou mesmo uma gargalhada.

"Quanto custa a editora, quanto custa?"

Aquela pergunta apanhou-me completamente de surpresa. "Vim para discutir a possibilidade de licenciar os nossos discos para Angola e não mais do que isso", respondi-lhe. Ainda me voltei mais uma vez para Kalunga, que, igualmente surpreso, encolheu os ombros e tentou disfarçar a situação com um sorriso encabulado. Ele insistia para que lhe dissesse o preço, e eu, para fugir ao assunto, disse-lhe que era o tipo de resposta sobre a qual teria que discutir com os meus sócios. E ele voltou a insistir, agora entregando um papel e uma caneta. "Escreve um número." Neguei-lhe o avanço e, piorando o desconforto, ele passou-me o telefone:

"Liga então aos teus sócios e pergunta-lhes quanto vale a vossa empresa, e eu pago o dobro."

Até então nunca me tinha colocado a hipótese de assinar um contrato de artista, quanto mais vender a editora. Logo agora que estávamos a ver finalmente os resultados da nossa caminhada. Deitaríamos tudo por terra para arrecadar uns trocos? De qualquer das formas, tinha que conferenciar com os meus cúmplices e partilhar o que acabara de viver. Voltei a perguntar-lhe se não estaria interessado em investir no nosso projeto.

A resposta que dele obtive deu-me a certeza de que estávamos no caminho certo. Disse que um projeto como o nosso iria estragar, nas suas palavras "desvirtuar", a génese do kuduro, e inclinou o seu corpo em direção ao meu, como se estivesse a desafiar-me para um duelo de armas, atirando: "Kuduro é gueto, é angolano e não pode sair de Angola. O que vocês estão a fazer vai destruir essa magia".

Ouvi-o em silêncio. Toda aquela conversa sobre dinheiro e o que se podia ou não fazer com a música deu-me azia. É por causa deste tipo de empresários que a nossa cultura não sai da periferia. Naquele instante tive a certeza, e agora era eu quem disparava sem tremer: "Tenho pena que pense dessa forma. Lamento, mas a editora não está à venda". Levantei-me e toquei no ombro de Kalunga. Este acenou. Não eram necessárias mais palavras. Estendi a mão ao *doutor* e ele aceitou-a. Antes de me voltar para a porta ainda espreitei para o parque Eduardo VII. Pensei em perguntar-lhes se sabiam que antes se chamava da Liberdade. Mas fiquei calado.

11h43

"Quando a imagem é nova, o mundo é novo." É provável que nenhum kudurista conheça esta expressão e muito menos tenha ouvido falar de Gaston Bachelard, o poeta e filósofo francês que a escreveu no seu noturno *A poética do espaço*, a frase que encerra tudo aquilo que senti quando me deparei com o som e as imagens que estavam associadas ao género musical saído das ruas de Luanda pós 1975. Imagens que conseguiram capturar toda a essência, a exuberância, a arrogância e a competitividade, o reflexo mais honesto e aterrador, belo e fascinante, da sociedade angolana.

No início dos anos 2000 surgiu na cidade um novo kuduro, e era necessário encontrar uma imagem. Alguém que mergulhasse no esgoto, nos bairros de lata, no underground, que saísse de lá com algo para mostrar ao mundo, algo que nos convencesse de que este seria, de facto, o maior fenómeno musical a sair de Angola, e que, urgente, não esperaria que a Televisão Popular de Angola despertasse do seu sono burocrático – não, não esperaria pelo despacho do Ministério da Cultura, usaria o único canal de divulgação musical realmente democrático: o YouTube.

O kuduro encontrou a sua imagem pela lente de Hochi Fu. Ele está para o kuduro em Angola como o Hype Williams, o realizador americano que definiu a estética visual rap durante aqueles que foram os seus anos de ouro, está para o hip-hop americano.

Era realmente um mundo novo. Com os avanços tecnológicos e os softwares de música a tornarem-se cada vez mais acessíveis, a produção de música eletrónica no mundo tornou-se mais democrática, e Angola não foi exceção. Dos subúrbios saiu uma avalanche de produtores cujo objetivo não era ouvir a sua música tocar na rádio ou nas discotecas mais badaladas da altura. O som era demasiado cru, demasiado selvagem, e eles não tinham intenção de o polir e tornar mais acessível. Era música para ser consumida na internet via YouTube, nos candongueiros, nas janelas abertas, nas festas de quintal ou em salões como o da Mãe Ju, o espaço de diversão noturna que serviu de berço para artistas como DJ Znobia, Nacobeta e vários outros kuduristas do Rangel.

Hochi Fu, cujo nome de batismo é Ho Chi Minh Gourgel Martins, aterrou em Luanda depois de passar uma temporada na Holanda, país que escolheu para aprender a arte da realização e produção de vídeo. Embora os nossos conhecimentos sobre a produção de vídeo holandesa sejam limitados, não podemos negar o facto de que Amsterdã é uma das capitais do hip-hop na Europa, género no qual o kuduro se inspira, tanto no que toca à dança como na entrega das rimas dos MCs. Para Hochi Fu, mais do que estudar aspetos técnicos e saber as diferenças entre as versões cinco ou sete do Final Cut Pro, foi importante absorver a forma como os rappers, numa atitude de "faça você mesmo", usaram o vídeo para divulgar a sua música e o seu estilo de vida.

O trabalho de um realizador passa primeiro por entender a música, o artista e o contexto social em que se inserem. Ao invés de os colocar na Baía de Luanda, nas areias do Mussulo ou dentro de uma discoteca, como muitos vídeos de kuduro da primeira geração que seguiram a linha dos vídeos de kizomba, Hochi Fu filmou os bairros de Luanda como ninguém, tal como eles são, sem rodeios ou floreados. O que vemos nesses vídeos é a cidade de Luanda como ela é: bela, feia e a fervilhar de criatividade. Suja mas suficientemente exótica, ao ponto de fazer com que embaixadores deste movimento global club music como Diplo, M.I.A. ou Schlachthofbronx tivessem vontade de a visitar. E, mais importante ainda, Hochi Fu mostrou-nos os kuduristas no seu habitat – a rua.

Se existe um momento que marca um antes e um depois no universo dos videoclipes em Angola, o "Comboio" d'Os Lambas, os demónios do Sambizanga, merece esse reconhecimento. É raro reunir o realizador certo, os MCs mais promissores da altura, Bruno King e Nagrelha e a música perfeita (DJ Znobia tem um dedo neste tema) numa obra só. E não posso deixar de acrescentar a esta equação a editora, a LS Produções, do dr. Eugénio Neto. Foram eles que editaram um dos melhores álbuns de kuduro, o *Estado Maior do Ku-Duro*. O álbum que transformou Nagrelha na maior estrela pop angolana. Considerado por muitos o *enfant terrible* do kuduro, o MC do Sambizanga nunca fugiu ao confronto. Tanto os kotas Tony Amado e Sebem, como os jovens Puto Lilas, Bruno M, Puto Prata já foram alvo de apreciações pouco favoráveis de Nagrelha, algo que o mundo do kuduro, sendo um género que se espelha no rap, encara como normal. A bravata e a polémica servem de combustível, alimentam as ruas.

Filho de pai são-tomense e mãe angolana, antes de se tornar o maior ídolo do kuduro foi menino de rua. Lavava carros no mercado de São Paulo para sobreviver. Mais tarde foi membro de um gangue juvenil, até ser salvo pelo kuduro. Perspicaz, com a resposta sempre na ponta da língua, Na-Na, como é carinhosamente chamado pelos seus admiradores, conseguiu escapar à miséria e virar campeão de vendas, e durante o processo colocou o Sambizanga no mapa. DJ Znobia, DJ Malvado e outros agentes culturais consideram-no o 50 Cent.

E é dos Lambas o recorde de vendas na portaria, onde, no passeio em frente ao portão da Rádio Nacional, em Luanda, despacharam oito mil CDs num par de horas. O local é escolhido por muitos músicos para a venda direta das suas obras, a par do Cine Atlântico, sendo já praticamente uma tradição que esteve ameaçada em 2005, quando a Polícia Fiscal tentou acabar com as vendas na portaria, mas uma onda de protesto da classe artística pressionou o Governo para combater antes a pirataria e criar outras condições para os artistas no que diz respeito à comercialização das suas obras em locais apropriados e com preços regularizados, em vez de lhes tirar uma das suas poucas formas de sustento.

Mas voltando aos Lambas. A energia que o vídeo do "Comboio" trasmite é tão arrebatadora que nos faz acreditar que a banda e o realizador foram feitos um para o outro. Rebelde, cru, urgente e colorido. A dança e as rimas que representam aquilo que Luanda era e ainda é, e que nenhum realizador antes de Hochi Fu soube traduzir em imagens.

12h00

Criar é comprometedor. Dançar graciosamente e criar versos bonitos. Cantar, fotografar e pintar bem deixou de ser requisito. Do que se cria espera-se uma mensagem, um qualquer significado transcendente, e que este esteja associado, ou em sintonia, com uma causa qualquer. Nem sei se alguma vez chegou a ser diferente, sempre pedindo mais do que simplesmente criar arte. No nosso antigamente recente, cada poema, cada quadro, cada obra artística, tinha a função de uma enxada ou de uma picareta: edificar a identidade do angolano. Sim, os nossos artistas vestem muitos chapéus. Aliás, menos não seria de esperar. As esferográficas que redigiram as nossas primeiras leis foram também as que criaram alguns dos mais belos poemas da nossa história literária. Talvez por isso haja tanta expectativa em relação à nossa classe artística, afinal é esta a nossa tradição. Pena é que neste processo não se respeite a inteligência.

O que me faz sair da cama e correr mundo, atravessar fronteiras, mesmo sem documentos válidos, correndo o risco de me cruzar com um polícia viking e acabar numa cadeia norueguesa é a necessidade de conhecer o outro. É o único exercício que sei praticar para materializar em palavras, poucas de preferência, aquilo que sei sobre mim. O meu nome, por exemplo, diz mais sobre mim do que qualquer adjetivo, e nem dele sabia o significado exato. Imaginem o que é para um miúdo de cinco anos aceitar que tem um nome estranho, quando os restantes membros da família tinham, na sua maioria, nomes inspirados em santos católicos. Numa altura em que a maioria dos miúdos andava obcecada em saber de onde vinham os bebés, eu só queria que me respondessem de onde vinha o meu nome, por que não me tinham atribuído um simples e neutro Gustavo ou Filipe? Nunca obtive resposta. Alguns kotas* da altura brincavam comigo, entoando uma canção de um tal de Luís Kalaff, cantor dominicano de merengues.

Do meu xará com dois efes sei assobiar um único refrão, o tal com que me massacravam sempre que alguém ouvia o meu nome. *La Mecha, La Mecha, Ai Maria*... E só. Sei que, ao contrário do que os kotas de Benguela pensavam, o "La Mecha" que conhecemos é interpretado por Tabito Pequero, o segundo vocalista do conjunto Luís Kalaff con Los Alegres Dominicanos, e é a faixa que abre o disco *El Rey Del Merengue*, editado em 1963. Até hoje me pergunto se acabei na música influenciado pelo nome que carrego. Não sou dos que acreditam no destino, mas não deixo de sorrir diante de uma coincidência singular. O velho Kalaff foi um compositor prolífico, assinou mais de duas mil composições, algumas delas reinterpretadas por gigantes da música latina como Fernando Villalona, El Niño Mimado, e também pelo ex-guarda-redes mais romântico de todos

* Pessoa mais velha, "coroa". [N. E.]

os tempos, Julio Iglesias. Nada mal para o filho de uma humilde dominicana, dona Bernavelina Pérez, e de Juan Kalaff, um comerciante libanês que, aos catorze anos, enquanto trabalhava como carpinteiro, construiu a sua primeira guitarra a partir dos restos de um instrumento encontrado na rua. Uma trajetória com contornos quase bíblicos, já que foi com aquela guitarra que o seu filho começou a espalhar o evangelho do merengue, da mangulina e do bolero de Santo Domingo pelo mundo.

Parte da minha educação musical deu-se no Bairro Alto. Nos meus primeiros anos em Lisboa marcava o ponto dia sim, dia sim na esquina da travessa da Espera com a rua da Barroca, eu e todos aqueles com quem vim a estabelecer cumplicidades musicais. Firmes como soldados de infantaria em pleno campo de batalha, unidos por uma só causa, a luta contra o inimigo comum, o tédio. Os mais jovens, por respeito àqueles que antes deles deram o corpo ao manifesto, eram os primeiros a chegar, enchendo as artérias principais do pequeno bairro, que não só se apresentava como um lugar de diversão noturna como era também uma incubadora para muitas ideias e projetos desta cultura urbana em que vivo agora submerso. Os mais velhos, atentos, não assistiam ao emergir dessa juventude de forma exageradamente complacente. O bairro, ainda que democrático, respeitava a ideia de classes e tinha naturalmente divisões hierárquicas bem delineadas. Nós, os mais moços, ainda que sentíssemos que podíamos falar, também sabíamos que era preciso crescer para aparecer e ter voz.

Estávamos no final dos anos 1990, numa altura em que as noites de Lisboa exerciam uma força gravitacional, atraindo gente de todos os feitios. Estávamos todos seduzidos pelo potencial desta cidade, e isso sentia-se pelo número considerável de betinhos* da Linha convivendo de forma harmoniosa

* "Mauricinho", "Coxinha". [N. E.]

com turistas e jovens suburbanos. Foi irresistível. Andávamos a despedir-nos da Expo 98 e a dar as boas-vindas à Capital Europeia da Cultura. Tudo indicava que esta cidade seria a próxima (e talvez melhor) Barcelona, fazendo face ao Atlântico e a pronunciar melhor o inglês. Estranhamente, manteve-se quase anónima, e, mesmo sem o brilho de outrora, a capital da Catalunha consegue manter-se como uma das cidades mais vibrantes da península. Considero péssimo o hábito de nos autoconsumirmos com comparações, mas nem eu consigo resistir por vezes, é quase um desporto nacional mergulhar na poça do saudosismo e perder horas, entre a Barroca e a Travessa de Espera, sempre que descobrimos um rosto familiar, um antigo habitué desta esquina, por entre estes novos frequentadores do bairro, mais difíceis de identificar. Os betinhos já não carregam a mesma franja que os denunciava a quilómetros de distância. Têm agora os mesmos cortes de cabelo que os moços suburbanos, e vestem-se da mesma forma – cortesia dos lojistas cool da rua do Norte. Usam os mesmos jargões e interessam-se pelas mesmas coisas. Os estrangeiros que consigo avistar não são turistas, falam português e agem como um amigo distante que agora nos visita, herança do programa Erasmus.

A outra parte dessa educação musical chegou pelas mãos de DJ Johnny e da sua coleção de mais de cinco mil discos de vinil, da qual, por um período de meio ano, fui fiel depositário. Os discos vieram parar à minha mão quando Johnny, também conhecido por Johnny Cooltrain, ou João Bumbo, foi despejado da casa em que vivia com os seus poucos pertences, que se resumiam a roupa, um bom punhado de livros e revistas de música como a *Straight No Chaser*, e discos, muitos discos de todos os géneros e para todos os gostos. Johnny era um DJ à antiga. Embora a grande fatia dos discos fosse de música eletrónica, muito drum n'bass, muito reggae, algum house, techno, bastante jazz de todas as eras, e uma respeitável coleção de hip-hop, assim como, e aí talvez uma das razões da nossa amizade, uma admirável coleção de discos de música angolana. Imaginem o que é viver sedento deste tipo de informação e alguém entregar-vos uma biblioteca sonora tão diversa e eclética. Que mais poderia desejar? Através daquela coleção descobri poetas como Amiri Baraka, que me fizeram viajar desde aquele quarto na Costa do Castelo de São Jorge até ao Harlem, e lá esbarrar em James Baldwin e ver a minha vida mudar para sempre.

Johnny foi o primeiro negro cosmopolita que conheci em Lisboa. Com ele tive acesso a pessoas e lugares e a ser respeitado ou, pelo menos, a ser olhado com curiosidade. Foi com ele que entrei pela primeira vez no Lux, em 1999, a discoteca mais badalada da cidade, que tinha aberto no ano anterior, junto ao rio Tejo, em Santa Apolónia. Dizer que entrei no Lux pela primeira vez não merece nenhuma nota de ressalva, não fosse aquele dia ter começado na praia e, no regresso – como os dias de verão em Lisboa são longos! –, fomos aproveitar os últimos raios de sol no miradouro do Adamastor, em Santa Catarina, ponto de encontro absoluto dos lisboetas hedonistas. Muitos saíam dali para jantar. Outros, boémios convictos como nós, partiam do miradouro para uma romaria de bar em bar pelas ruas estreitas do Bairro Alto. Depois de nos apercebermos do avançado da hora, as alternativas disponíveis não eram convincentes, e foi aí que o Johnny sugeriu um "vamos até ao Lux". Se não fosse este o clube da moda, não estranharia a proposta. Perguntei se tinha a certeza, apontando para a maneira como estávamos vestidos, chinelo de dedo, calções, *t-shirt* roçada e com vestígios de salitre a contornar as nossas testas. Johnny sorriu e entrámos no primeiro táxi que nos apareceu à frente. Uma vez à porta, uma bola de gente ocupava o espaço e a fila à espera de entrar estendia-se ao longo do parque de estacionamento. Aproximámo-nos da entrada, o Johnny e o porteiro trocaram olhares e, de repente, para meu espanto, vi aquele mar de gente afastar-se para dar passagem a dois negros empoeirados, dois monangambés de Angola.

Eram tempos de descoberta e ele acolheu-me como um primo afastado que agora visitava a cidade, sim, ele o rato da cidade e eu o rato do campo. Do meu canto observava-lhe os passos, sempre na corda bamba entre o sublime e o disparate. Não conheci muitos homens assim, daqueles que se tornam criaturas raras que chegam aos cinquenta sem nunca passar dos quinze. Os que carregam um caos infantil eterno, expansivos e taciturnos ao mesmo tempo. Do meu jeito, fui seguindo os seus passos. Falava pouco e algumas pessoas estranhavam isso. Aproximava-me mais da ideia de um acólito, que só pecava em pensamento, abstendo-me do álcool e outras substâncias, e isso devia incomodar as pessoas. O Johnny, que não abdicava do seu pica*, era dos poucos que não faziam piadas com a minha caretice. Pelo menos não à minha frente. Creio que até me respeitava mais por viver rodeado de tantas tentações e me manter inabalável na minha escolha de não usar drogas. Uma vez, para me fazer sentir melhor, mostrou-me uma canção dos Morgan Heritage, "Don't Haffi Dread", na qual cantam: "*You don't ha fi dread to be Rasta/This is not a dreadlocks thing...*".

As tentações nunca chegaram a desaparecer. E se aos outros as trips musicais batiam para acender charros e fazer linhas de coca, para mim a viagem, a pura pica, era o som, a música que fazíamos, a combinação de grime, dubstep e kuduro. Algo que nunca consegui colocar muito bem em palavras e que, quando saído das colunas de um clube, me punha nas alturas.

Foi este som que fez com que eu e os meus parceiros de Buraka nos juntássemos ao pequeno grupo de *globetrotter*s envolvidos no processo de redefinir a world music, usando a música eletrónica para a tornar não só cool como também a levar

* Cigarro de maconha, baseado. [N. E.]

a acompanhar as mudanças na forma como a música era feita e consumida dentro dos parâmetros da cultura urbana. É claro que, em teoria, este discurso é muito bonito, mas a realidade é bem mais complexa, e criar música a partir de um país periférico fez com que me questionasse muitas vezes sobre se o mundo, com a internet, estava a tornar-se mais pequeno, ou se tudo não passava de uma ilusão e rapidamente a trip acabaria e descobriríamos que a música de dança é um jogo com regras bem definidas a partir de Nova Iorque ou Londres.

Em Londres, certa vez, fui parar a uma festa num hotel na zona de Mayfair. Era uma daquelas festas londrinas onde toda gente tem corpos danone, cabelos pantene e rostos simétricos. Senti-me dentro de um anúncio publicitário. Eram todos sorrisos, olhos e dentes, e ninguém se negava a mostrá-los ao próximo. Senti-me londrino também, lancei-me para o meio da confusão e caí nas graças de uma modelo. Parecia-me ser do Leste da Europa. A coisa fluía bem. Ela quis saber que tipo de música eu fazia e eu quis dizer-lhe que era kuduro, mas ia perder-me em explicações. Então respondi-lhe: ghetto dance music. Saiu-me. Ela soltou um longo suspiro, não fazia ideia de que género musical seria, mas aquele suspiro pertencia à categoria daqueles que nos convidam imediatamente a desconversar caso tenhamos interesse em mantermo-nos engajados naquele tête-à-tête. E foi o que fiz. Mudei de assunto, rimos das piadas um do outro, dançámos e cantámos sem constrangimentos alguns dos hits pop da altura e, quando nos cansámos, seguimos para um dos quartos onde fomos recebidos com entusiasmo por duas amigas, uma asiática e uma negra, também modelos, que nos levaram pela mão, atravessando a suite até ao quarto interior, onde mais duas beldades nos esperavam com suas pernas intermináveis, cruzadas e sentadas na borda da cama. No meio delas um rapaz, também ele uma simpatia de pessoa, que desenhava muito meticulosamente linhas de cocaína sobre o tampo de uma mesa de vidro com um cartão de crédito. O rapaz tinha ar de surfista, loiro, ombros largos, e sobre eles um pescoço que mais parecia esculpido pelo cinzel de Michelangelo. Senti-me num filme de Guy Ritchie.

Uma das modelos que se encontrava sentada na cama levantou-se, perguntou o que queríamos beber e desapareceu por trás de uma porta. Não consegui identificar-lhe a nacionalidade, talvez fosse porto-riquenha, pelos cabelos longos e negros, a pele bronze e o gingado de alguém que ao caminhar ouve sempre uma música interior, um merengue quiçá. O lugar dela foi tomado pela Nefertiti e, mal nos sentámos no sofá, a deusa latina estava de volta, estendendo dois copos de gin à nossa frente. Aceitei e, antes que me oferecessem o canudo que circulava de mão em mão, sussurrei ao ouvido da modelo com quem viera um "eu não tomo drogas". Ela virou para mim o seu rosto fotogénico e, sem expressão nenhuma, numa placidez de monge budista, olhou fundo nos meus olhos por alguns segundos, como se me lesse a alma. Voltou-se para os seus e ignorou-me com tal eficiência que, se eu estivesse um pouco mais embriagado, teria dúvidas sobre a minha própria existência. Pelo sim, pelo não belisquei-me e, como ainda me restava um pingo de vergonha na cara, não tive outro remédio se não o de sair daquele quarto e deixar para trás aquela festa.

De quando em quando aquela modelo surge no meu pensamento, e não tanto pelos atributos físicos que possuía. Tudo nela fazia sentido, até o que tinha de menos. Os seios, por exemplo, duas pequenas saliências que me cabiam nas mãos na medida certa; ou o rabo, que, presente, não nos gritava, mas também não se furtava a convidar-nos a olhar para ele sempre que passava ou nos dava as costas – fui apanhado neste flagrante delito repetidas vezes. Que fazer? Sofro do mal da frase de Vinicius: "Nádegas é importantíssimo. Grave, porém, é o problema das saboneteiras. Uma mulher sem saboneteiras é como um rio sem pontes", e as dela eram literalmente dois arcos perdidos da Pont d'Avignon. As saboneteiras, aquelas pequenas cavidades entre o pescoço e os ombros, área cientificamente denominada de triângulo supraclavicular, é o que de mais belo e sensual podemos observar no corpo feminino. Mas, como dizia, não eram os seus atributos que me invadiam o pensamento, era algo bem mais mundano, o termo "ghetto dance music" que usei para explicar-lhe que género musical fazia. Devia ter dito apenas kuduro.

Nunca me convenceram muito as denominações usadas para explicar ao mundo a música que fazíamos. Hoje anda em voga o termo "bass music", e confesso que tenho um misto de sentimentos em relação a essa designação, mas consigo reconhecer que, na ausência de algo melhor, este termo serve o propósito. Reconheço que é bem melhor do que "ghetto dance music" ou "world ghetto music", como também já ouvi chamarem-lhe. Precisávamos de um nome, quem não precisa? E bass music até não é tão desajustado porque a presença de baixos gordos é um facto incontornável e funciona como elo entre todas as correntes musicais que germinaram sob esse selo. Se explicasse aos dois agentes escandinavos que sou DJ de techno ou house music talvez eles tivessem sido mais condescendentes comigo. Não digo deixarem-me seguir o meu caminho, mas, quem sabe, deixarem-me fazer um telefonema, oferecerem-me uma sandes para o pequeno-almoço ou um livro para ajudar a matar o tempo.

Ghetto dance music. Estávamos no início desse movimento e tudo acontecia espontaneamente via internet. Ninguém reclamava a invenção de coisíssima nenhuma e todos, em certa medida, promoviam uma saudável promiscuidade musical onde o mais importante era, e continua a ser, apontar caminhos válidos dentro da cultura dance music, convidando-nos a todos a sairmos das rotas conhecidas e a explorar estradas secundárias que não aparecem no Google Maps e que nos levam até ao subúrbios de Caracas, Luanda ou Joanesburgo. E testemunhar algo que poderíamos designar, lá está, de "world music" eletrónica, não fosse esse termo ser tão foleiro. Por isso, entendo que se tenha tentado classificar a música que nós, os que vivem nas periferias das capitais que ditam as regras da cultura de massas, de world-qualquer-coisa. À vista desarmada, podemos ser levados a concluir que se trata de algo como o irmão que foi para o mundo e voltou eletrizado, e é claro que essa análise não faz muito sentido, uma vez que esta coisa a que se chama bass music é um fenómeno urbano, algo que nasce e é consumido nas cidades, sejam elas cidades do Primeiro Mundo ou do dito mundo em vias de desenvolvimento, e isso é o que a distingue. A world music tal como a conhecemos precisa de um selo de autenticidade artística de um qualquer país remoto. Sem luz elétrica, debaixo de uma palmeira, o som de uma cachoeira ao fundo. E descobertos por um engenheiro de som francês, ou um artista do universo pop à la Paul Simon, cansado da dinâmica descartável de que a música popular padece, tentando fazer o caminho que os navegadores fizeram há séculos atrás, quando se lançaram ao mar em busca de ouro, cravinho e canela, mas buscando agora a essência do ritmo, o princípio de certa linguagem melódica que a história indica ter começado onde toda a humanidade começou: África.

12h18

O viking e a judoca entraram na cela, ele dois passos à frente dela. Pus-me de pé e ele fez sinal para que me sentasse de novo. Obedeci. A judoca seguiu-me os movimentos e só depois de me ver com o rabo em repouso é que se afastou da porta, encostando as costas à parede. Aquela mulher intimidava-me. Não esperava, nem precisava, que me sorrisse, mas ao fim de quase cinco horas passadas sob sua custódia bem que podia relaxar os ombros e entender que não represento ameaça nenhuma à segurança nacional do Estado da Noruega.

"Não encontrámos nada a seu respeito", disse o viking. Desconfiei que ele não estivesse à espera de uma resposta minha e mantive-me calado. "Tentámos consultar a polícia portuguesa e não existe nenhum registo do seu nome", insistiu.

"Nunca cometi nenhum crime", dei-lhe como resposta.

"Achamos estranho que não esteja registado em lado nenhum", continuou. Pensei que não me parecia assim tão difícil entender que não haver qualquer registo sobre mim na polícia portuguesa só poderia ser um bom sinal, não? Escolhi não lhes dizer nada, e apenas perguntar: "Posso ir embora?". A judoca deu um ar da sua graça com um redondo "Não"!

Tanto eu como o viking voltámo-nos na sua direção, ambos espantados, embora não pelas mesmas razões. Para mim a surpresa era ela, afinal, falar! "Como não temos acesso à base de dados dos Serviços de Estrangeiros portugueses, não podemos deixar-te ir embora", acrescentou o viking.

Levei as mãos à cabeça, e a judoca, desconfiada de que fosse passar-me dos cornos, flipar, chutar os móveis, lançar o meu punho cerrado em direção ao queixo imponente do viking, rasgar a roupa, gritar, chorar, sei lá, não sei o quão longe poderá ter ido a sua imaginação, retirou as costas da parede e colocou os pés na diagonal, ligeiramente mais afastados do que a largura dos seus ombros, os braços tombados, o calcanhar do pé de trás alguns escassos milímetros levantado do chão, os joelhos levemente arqueados e o queixo curvado apontando para o peito. Se me levantasse, ou fizesse qualquer movimento brusco naquele instante, tinha a certeza de que levaria um murro no focinho.

Mas não foi preciso, as palavras do viking provocaram mais estragos do que qualquer golpe que a judoca pudesse infligir-me. Se me tocasse, desconfio que nem lhe sentiria a pancada, de tão entorpecido que aquelas palavras me deixaram.

“Tenho um concerto marcado em Oslo, não posso deixar de subir àquele palco”, disse-lhes. O palco, esse planeta inóspito que aprendi a chamar de casa. Temo que não haja vida para além desse lugar. Que me seja negado o regresso à vida civil, longe dos holofotes, no anonimato de uma multidão que flui sem a urgência dos minutos contados. Que segue o seu curso em direção à morte porque é isso que se espera da vida. Como os invejo. Queria poder guardar esse tipo de espera num lugar seguro, numa caixa de vidro com a legenda “quebrar em caso de tédio agudo”. Sei que há de chegar o dia, e não quero que me apanhe desprevenido, sem um plano de contingência. Não quero morrer em cima de um palco à espera do break de bateria para cuspir o meu derradeiro verso, e com medo de dececionar os meus cúmplices.

Voltei-me para os dois agentes, que continuavam ali especados, à espera da verdade das confissões de um imigrante ilegal. Talvez a minha calma me denunciasse, não me saía da cabeça que poderia faltar drama à minha performance, tal como quando subimos ao palco e nos dirigimos para a plateia com confissões do tipo “vocês são o melhor público do mundo, ninguém faz a festa como vocês”, o tipo de palavras que todas as plateias do mundo estão cansadas de ouvir, mas não se furtam a aplaudir e a gritar por mais. Não sabia o que dizer ao viking e à judoca que centenas de outros imigrantes ilegais não tivessem já dito. Só poderia convidá-los a subir comigo ao palco, mesmo sabendo que não é o melhor lugar para se assistir a um concerto, mas é o único onde me sinto seguro. Não tenho outro lugar para estar. Podem até algemar-me os tornozelos se acharem conveniente, se vos traz paz de espírito. Depois disso, serei todo vosso, prometo. Prendam-me, expulsem-me do vosso país, mandem-me de volta para África se acharem que esse seria o desfecho que vos deixaria mais satisfeitos. Mas agora soltem-me para ir trabalhar.

12h22

Foi no número 1 da avenida da Liberdade, na esquina com o elevador da Glória, no Centro Comercial Palladium, que conheci um dos homens que ensinaram Lisboa a sair à noite, o Zé da Guiné.

Visivelmente abatido, uma esclerose múltipla fizera dele uma sombra do grande deus de ébano que me contavam que fora, amado por legiões de mulheres de todos os estratos sociais e de todas as cores e invejado por homens cultos e poderosos. O Zé da Guiné mal tinha terminado a quarta classe quando foi trazido para Portugal pelos soldados que lutavam na guerra da Guiné-Bissau, contou-me ele quando nos tornamos íntimos, nas longas conversas que tivemos quando éramos praticamente vizinhos. Mas naquela tarde em que o conheci ele ainda era para mim o Zé da Guiné, o mito! Foi o Johnny que mo apresentou. Quando fomos ter com ele encontrámo-lo vestido tal qual um golfista dos anos 1920: camisa de colarinho, laço, blazer de tweed, colete, calças balão do mesmo tecido do casaco e enfiadas dentro das meias subidas até ao joelho. Na cabeça, um Ivy Cap, ou chapéu de distribuidor de jornais. O taco de golfe fora substituído por uma bengala para ajudar na locomoção. Gostámos um do outro de imediato.

O Zé da Guiné foi o maior lisboeta que conheci. As suas histórias sobre a cidade assombravam e seduziam-me. Reconheci nele traços do próprio Johnny e, possivelmente, os dois devem ter visto em mim algo que lhes era bastante familiar. Só identifiquei o que nos unia anos mais tarde, quando já quase não falava com o Johnny: uma tristeza do tamanho do mundo, nunca verbalizada, um luto que fazíamos cada um à sua maneira. O Zé da Guiné, perdendo as pernas e os amigos, mal saía de casa, havia até quem o julgasse morto. O Johnny, sentindo o chamamento, fechou-se na rua, lutando contra fantasmas que só ele via, e eu, órfão de pai vivo, vagueando à deriva, procurando um lugar a que pudesse chamar casa. Reconhecemo-nos nessa tristeza, ainda que nunca trocássemos uma palavra sobre ela. Nem quando os três, inspirados pela vontade do Johnny de provar que não precisava dos *gatekeepers* para deixar a sua marca cultural na cidade, fomos à procura de um clube decadente que precisasse de um conceito novo. O Zé da Guiné lembrou-se que conhecia um empresário guineense que tinha uma discoteca de kizomba em Alcântara e que, cansado das rixas entre clientes desordeiros, estava disposto a trespassar o espaço. O Zé sentiu que aquela oportunidade representava o canto do cisne, a sua última hipótese de deixar a sua marca na cidade. E eu, sem outro lugar onde estar, fui no embalo.

Chegámos à hora marcada, meia-noite. A discoteca estava à pinha, guineenses e cabo-verdianos dançavam agarradinhos, embalados pelo ritmo do "Bia" dos Livity na voz de Grace Évora: "*nhá coraçon ta na balonce, ê só pamodi bó, Bia Bia Bia, bó tem ki comprende...*". E antes que se chegasse aos "yeh yeh yeh" do final do verso, ouvimos os disparos de uma arma de fogo, dois tiros secos e aterrorizadores. Seguiram-se os gritos, o pânico. Todos corríamos pela vida, atropelando tudo o que havia pela frente. No meio do caos, ainda avistei o Johnny pelo canto do olho, sendo levado pela corrente de gente que vazava em direção à saída, a única que nos lembrámos que existia, a porta de entrada. Ninguém se lembrou de olhar para os sinais que indicavam saídas de emergência. Os nossos ouvidos zuniam com o som do medo, som que me era bastante familiar, um som a que nunca nos habituamos, mesmo quando acontece por ocasião da celebração das noites de final de ano em Angola. A última vez que o senti tão perto foi em 1992, quando as balas do MPLA e da Unita fustigavam as fachadas das nossas casas naquela que ficou conhecida como a Guerra das Cidades. Lembro-me de uma bala solitária que durante anos permaneceu incrustada na parede da nossa sala de jantar, um ponto negro e anónimo no meio de um imenso branco imaculado. Pouco importa quem disparou aquela bala. Enquanto ela esteve naquela parede via-a como um monumento à nossa vergonha. Sim, aquele som era bastante familiar, nunca sairá de mim, e continuará a provocar-me arrepios.

Aqueles dois tiros tiraram a vida a um jovem de origem cabo-verdiana, vítima de um ex-marido ciumento, que não se conformou em ver a sua ex-mulher nos braços de outro. Na rua, ainda com o coração nas mãos, vimos o Zé da Guiné surgir do meio da multidão, soturno, como se regressasse de um campo de batalha. Tanto eu como o Johnny não nos atrevemos a perguntar o que tinha ele visto, mas o seu rosto dizia tudo. Pôs a mão no meu ombro e, pelo seu silêncio, entendi que não era apenas o corpo de um homem que jazia naquele espaço. Naquele chão haviam também tombado os sonhos de um regresso à movida noturna. Senti-o derrotado. O Zé da Guiné, um desses homens musicais que só nascem de vez em quando, não era músico, era uma canção, bela que só ela, cuja letra já poucos saberão, mas cuja melodia muitos continuarão, ainda por muito tempo, a assobiar.

Foi a última vez que o vi de pé e na rua.

12h54

"Deixem-me ir, por favor, tenho que ir trabalhar."

O viking encolheu os ombros e saiu da sala sem me dar resposta. A judoca acompanhou-o. Mas antes que a porta se fechasse brindou-me com um "devias ter pensado nisso antes de atravessares a fronteira sem passaporte".

Naquele instante fez-se luz. O olhar da judoca dizia tudo. O problema não estava no ter saltado da Suécia para a Noruega sem passaporte, o problema estava na ousadia. Eu não estava a fugir de um país em guerra, ainda que cheio de carências depois de uma guerra pela independência e outra civil. A nossa guerra civil, até certo ponto, terminou naquela tarde de 22 de fevereiro de 2002, junto ao rio Luio, a sudoeste da província do Moxico, quando o brigadeiro Simão Carlitos Wala, o mais jovem general angolano nessa altura, comandou as tropas que derrotaram Jonas Savimbi naquela que ficou conhecida como a operação Kissonda. Em momento algum puxei essa conversa, a do refugiado de guerra, o que os deve ter levado a pensar que era muita arrogância da minha parte a postura de embaixador cultural que entra pela porta do cavalo. Não paguei a nenhum pirata para atravessar o Mediterrâneo, paguei a minha viagem com um cartão Visa com o meu nome.

"Eu sei que a minha liberdade vos atrapalha", gritei. E ainda que ninguém me tenha ouvido, soube-me bem desfazer o nó que tinha na garganta.

Se invertêssemos os papéis, ou o hemisfério, eu teria o título da moda, ainda que equivocado, seria chamado de "expatriado", e não com o pejorativo e gasto "refugiado", ou então "cooperante", para recuperarmos um termo com que identificávamos os estrangeiros que vinham ajudar a reconstruir os países do Terceiro Mundo. Eu também estou aqui na qualidade de cooperante, vim para ajudar a reconstruir e redefinir a identidade cultural europeia.

A minha identidade pessoal ganhou forma dentro destas fronteiras, sou músico, aspirante a escritor e depois, claro, também emigrante. E divirto-me quando me dizem "tu já não és angolano", o que é, no meu entender, uma forma de dizer "tu já não és negro". Como se o saber articular ideias que são correntes neste espaço me dispa automaticamente do fator que me identifica como sendo negro e me despromova da condição de emigrante.

Sempre me recusei a aceitar que a minha condição de emigrante condicionasse os meus movimentos. Mesmo quando estive, sim, ilegal.

Museus durante o dia e concertos durante a noite – a minha receita para combater o meu estatuto de africano ilegal. Os meus destinos de eleição, durante os períodos em que não tive os documentos regularizados, eram as cidades do Porto e de Madrid. A primeira, por causa do Museu de Serralves, e a segunda também por causa de museus. Mal descia da estação de Atocha lançava-me no preâmbulo pelo triângulo d'ouro da arte, ora começando pelo Rainha Sofia, ora pelo Prado ou pelo Thyssen-Bornemisza. Dentro daqueles edifícios, rodeado de obras-primas da pintura, não procurava inspiração, mas sim um lugar onde me sentisse menos emigrante.

Naquele tempo, Madrid estava na rota do hip-hop, dois passos à frente de Lisboa, que, até então, não tinha recebido nenhum rapper internacional. Apenas o brasileiro Gabriel o Pensador tinha pisado as terras lusas. Adorei a movida das manhãs no parque del Buen Retiro, as tardes de sábado passadas a jogar conversa fora na La Latina, sentado na berma da calçada, desenferrujando o meu portuñol, que não praticava desde 1991, quando os cubanos deixaram Angola. Mas a minha peregrinação não se ficou pela capital. Catalunha era o destino lógico. Nessa altura, o festival Sónar já havia cometido a proeza de transformar Barcelona na meca da música eletrónica na Europa. A sensação com que fiquei logo na primeira visita, em 2004, foi a de que havia finalmente encontrado a cidade para a qual me apetecia emigrar.

Em 2005 fui com o Branko a uma pequena apresentação num evento organizado pela Red Bull Music Academy, que resolveu convidar alguns ex-alunos da academia para apresentarem *showcases* curtos num dos corredores do Centre de Cultura Contemporània de Barcelona, a casa do Sónar by Day desde a sua primeira edição, em 1994. Na edição daquele ano iriam tocar alguns dos meus heróis musicais, e a primeira paragem foi logo a festa de inauguração do festival, no número 122 da Currier Almogavers, o endereço da catedral Razzmatazz, um dos clubes mais emblemáticos de Barcelona, localizado na parte industrial de El Poublenou. A abrir a noite tivemos o americano Diplo que, no ano anterior, tinha editado o fascinante *Florida* na Big Dada, uma das minhas editoras inglesas favoritas, selo irmão da alternativa e inovadora Ninja Tunes.

O set com que Diplo nos brindou circulou pelas praias de Miami e do Rio de Janeiro. Musicalmente estavam ali lançadas as pistas daquilo que identificaríamos como movimento da "global dance music". Algo que se iniciou de forma inusitada nas favelas e guetos à volta do mundo mas que, até então, não havia encontrado os embaixadores certos para a apresentarem e defenderem nas convenções dedicadas à música de dança. Ele, que assina com o nome civil de Wes Pentz, fez questão que ficasse bem claro naquela noite de que iriam deixar de existir géneros sagrados, tudo se iria misturar e tudo se transformaria. O que o Baile Funk fizera com o Miami Bass e o Freestyle popularizado por 2 Live Crew, 69 Boyz, Egyptian Lover, Trinere não só comprova essa ideia como também representava o início de algo maior, algo que tivemos a oportunidade de ouvir na *mixtape Piracy Funds Terrorism* que Diplo assinou com M.I.A., e que foi distribuída gratuitamente no final de 2004, numa espécie de antevisão, ato de rebeldia e introdução ao universo da refugiada mais emblemática do planeta.

O mundo da música, tal como o conhecíamos, deixaria de ser o mesmo. Um par de anos antes, o Napster tinha sido processado e perdeu uns milhões de dólares nos tribunais contra os gigantes Metallica e Dr. Dre. A caixa de Pandora abriu-se e tornou-se difícil identificar o que era legal ou não, pirata ou legítimo. E M.I.A., com aquela *mixtape*, abraçava essas dicotomias e indicava-nos o caminho. A nova regra era não haver regras e a sra. Mathangi Arulpragasam aplicava agora táticas de guerrilha para se apropriar de tudo, inclusive das suas próprias canções, que a editora tão preciosamente guardava para editar em disco. Era a pirataria pura, e nós vibrávamos com isso.

Tive a sensação de ver a M.I.A. no palco do Clube Razzmatazz, aparecendo ao lado de Diplo com o seu *hoodie* a esconder-lhe os cabelos negros, mas foi apenas por alguns instantes. Talvez tivesse vindo espreitar a reação do público àquelas canções e ver se estariam prontos para o seu concerto de estreia no Sónar by Night. Ao ver aquela mulher, um vulto misterioso escondido por trás de um capuz, lembrei-me do "Banana Skit" e dos trinta e seis segundos de música mais importantes para o meu próprio entendimento daquilo que poderia ser feito com a informação que carregava na bagagem quando desembarquei em Lisboa.

A minha condição de emigrante é o que dá sentido ao meu discurso artístico. As primeiras duas linhas que ouvimos naquele interlúdio/manifesto que abrem o *Arular* são "*Insha'Allah, Refugee Education Number One*", seguindo-se as sílabas Ba-Na-Na, descrevendo assim o modo como as crianças refugiadas que não sabem falar inglês aprendem a língua no país de acolhimento. Aulas que a jovem M.I.A. passou a frequentar depois de ter deixado o pai, a inocência infantil e a sua cidade-casa, Jaffna, capital do norte do Sri Lanka que, em 1619, foi transformada em porto colonial quando os portugueses ocuparam a península, antes de esta passar para as mãos dos holandeses e, trinta e nove anos depois, para as dos britânicos, em 1796. Seguiu-se a guerra civil sangrenta, a partir de 1983, entre o governo e vários grupos separatistas do norte, incluindo o dos Tigres da Libertação do Tamil Eelam, o principal.

A noite do Razzmatazz reservou-nos, no entanto, uma última surpresa. Enquanto os franceses TTC, no palco, debitavam os versos do seu "Dans le Club", o primeiro *single* retirado do *Bâtards Sensibles*, esbarrei com Diplo no meio da pista e felicitei-o pelo set, composto por alguns temas de baile funk. Ele mostrou-se surpreso com o meu comentário, na altura, sobre música brasileira. O mundo conhecia sobretudo a bossa nova e o samba, não propriamente o funk. Fiz questão de explicar-lhe a afinidade que existe entre os países que têm o português como língua oficial. O baile funk não só nos era familiar como também podíamos identificar alguns dos seus intérpretes e, claro, entender o conteúdo das letras. Falei-lhe também de kuduro, sobre o qual ele nunca tinha ouvido falar. Naquele momento senti-me impelido a repetir um dos clichês mais batidos da indústria musical, o momento em que o aspirante a músico puxa do bolso uma maquete com os seus temas. E assim fiz. É possível que aquele meu gesto lhe tenha soado forçado e, embora o Myspace já tivesse entrado nas nossas vidas, senti que repetir aquele movimento clássico seria a coisa mais natural do mundo. O CDR que lhe entreguei continha alguns temas produzidos pela nossa Enchufada, incluindo uma versão inicial do "Yah!" e outras canções aleatórias. Otimista, acreditei na possibilidade de o Diplo ouvir, gostar e passar para o Will Ashon, o fundador e A&R da Big Dada – que iria ficar maravilhado e oferecer-nos um contrato de edição. Não foi exatamente isso que aconteceu, mas sonhar nunca matou ninguém, e nessa madrugada de quinta-feira desci feliz as Ramblas.

Na noite de sábado, no palco Sónar Park atuou M.I.A. e toda a sua euforia subversiva. A jovem tamil entrou no palco disposta a conquistar o mundo, e tinha ao seu serviço bombas musicais como o "Galang", "Pull Up the People", "Bucky Done Gun" e "Fire Fire". O plano de ataque foi o de apresentar um concerto minimalista inspirado em atuações de artistas como Electroclash e a canadiana Peaches, com um DJ, uma voz de apoio e um ciclorama no fundo do palco, difundindo motivos gráficos retirados da capa do álbum e outros *estênceis* que invocavam imagens relacionadas com a guerrilha no Norte do Sri Lanka. Tanques, armas, tigres, muitos tigres, acentuavam o conteúdo das letras que eram debitadas no microfone.

No ano seguinte não recebemos nenhuma proposta da Big Dada ou da Ninja Tunes, mas recebemos uma mensagem do Diplo e um telefonema da M.I.A. Não sei ao certo quem lhe falou do kuduro, mas a música deixou-a intrigada ao ponto de pegar no telefone e discar o número que se encontrava no site da Enchufada. Ela estava a trabalhar em novas canções e queria voar para Luanda para trabalhar com produtores de kuduro, principalmente o DJ Znobia. Já o Diplo escreveu-nos via Myspace, desde o Rio de Janeiro. Tinha encontrado um grupo de miúdos angolanos que lhe voltaram a falar do kuduro e mostraram-lhe vídeos no YouTube, fazendo-o recordar o nosso encontro no Razzmatazz. Estava disposto a encontrar-nos em Lisboa e a ter connosco um curso intensivo sobre a música que estava prestes a abrir-nos o mundo e, por ironia, a fechar-me numa cela escandinava.

Voltámos ao Sónar um bom número de vezes e tivemos concertos memoráveis tanto de dia, no CCCB, como de noite, na Fira Gran Via, na zona de L'Hospitalet de Llobregat. Mas aquelas três primeiras noites de junho ainda hoje ressoam em mim. Barcelona era jovem e musicalmente mais interessante do que Lisboa. Não me mudei para aquela cidade, a mais vibrante e internacional da península ibérica, naquele mesmo mês porque me apercebi de algo perturbador: Barcelona tinha tudo, menos negros.

13h35

Em 1961, na madrugada de sábado 4 de fevereiro, cerca de duzentos homens comandados por Neves Bendinha, Paiva Domingos da Silva, Raul Leão, Domingos Manuel Mateus e Imperial Santana partiram dos musseques de Luanda munidos de catanas nas mãos e dispostos a iniciar uma revolução. Um desses grupos montou uma emboscada a uma patrulha da Polícia Militar, neutralizando os quatro soldados e tomando-lhes as armas e as munições. Com o objetivo de libertar os presos políticos, assaltaram a Casa da Reclusão Militar, mas falharam. Outros alvos foram a cadeia da Pide, no Bairro de São Paulo, e a cadeia da 7ª Esquadra da Polícia de Segurança Pública (PSP), onde havia também presos políticos. Tentaram igualmente ocupar a Emissora Oficial de Angola, estação de rádio ao serviço da propaganda do Estado. Nestas ações morreram quarenta angolanos, e, do lado português, seis agentes da polícia e um cabo do Exército. O Sambizanga, o Cazenga e o Rangel foram os bairros berço do levantamento do 4 de fevereiro. O reino da terra vermelha, do lado de lá da "fronteira", nome dado aos limites da cidade de alcatrão, foi o ninho da "Revolução das Catanas".

O Estado português de início pensou que aquela tinha sido uma ação orquestrada por Patrice Lumumba, primeiro-ministro congolês do recém-independente Congo-Léopoldville, em 1960. Lumumba, por mais que simpatizasse e sonhasse com uma África livre do domínio europeu, não podia ser o mentor da revolta de 4 de fevereiro, pois tinha sido assassinado em janeiro daquele ano em Lubumbashi, às mãos de um pelotão de fuzilamento comandado pelo líder rebelde Moïse Tshombé, com o envolvimento da Bélgica, Estados Unidos e Reino Unido. Os ataques de 1961 foram organizados por angolanos ligados a vários movimentos políticos que davam então os primeiros passos, população civil e até um padre, o cónego Manuel Joaquim Mendes das Neves, mestiço, nascido na vila do Golungo-Alto, no Cuanza Norte, em 1896, e missionário secular da arquidiocese de Luanda até ser preso por implicação no ataque de 4 de fevereiro e enviado para a cadeia de Aljube, em Lisboa, onde ficou até ela ser encerrada, em 1965, acabando por falecer em 1966. Além da ajuda e bênção do padre Mendes das Neves, o grupo destacado para a revolta não descurou da ajuda dos quimbandeiros da terra, que lhes lavaram o corpo com raízes e unguentos místicos, já que muitos dos protagonistas acreditavam que tais rituais lhes fechavam o corpo, impedindo assim de serem atingidos por balas. Não fecharam, mas tiveram o seu efeito, o de encher aqueles homens de coragem e conferir-lhes um espírito de irmandade. Reza a lenda que, horas antes do assalto, o grupo selecionado para a ação fez um juramento depois de engolir uma moeda de cinquenta centavos: os elementos que sobrevivessem à ofensiva não deixariam de olhar pelas famílias dos finados assim que a revolução triunfasse. Um juramento que muitos reclamam ter ficado por cumprir.

Muitos dos homens que participaram naquele fatídico dia de fevereiro saíram do município do Rangel, um dos mais característicos e populares da capital. Inúmeras histórias por ali passaram, e dali saíram nomes ligados ao semba e, claro, berço de muitos nacionalistas, sendo o mais ilustre deles Imperial Santana. Visitei o Rangel pela primeira vez no final de 2005, à procura de um jovem revolucionário que, mesmo sem motivação política conhecida por nós, era responsável pelo início de uma transformação cultural que teve como arma, ao invés de catanas, como fizeram os nacionalistas do Rangel nos anos 1960, um velho computador PC de secretária e programas de música piratas para encetar a sua revolução a partir do seu quarto, na Terra Nova.

Havia alguns dias que eu tentava, sem sucesso, combinar um encontro com o DJ Znobia. Naquela semana caíam sobre Luanda as violentas chuvas de março, que impiedosamente, e ainda hoje, alagam a cidade e transformam bairros inteiros em ilhéus, isolando-os. E o Rangel, com os seus crónicos problemas de saneamento desde que lhe deceparam os eucaliptos, nos anos 1980, para a construção dos prédios dos cubanos, era uma das áreas mais afetadas. Para Znobia, ainda a convalescer de um acidente de automóvel que quase lhe tirou a vida, era impossível deslocar-se até à baixa de Luanda, não me restando outra alternativa que a de me deslocar até à sua casa. Mas, no estado em que a cidade se encontrava, os vinte minutos de caminho que nos separavam poderiam facilmente transformar-se em duas horas de viagem, dependendo do caótico trânsito de Luanda. Todos os luandenses a quem pedi que me dessem uma carona até ao Rangel recusaram perentoriamente, oferecendo-se, no entanto, para me levar noutro dia, em que os buracos da estrada não estivessem camuflados pela água.

Pensei em aventurar-me para dentro de um Hiace, o nome pelo qual são conhecidas as carrinhas de passageiros da Toyota, pintadas de azul e branco, que circulam pela cidade, "a melhor forma de traçar o retrato real da sociedade angolana", dizia-me a minha tia Beatriz, motorista de candongueiro, e descrita por um jornalista da TPA como a "única mulher num mundo dominado por homens".

Irmã caçula da minha mãe, a tia Beatriz sempre foi uma mulher à frente do seu tempo, ou, talvez, apenas mais uma angolana mestre na arte da sobrevivência. Nos anos 1980 foi militar e polícia e nos 1990 tornou-se proprietária de uma cantina, aquilo a que os brasileiros chamam de "lanchonete". Em 2000 agarrou o volante de um candongueiro.

Foi ela quem me contou que o negócio dos candongueiros passou a estar em voga por volta de 1986, quando o declínio do transporte de passageiros tradicional em Luanda, provocado pela má gestão, problemas de manutenção e a progressiva deterioração das estradas, fez com que as empresas de transportes oficiais deixassem de conseguir dar resposta aos problemas de mobilidade da população, que crescia de forma dramática na capital à medida que a guerra civil no interior do país se intensificava. Os musseques expandiram-se de forma aleatória, completamente desordenada, e as redes de transportes existentes não cobriam toda a extensão da zona suburbana. Logo, e obedecendo ao espírito empreendedor, quem tinha viatura própria viu aí uma oportunidade de negócio.

Ao contrário da maioria dos candongueiros da cidade, que só tocam kuduro e kizomba, nas colunas do Hiace da tia Bia, como lhe chamamos lá em casa, só se ouvem sembas do antigamente. Ruy Mingas, Artur Nunes e David Zé. Cantores que deram voz às aspirações do povo angolano, que cantaram a nossa dor e a nossa ânsia de liberdade.

"Abençoados sejam todos aqueles que se sacrificaram e lutaram para que houvesse mudança", lembro-me de ouvi-la dizer, em tom de oração, enquanto a acompanhava no seu percurso predileto, o do Aeroporto ao Baleizão.

Grande parte dos candongueiros circulam lotados até a limite do impossível, com o volume do rádio quase no máximo e desrespeitando todas as regras de trânsito definidas pelo código da estrada. "Benguelense, sabes que a história dos transportes aqui em Luanda é uma metáfora perfeita para compreender o luandense?", perguntou-me ela, sem me dar tempo para qualquer resposta.

"Primeiro chegaram os donos de viaturas ligeiras que, cansados de oferecer boleias, começaram a cobrar quinhentos kwanzas por viagem, aqueles kwanzas, os do tempo da velha senhora. Mas os carros, como Luanda, tornaram-se pequenos com a chegada de tanta gente e vieram as carrinhas de caixa aberta, ainda hoje um clássico nacional, onde é melhor nem contarmos o número de pessoas que lá vão. Aquilo é um perigo. E só nos anos 1980 é que começaram a circular como táxis os monovolumes de nove lugares, os que vinham da Bélgica, da Holanda e da RFA, parecidos com estes. Estás a ouvir-me, Kalaf? Pronto, depois desses, e já quase no final da década de 1980 é que os nossos Toyota Hiace começaram a invadir as nossas estradas, ou estas coisas que, de forma otimista, consideramos estradas, transformando-se nas viaturas oficiais para o negócio. Isto aguenta tudo, os buracos, a terra batida, os lagos das chuvas e, sobretudo, as pancadas que uma pessoa leva pelas estradas. Não há motor mais adequado a Luanda do que o de um Toyota Hiace. Isto é como os luandenses, por mais que esteja por aí tudo cansado, e a estrada seja de terra batida, continuam sempre a andar", contou-me.

Fiquei admirado com a história da minha tia. Não pela analogia ou os dados em si, mas porque acho que nunca a tinha ouvido falar tanto enquanto conduzia. Como muitos dos motoristas de candongueiros, a minha tia Bia costumava percorrer os seus trajetos sem qualquer expressão facial, quase num estado contemplativo, parecendo pura e ignorando todas as tensões do dia a dia do trânsito luandense, uma mestre zen, imune às questões que afetam o comum dos mortais condutores.

Voz costumam ter os cobradores, gritando os destinos do táxi com a eficácia e o volume do mais dedicado corretor da Bolsa de Valores de Wall Street. Mas ali não se "compra" nem se "vende", ali "vai-se", gritado com muito ar nos pulmões, para qualquer sítio, sempre anunciado rápida e duplamente.
AEROPORTO AEROPORTO; MUTAMBA MUTAMBA

São os cobradores que recebem os kwanzas de cada percurso, dobrando as notas ao meio, entre o indicador e o anelar, passando por baixo do dedo do meio e formando assim um maço de notas bem ordenado, por valor. O cobrador não tem um assento específico. Aliás, ninguém tem. A carrinha, que foi desenhada por engenheiros japoneses, foi pensada para carregar nove passageiros, mas os "engenheiros angolanos", para a rentabilizar ao máximo, transformam-na num veículo de dezesseis lugares, todos eles destinados aos fregueses, restando ao jovem cobrador contorcer-se no espaço entre as costas do lugar do morto e os joelhos dos passageiros da primeira fila.

Para além de um candongueiro de sembas, o da tia Bia era também daqueles que fugiam à regra porque nos seus vidros não líamos qualquer frase ou referência à crew a que pertencia. Candongueiro é mensageiro! E há mensagens para todos os gostos e transmitidas de várias formas, sejam ouvidas na rádio ou escritas nos vidros das suas janelas, da sabedoria popular aos dizeres religiosos.

É dado assente que, para o desenvolvimento e expansão do kuduro, numa altura em que o género não era bem-vindo nas rádios e festas de quintais da burguesia, o mercado do Roque Santeiro e os candongueiros que circulam pela cidade capital tiveram um papel determinante, não só para manter vivo o kuduro como também para elevá-lo à categoria de banda sonora oficial das ruas da cidade. Menos o da tia Bia.

Quando me preparava para apanhar um candongueiro até à Terra Nova, no Rangel do DJ Znobia, a salvação chegou enfim pela mão de uma jornalista portuguesa, Marta Lança, que, ao ouvir-me desabafar durante uma visita que fiz ao apartamento que partilhava com o artista plástico Yonamine, o fotógrafo Kiluanji Kia Henda, o ator e dramaturgo Orlando Sérgio e mais três pessoas e um bebé na avenida Comandante Valódia – uma pequena e colorida comunidade criativa denominada Sete e Meio –, ofereceu-se para me levar ao Rangel.

A viagem até à casa do DJ levou-nos duas horas. Por várias ocasiões julguei que o carro que a Marta conduzia, melhor, navegava, não iria aguentar. Quase o perdemos, acreditei que fôssemos naufragar no meio da estrada, na esquina da avenida Hoji Ya Henda com a rua da Vaidade, quando caímos num buraco. Mas o velho Toyota resistiu e lá chegámos ao destino, já o sol se despedia por detrás dos telhados de zinco do emaranhado de casas que compunham o bairro. Znobia, que perante a lei assina Adalgiso Mário Lopes de Freitas, esperava-nos à entrada. Saltou-nos imediatamente à vista o seu cabelo descolorido, assinatura entre os kuduristas, MCs e produtores, uma noia que ninguém sabe muito bem como começou mas que vem desde o tempo do Sebem, e que ultrapassa qualquer lógica. A relação que os negros têm com o cabelo ultrapassa a questão da vaidade, está intimamente ligada à nossa autoestima. Se o negligenciarmos estaremos também a colocar em causa um dos aspetos mais importantes da nossa identidade.

"Não se perderam!", disse Znobia, sorridente, assim que nos viu. Depois de semanas a tentar combinar aquele encontro, a nossa primeira interação dispensou as cerimónias dos primeiros encontros, senti que reencontrava um velho amigo. Convidou-nos a subir ao primeiro andar. Depois do acidente Znobia voltou a instalar o seu estúdio no seu antigo quarto, no apartamento da mãe, que encontrámos a ver televisão com um dos netos. O produtor já era pai de duas crianças. O que se encontrava ao lado da avó era o mais velho, Puto Lipi, que, com menos de cinco anos, já tinha gravado meia dúzia de kuduros, o mais popular, e também o meu favorito, "Mama Badjojo", que Znobia colocou num pendrive juntamente com outras pérolas que tinha no computador. Kuduros e tarraxinhas, alguns ainda em formato rascunho mas que viraram canções como "Luanda Lisboa" e, claro, "Sound of kuduro", editados no nosso álbum de estreia *Black Diamond*.

Para mim, a música daquele pequeno génio do kuduro espelhava urgência e a realidade asfixiante de uma Luanda em mutação. Um verdadeiro revolucionário que mudou a construção rítmica dentro do kuduro, ao ponto de passarmos a identificar e dividir o género em dois momentos, A.Z. e D.Z., antes e depois de Znobia da Terra Nova, como gosta de se apresentar. Um miúdo do bairro que cumprimenta todos com quem se cruza, pequeno ou graúdo. Ao ver a forma como interagia com os vizinhos, fiquei com a certeza de que mesmo que não soubéssemos o endereço e nos perdêssemos naquelas ruas, qualquer morador saberia indicar onde se situa o seu estúdio, lugar sagrado onde passa a maior parte do tempo, isto porque todos no bairro são testemunhas da sua tenacidade e vontade de se afirmar como músico. Quando lhe perguntei de onde nasceu essa paixão, ele riu-se e respondeu: "Tudo começou com a dança, queria dançar como o Michael Jackson". Ele e todos os miúdos da sua zona. Quando se apercebeu de que não conseguia reproduzir os passos mais complicados do autor da "Billy Jean", tentou o canto, "desconseguindo" também. O passo seguinte foi o de aprender a produzir, e para isso passou horas a observar como outros músicos produziam música a partir de um computador. O *dj'ing* veio por força da necessidade, para conseguir fazer a sua música chegar ao maior número de pessoas. Entendeu que se deixasse essa tarefa na mão de terceiros, provavelmente cairia no esquecimento, e foi bater à porta do mítico clube do Rangel, Mãe Ju. Nenhum outro clube na cidade de Luanda contribuiu tanto para o género kuduro e tarraxinha como este, no seu Rangel natal. Foi naquela cabina que se ouviram pela primeira vez os agora clássicos "Abadja", "Vai Lavar a Loiça", "Mono Mono", entre outras canções deste novo kuduro pós Sebem e Tony Amado.

O seu estilo único e arrojado de produzir trouxe luz ao kuduro do novo milénio, mas infelizmente ainda vive confinado às discotecas de música africana, imerso em contradições – por um lado, um dos géneros de música de dança mais ouvido em Lisboa, e em toda a África Lusófona; por outro, um género desvalorizado nas sociedades onde se materializa, depreciação que provém do facto de muitos entenderem tratar-se de um género menor e demasiado ocidentalizado comparativamente a outros assentes na tradição e que, ao chegarem ao ocidente via "world music", "se desvirtuaram".

Znobia inovou, convertendo músicos como Diplo e M.I.A. e, claro, Buraka. Para nós, bastou-nos ouvir o "Dança da Mãe Ju" para nos apercebermos de que estávamos diante de um produtor ímpar e que, embora a sua música, assim como todo o género do kuduro, vivam relegados ao underground angolano, isso não foi impedimento para se criarem cumplicidades musicais como o "Sound of Kuduro", ao qual M.I.A. deu voz ao lado de Puto Prata e Saborosa.

Dj Znobia tornou-se, entre os músicos que advogam a música de dança global, produtor favorito dos produtores.

13h42

A frase "*we made it, we here*", com que abrimos o vídeo para o tema "Sound of Kuduro", mais do que fanfarronar, foi um desabafo genuíno, uma vez que, até ao último minuto, não sabíamos se conseguiríamos vistos de entrada em Angola para os dois cidadãos portugueses da banda, Branko e Riot. Foi-nos sugerido que solicitássemos vistos de turismo, mas tal como acontece com os cidadãos angolanos no consulado de Portugal em Luanda, obter visto no consulado angolano em Lisboa parecia impossível. Andámos várias semanas com extratos bancários e cartas de chamada de trás para frente, como se existisse de facto uma doutrina de reciprocidade, e o Estado angolano queria que pagássemos pela mesma moeda todas as humilhações sofridas pelos seus cidadãos junto das embaixadas europeias.

Depois de muita insistência, viemos a saber, através do amigo de um amigo que prometera acudir ao desespero da rapaziada, que ninguém viajava para Angola para ver a paisagem. Em 2007, a razão para as enchentes em frente ao consulado de Angola em Lisboa era o négocio. Naquela altura, o país berço do kuduro era considerado o futuro, o "El Dorado", e os empresários com muitos milhões para investir, e os seus empregados, enchiam o largo do consulado com filas intermináveis.

Pensámos ainda em sugerir que se fizesse um intercâmbio cultural entre kuduristas de Luanda e os dois nativos da Amadora, os nossos colegas da banda. Desde o momento em que começámos a trabalhar a partir da matriz rítmica do kuduro que soubemos que era imprescindível visitar as origens do género. Mas, se obter visto de turismo para Angola poderia ser complicado, falar com o Ministério da Cultura sobre a importância da troca de experiências e vivências entre músicos de kuduro seria praticamente impossível. Quando nos preparávamos para atirar a toalha e admitir a derrota, os vistos saíram! Em menos de vinte e quatro horas estávamos a embarcar para Luanda. Assim que saímos do Aeroporto 4 de Fevereiro ligámos a câmara de filmar e as primeiras palavras foram "*we made it, we here*".

Luanda! Com uma agenda carregada e cheios de expectativas sobre o que o kuduro nos reservava, os nossos principais objetivos na cidade eram os de filmar dançarinos e marcar sessões de estúdio com produtores e MCs. Nada de muito complicado, não estivéssemos nós em Luanda. Sempre que partilhávamos o nosso plano de trabalho com amigos luandenses a reação repetia-se e éramos brindados com uma gargalhada seguida de um "fiquem calmos".

Em Luanda, ninguém marca mais do que uma atividade por dia, ou seja, seria impossível marcar, por exemplo, filmagens no período da manhã com um grupo de dançarinos e uma sessão de estúdio para gravar um MC de tarde. E porquê? Porque temos sempre que equacionar outros fatores alheios à nossa vontade, como a falta de energia elétrica ou o trânsito de Luanda. Se alguém chega atrasado a um compromisso ou, até mesmo, se não chega a comparecer de todo, se disser que foi por causa do engarrafamento ou da falha de energia, somos obrigados a compreender. Da agenda que tínhamos delineado antes de sair de Lisboa, levámos cerca de dois a três dias só para acertarmos encontros, e só quarenta por cento deles é que foram bem-sucedidos. O resto não aconteceu por causa do trânsito, da eletricidade ou outra razão qualquer que nos ultrapassava completamente.

Para o vídeo do "Sound of Kuduro", a nossa ideia inicial era a de gravar o grupo de dançarinos que geralmente acompanha o Bruno M. Desde o momento em que vimos um vídeo no Youtube de um grupo de kuduristas magricelas a dançarem num quintal debaixo de um sol tórrido, sem camisa e ao som do "I AM", a decisão foi unânime: queríamos todos no vídeo. Se não fosse possível, pelo menos o Euriko, que, para mim, é o melhor dançarino de kuduro de todos os tempos, e mais dois ou três dos seus companheiros. Ficámos quase quinze dias em Luanda e não conseguimos marcar encontro com nenhum deles. Fizeram-se dezenas de telefonemas, fomos pessoalmente ao bairro dos Combatentes, à Última Linha, a convite do próprio Bruno M, que, quando questionado, se limitou a encolher os ombros, resignado. Quem salvou a situação foi o sr. Esfilêndio dos Santos, o Man Sibas, que o mundo conhece por Sebem.

Um dia antes da filmagem aceitou encontrar-se connosco na universidade Lusíada, no largo do Lumeji, fronteira entre os Coqueiros e a Ingombota. Não havia nenhuma razão especial para marcarmos um encontro naquele lugar. Era apenas conveniente, já que naquela manhã tínhamos combinado personalizar algumas *t-shirts* com o artista plástico português RAM, que se encontrava em Luanda para um workshop de arte urbana e fora convidado a pintar um mural na universidade. Sebem apareceu à hora marcada. Antes de mergulharmos no assunto, partilhou connosco a vontade de produzir canções que fundissem kuduro com rock. Na altura não entendemos bem o porquê, mas, como viemos a saber mais tarde, o rock foi sempre uma das paixões deste emblemático kudurista, antes das raves, antes do encontro com o Tony Amado e a criação do tema "Felicidade". Sebem queria fazer rock. E sentia que nós, Buraka, seríamos as pessoas ideais para o ajudar a realizar este sonho antigo.

No dia seguinte encontrámo-nos na Marginal, ao lado dos Correios. Sebem apareceu com a esposa, Débora, o chihuahua e meia dúzia de bailarinos. Um grupo de jovens acrobatas, que dançavam um kuduro próximo da velha guarda, da escola do Salsicha e do Vaca Louca, uma linha que vinha aos poucos a ser substituída por um kuduro mais sofisticado, se é que tal termo pode ser aplicado a uma dança como o kuduro, que nasceu da vontade da juventude angolana de expressar no movimento do corpo toda a energia recalcada, todo o luto, toda a alegria negada a jovens que querem ser como os outros, livres de existir para além da esperança média de vida, para lá do serviço militar obrigatório, para lá da malária e tantas outras privações de que muitos não têm sequer consciência. Não conseguem verbalizar, apenas sentem, e por isso dançam como se disso dependessem as suas vidas. E é provável que dependam.

Sebem lembrou-se de um quintal na Ilha de Luanda, e todos concordámos que filmar na rua em Luanda não era muito aconselhável, não só por causa dos assaltantes mas também por causa da polícia que, a qualquer momento, poderia aparecer para exigir a autorização de captação de imagens na via pública. O mais sensato seria seguirmos o Sebem até à ilha. Quando lá chegámos pudemos testemunhar a influência que ele exerce junto dos luandenses. Chamou a dona de casa de "tia" e explicou que seríamos breves. E a senhora, sem hesitar, deu-nos licença para filmarmos no seu quintal. Sebem perguntou ainda se a senhora tinha uma aparelhagem, qualquer coisa, um rádio com leitor de CDs. Ela entrou para um dos aposentos e voltou a aparecer minutos depois com um rádio. Colocámos o CD com o "Sound of Kuduro" a tocar com o volume no máximo e não tardou que aparecessem dezenas de crianças atraídas pela música e impressionadas com os bailarinos. Sebem não se recostou e, como um general, gritava palavras de ordem aos dançarinos, "mais energia, mais energia", "atitude, atitude", "Bebé Polícia, olha para câmara", e estes obedeciam, fazendo o que o general pedia e muito mais: subiam muros, partiam cadeiras atirando-se para cima delas, e nós limitávamo-nos a filmar, eu e o Kalunga Lima, aquele que me acompanhou àquela suite do

Ritz junto ao parque Eduardo VII, a quem chamámos à última hora para nos dar apoio na captação das imagens.

Nunca chegámos a marcar sessões de estúdio. Talvez o próprio Sebem não estivesse suficientemente convencido de que tal fusão iria funcionar, e não tivemos os dançarinos do Bruno M. No entanto, ter a bênção do Sebem no nosso primeiro e único vídeo gravado em Luanda era mais do que poderíamos pedir.

13h57

Ouvir kuduro numa festa pela primeira vez é um acontecimento que não nos deixa indiferentes. Da criança ao kota, do monangambé ao governante, passando pelo funcionário público, pelo emigrante na diáspora, mamãs da OMA ou zungueiras. Sempre que ouvimos um kuduro a tocar não há como não bater o pé. O ator, músico e comediante Jamie Foxx foi um dos primeiros a reconhecer esse facto. No seu *I Might Need Security*, uma hora de *stand up* em que brincou com figuras como Michael Jackson, Whitney Houston e talibãs, fez também uma descrição detalhada do momento em que ouviu kuduro pela primeira vez. Segundo ele, quando foi ao continente mãe com o filme *Ali*, realizado por Michael Mann, com Will Smith no papel do grande Muhammad Ali e Foxx reencarnando Drew Bundini Brown, num clube na África do Sul, os locais alertaram-no para que quando o relógio marcasse meia-noite e um quarto a pista seria tomada por algo que ele nunca ouvira antes, uma batida libertadora que levaria toda a gente para o centro do salão, completamente despojados de preconceitos, entregando-se ao kuduro, como se fosse aquele o dia do juízo final.

Dois anos depois daquele momento kudurista, Jamie Foxx venceu o Óscar de melhor ator com o filme *Ray*, onde maravilhou o mundo com a sua interpretação de Ray Charles, tornando-se o terceiro ator negro a conseguir tal façanha. Lembro-me de que, nos encontros que fui tendo com pessoas ligadas à indústria da música em Londres e Nova Iorque, sempre que me deparava com alguém cético em comprar o meu entusiasmo em relação ao kuduro, abria o computador e mostrava o vídeo do Jamie Foxx. Era significativo para alguns deles ver o vencedor de um Óscar impressionado com a dança e música vinda dos subúrbios de Luanda. E não podemos esquecer que, entre 2005 e 2007, Jamie Foxx dominou as tabelas de vendas um pouco por todo o lado. Ora, se o parceiro musical de Kanye West na canção "Gold Digger" dizia que o kuduro era extraordinário, como iria a imprensa internacional fazer vista grossa e não entender o quão revolucionário era aquele género musical. Alguns acabaram por ser convertidos, tivemos publicações dedicadas ao cool, como as americanas *Pitchfork*, *Fader* e a inglesa *Fact*, a escrever pela primeira vez a palavra kuduro e a incluir Luanda e Lisboa nas suas páginas. Não era muito, mas, como as resistências eram demasiadas, tanto em Angola como em Portugal, conseguir ser referenciado ao lado de grandes nomes da eletrónica mundial era um verdadeiro acontecimento.

Desde o início que soube que a tarefa não se limitaria a sair para o mundo a divulgar os nossos talentos individuais. Paralelamente a isso, teríamos que trazer luz ao género musical, à cidade que o germinou, a Luanda. Mas também à cidade onde estávamos baseados e que, por circunstâncias históricas e localização geográfica, representava o território ideal para absorver, processar, transformar e difundir o kuduro como nenhuma outra, Lisboa. No entanto, percebemos que o mundo gira bem mais lento do que os nossos sentidos conseguem captar. Poucos eram os que estavam dispostos a abraçar uma narrativa dividida em quatro pontos: Buraka-kuduro-Luanda-Lisboa. Pediam-nos para simplificar, divulgar os pontos fortes do discurso, o que em poucas palavras queria dizer: o talento, o género e uma cidade. Lisboa era o elo mais fraco, pelo menos para os jornalistas estrangeiros com quem nos cruzámos nos primeiros anos, quando tentávamos vender-lhes Lisboa como a cidade mais africana da Europa. Franziam a testa e cuspiam, preferindo comprar antes a cidade de Luanda. Bem mais exótica, misteriosa, perigosa, para alguns até sexy, do que a velha e carcomida cidade das sete colinas.

Em Paris fui abordado por um jornalista americano que recusou entrevistar os outros elementos da nossa quadrilha, queria apenas conversar com o angolano do grupo. Fiz-lhe a vontade. Embora fosse curioso, característica que nos dias que correm começa a ser rara entre os profissionais da comunicação social, sobretudo nos especializados em cultura, o senhor tinha uma fixação por um período específico da nossa história, os primeiros anos após o 11 de novembro de 1975. Logo nas primeiras perguntas apercebi-me de que para ele o destino de Angola continuava a ser ditado pelos ventos da guerra fria. Falava da Rússia como se o bloco soviético ainda existisse. Via Fidel Castro a surfar a onda do internacionalismo socialista, continuando a comandar os seus mais de quinze mil soldados a partir de Havana contra a aliança imperialista entre o regime do apartheid da África do Sul e a América de Ronald Reagan. Durante a entrevista consultou as suas notas e saiu-se com a referência à batalha do Cuito Cuanavale e ao Acordo das Três Potências (Angola, Cuba e África do Sul), assinado pelos ministros das relações exteriores e negócios estrangeiros, Afonso Van-Dunem, Isidoro Malmierca Peoli e Roelof Frederik "Pik" Botha, em Nova Iorque, e eu estava a ver que a coisa iria descambar. Tive que engrossar a voz e relembrar-lhe que fora chamado para falar de música. Ele reconheceu o erro e fechou o bloco de notas, contrariado por não lhe permitirem reviver o sonho de finalmente entrevistar um cidadão angolano. Não sei se lhe terá caído a ficha, mas não voltámos ao assunto e acabou por me colocar uma série de questões insípidas sobre a origem do kuduro, brindadas com respostas pouco inspiradas da minha parte.

No entanto, é necessário reconhecer que este jornalista, ao contrário da maioria dos seus colegas do outro lado do Atlântico com quem conversei, sabia que Angola é um pedaço de chão da África Austral, banhado pelo oceano Atlântico Sul, entre a Namíbia e a República Democrática do Congo. Não é de aplaudir, mas, diante de tamanha ignorância sobre o continente africano, alguém que saiba onde é Angola e que não se mostre surpreendido pelo facto de a língua portuguesa ser a oficial, que saiba alguma coisa sobre a Independência ou a nossa guerra civil, é já um jornalista com um conhecimento acima da média daqueles que, pelo menos nós, fomos apanhando.

Talvez o jornalista americano estivesse certo. Para falarmos de kuduro deveríamos começar pela herança da guerra civil e as consequências da guerra fria. Talvez o kuduro seja isso mesmo, uma bomba não deflagrada, uma mina esquecida numa estrada secundária. E bastou que alguém a pisasse – Tony Amado – para que se abrisse uma porta que transformaria o país.

Não entendi onde é que ele queria chegar com questões sobre o MPLA, KGB, CIA e a Unita. Na altura eu queria falar de música e não pôr o dedo nesses assuntos. Desde cedo que nos ensinam a cantar "Velha Chica", de Waldemar Bastos, fazendo-nos repetir como oração os versos "Xé menino não fala política", um hino que marcou a minha geração. Abraçar a neutralidade ou a contestação. Contra ou a favor das políticas do camarada presidente José Eduardo dos Santos, abraçar a mensagem de um MC Sacerdote ou vestir as cores da bandeira nacional como fazia o kuzukuteiro Dog Murras, sempre engajado com questões do nacionalismo, campanhas de sensibilização e apelo ao voto.

Para a minha geração, havia um sentimento de desencanto. Os pilares que sustentavam o sonho dos nossos pais tombaram.

Alguns desapareceram sem deixar eco; outros caíram tal como ruínas de um longínquo antigamente que ainda podiam ser avistadas nas entrelinhas de discursos e desabafos saudosistas daqueles que viram Angola independente. "Não ousem resgatar as utopias que resistiram", dizem-nos "irritados" quando lhes perguntamos sobre o momento em que o sonho virou pesadelo. "Não se atrevam a restaurá-las, pois elas não são do vosso tempo, vocês não as compreendem, e não saberão dar-lhes o brilho que merecem para que sejam vislumbradas por todos. Faltam-vos os calos, falta-vos vida. Estes sonhos são monumentos de um império que nunca chegou a existir. Deixem-nos envelhecer", discursam.

Os sonhos são sempre inquietantes. Os sonhos políticos, então, são perigosíssimos, principalmente quando nos esquecemos deles, pois existe sempre a possibilidade de eles voltarem como uma assombração para nos tirarem o sossego. A sua característica mais notável é o facto de serem sonhos coletivos. Podem até nascer da mente de um único indivíduo, mas, tal como a varicela, os sonhos idealistas são altamente contagiosos e rapidamente passam a ser sonhos de outros, atravessam fronteiras e gerações, capazes de sofrerem adaptações, alterações para melhor ou pior, dependendo do fim que lhes é dado. Estes sonhos-monumentos, ideias que não são novas, estão nos mesmos lugares em que as colocaram aqueles que lhes deram vida quando eram candengues, rebeldes e revolucionários.

14h21

Mal os agentes entraram na sala percebi que não iria ser solto naquela tarde. "Vais ser apresentado a um juiz na segunda-feira", disse-me o viking. "Vamos transferir-te para o centro de detenção de..." "Vão mandar-me para a prisão?!", interrompi, incrédulo.

A resposta chegou através de um coro feroz, "o juiz é que decidirá". Senti o chão a fugir-me, os joelhos a cederem e o suor a descer-me pela testa. Saiu-me um cansado "Eu sou músico".

Intrigados, a judoca e o viking entreolharam-se. Sabiam que aquela confissão não era dirigida a eles, era um suspiro de derrota, e, antes que me concentrasse novamente em toda a situação, o viking agarrou-me pelo braço e rangeu um "vamos embora". Vi nos olhos da judoca o brilho da satisfação, e esperava que me presenteasse com as suas simpáticas cutucadas, mas, em vez disso, agarrou-me pelo braço e sentenciou de forma rasa: "És um músico ilegal. Querias conhecer a Noruega, não é? Então, bem-vindo!".

A esperança, até morrer, é coisa complicada de gerir, e, mesmo depois de tudo aquilo, acreditei por alguns momentos que o inspetor-chefe os iria travar. Todos iriam reconsiderar e rever o meu caso, devolvendo-me a minha liberdade e a oportunidade de chegar a Oslo antes das sete da tarde, hora agendada para subir ao palco, para trabalhar. Mas, claro, ninguém se dignou sequer testemunhar a minha última caminhada.

Para eles não passo de um emigrante ilegal, alguém culpado de alguma coisa. Ainda me ocorreu, como última cartada, chamar o nosso embaixador na Noruega, o dr. Domingos Culolo. Talvez ele se sensibilizasse com minha história. Podia ainda dizer-lhe que, tal como ele, o meu avô também trabalhou nos Caminhos de Ferro de Benguela, fazê-lo recordar os tempos em que viveu no Huambo e puxar-lhe a minha família à memória. E ele, que sabe de leis, formado em Direito – membro da Associação Internacional de Direito Penal e Procurador-Geral da República de Angola antes de ser nomeado Embaixador Extraordinário e Plenipotenciário da República de Angola no Reino da Suécia, Países Nórdicos e Estados Bálticos da Estónia e da Lituânia –, com tanto currículo, talvez pudesse ajudar-me. Mas o sábado sussurrou-me ao ouvido que ninguém viria ao meu encontro.

14h29

O primeiro caso de um kudurista atrás das grades que me chamou a atenção foi o de Bruno M, quando ele, na altura que ainda assinava Scocia, foi parar à Cadeia Central de Luanda. Bruno era rapper e membro dos Alameda Squad, um gangue juvenil que agitou as ruas de Luanda no início dos anos 2000. Foi detido aos dezenove anos e para ele "aquele foi um mal necessário". Durante o tempo que esteve preso, Bruno tentou retirar o melhor dessa sua situação e, por influência de alguns kuduristas com quem partilhava a cela, começou a escrever rimas que caíam na cadência do kuduro. Os parceiros de cativeiro foram os primeiros a reconhecer-lhe o talento.

Em liberdade, Bruno não esqueceu os elogios dos companheiros de prisão, já adivinhando que, no que diz respeito ao kuduro, não existe público mais exigente do que aquele que vive à margem da sociedade. Mas o caminho por um novo género de música não tinha convencido totalmente William Bruno Diogo do Amaral, seu nome de lei. Tentou antes a produção, passando pelos instrumentais e pela gravação de outros aspirantes a kuduristas antes de se lançar a si próprio.

Mesmo oferecendo algumas das suas rimas a diferentes MCs, muitos foram os que recusaram e preferiam que Bruno se limitasse à sua magia de fazer soar tudo bem com os computadores. Aliás, foi nessa altura que ganhou a alcunha de Bruno Mágico, adaptada para o nome artístico de Bruno M, como o conhecemos hoje.

Gravar "Não Respeita Né" mudou tudo. Mesmo apesar da resistência e dos estranhamentos normais a tudo o que é novo, rapidamente apareceram vários kuduristas a rimar ao estilo do MC dos Alameda Squad, convencendo-o a acreditar que, com o kuduro, poderia mudar a sua vida e a da legião de jovens que o viam como um messias de um novo kuduro. Temas como

"I AM", e "I para 2" tornaram-se hinos, e 2005 marcou o início da era do liricismo. No género que Tony Amado inventou.

Com um punhado de canções a circularem no underground, Bruno M tornou-se uma "autoridade". Choviam-lhe propostas dc editoras. O vídeo do tema *1 para 2*, realizado por Hochi Fu, mostrava a avenida dos Combatentes transformada num Bronx dos Ru Ryders, e acendeu o rastilho para que o movimento iniciado no bairro dos Combatentes rapidamente alastrasse do Cunene à Linha de Sintra. Não havia amante do kuduro que não soubesse que, depois de soado o grito de guerra "Dos Combatentes, última linha, Seres Produções", tudo o que aquele MC cuspisse seria uma bomba. "Achei no kuduro um canal aberto onde pude me exprimir de modo livre", confessou. Bruno M tinha uma missão, a de mostrar ao público em geral que não éramos exatamente o que as pessoas diziam, sabíamos fazer e fazíamos coisas melhores.

O álbum que cimentou o seu nome no panteão dos melhores kuduristas angolanos, *Batida Única*, foi editado a 3 de fevereiro de 2008 pela LS do dr. Eugénio Neto. E tem sido meu companheiro de viagem desde então, as suas canções acordam-me várias memórias. Desde aquela manhã no Hotel Ritz de Lisboa, em que me ofereceram dinheiro para me afastar do kuduro para sempre, até ao momento em que conheci o Bruno M, no histórico bairro dos Combatentes, agora Comandante Valódia, nome com o qual foi rebatizado depois de 1975. A canção "Valódia" ainda hoje me emociona, e lembro-me de quando, em Madrid, o músico brasileiro Moreno Veloso começou a entoar os acordes de Santocas e a cantar "Valódia, Valódia/ Valódia tombou na mão dos imperialistas/ Que pretendem impôr-nos o neocolonialismo. Povo angolano, todos bem vigilantes". "Onde é que aprendeste esta canção?", perguntei-lhe surpreso. "Meu pai costumava cantar para mim quando eu era criança", respondeu-me com aquela serenidade que só os baianos conseguem ter.

Era a voz e a imagem do Moreno curvado sobre o violão do pai, bem maior do que o seu corpo de criança, a contorcer os dedos para reproduzir os acordes do "Valódia", sob o olhar babado do Caetano, que me vinham à mente naquela tarde de cacimbo enquanto atravessava o quintal de uma vivenda na margem esquerda da avenida do Comandante Valódia, como quem sobe do largo do Kinaxixi, bem no coração dos Combatentes, para finalmente conhecer Bruno M dentro no seu anexo transformado em estúdio de música.

Como era a música do autor da "Já Respeita Né", que eu ouvia no momento em que o viking e a judoca me prenderam, penso que me será permitido perguntar. O que faria o Bruno M se estivesse ele aqui nesta esquadra? Será que iria admitir culpa, confessar, no minuto em que os dois agentes entraram e pegaram em mim, que o kuduro – é isso – nos faz cometer o inimaginável mas está longe de ser um crime? E será que, para clamar inocência e pedindo que não o julgassem pela aparência, que ele iria brindá-los com um dos nossos provérbios mais indulgentes, "*O mundele uejia miimbu iauaba muene*". Traduzido para o português isto significa que "o branco conhece cantigas boas também". Mas gosto de pensar que os nossos ancestrais, imbuídos do mais nobre dos valores católicos, queriam com esse ditado dizer que não devemos julgar o outro. Todos nós temos algo de valor para partilhar com o mundo.

14h47

À saída da esquadra estavam à minha espera duas agentes da polícia, loiras, altas e ambas de cabelo apanhado. À primeira vista nem feias nem bonitas. No rosto lavado traziam a neutralidade do dever, mas, ao segundo olhar, identifiquei alguns predicados – as maçãs do rosto ligeiramente rosadas, as sobrancelhas aparadas q.b. Uma delas tinha uma cavidade no queixo autoritário, que repousava sobre um pescoço esguio de guerreira varegue. A outra era dona de um lábio superior que exibia um arco-de-cupido arredondado. As duas de olhos azuis. Aquele tipo de beleza que se revela quando largam a farda e o expediente.

A da covinha no queixo avançou na nossa direção e recebeu-me das mãos do viking. Senti-me uma criança, um aluno traquina a ser levado para a sala do diretor. Ao contrário do viking, a nova agente não queria fugir nem um milímetro ao protocolo policial e juntou as minhas mãos atrás das minhas costas em menos de nada. Senti o frio do aço das algemas nos pulsos, e um arrepio que me escalou a espinha quando ouvi o clique esmagador ao fecharem-nas. Era o mais genuíno som da humilhação que alguma vez me chegara aos ouvidos.

"Tem o direito de permanecer calado, tudo o que disser pode e será usado contra si no tribunal", disse-me a agente em tom cinematográfico.

"Isto é mesmo necessário?", perguntei retoricamente. "Todo e qualquer indivíduo no banco de trás deste carro tem que estar algemado", explicou uma das agentes, acrescentando um "seja culpado ou inocente", que na altura, por alguém ainda colocar a hipótese da minha "inocência", me deixou de certa forma esperançoso.

Estrada 110 (Rygge-Fredrikstad)
9 de agosto de 2008

"E agora, que já lá estamos
vamos ter tudo aquilo que desejamos
um PA *p'ras vozes e uma Fender*
Oh boy, é tão bom estar na CEE."

GNR, "Portugal na CEE"

15h00

Culpar o kuduro pela minha prisão não é justo. Estou aqui porque quis, embarquei nesta viagem por minha vontade, primeiro de autocarro, de Sete Rios (Lisboa) para a Gare Routière Gallieni (Paris), mil setecentos e quarenta e seis quilómetros percorridos em vinte e seis horas via Espanha. Depois mais treze horas e meia de comboio, da Gare du Nord parisiense à Københavns Hovedbanegård de Copenhague, na Dinamarca. De todos os territórios atravessados, só tive uma inspeção de documentos na Alemanha, algures entre Colónia e Hamburgo. Um homem, nos seus cinquenta e muitos, varreu a carruagem pedindo os nossos bilhetes. Aos que lhe pareciam estrangeiros pediu um documento de identificação. Eu, o único negro na carruagem, fui a regra. Mostrei-lhe o meu cartão de residência e, sem surpresas, o cobrador torceu o nariz, tentando entender a informação apresentada em português. Adiantei-me a explicar-lhe o que era. Ele voltou o cartão mais uma ou duas vezes e pediu-me o passaporte.

A mentira ensaiada: "Tenho na mala", e apontei para o trolley que tinha na prateleira em cima das nossas cabeças. Ele olhou, hesitou, voltou a olhar para o cartão e deu-mo. Respirei fundo e julguei-me safo para sempre – mais nada poderia acontecer naquela viagem. Estava tão perto da Escandinávia, tão perto do palco que já sentia as luzes, o som a explodir das colunas e o público a gritar "Buraka, Buraka, Buraka".

Depois de quarenta e oito horas de estrada, cheguei finalmente a Gotemburgo, com o corpo cansado mas a alma aliviada. Iria cumprir a promessa de estar presente no festival Way Out West e, desta vez, a falta de um passaporte não me tinha diminuído. Antes de pôr o pé no palco festejei com um silencioso "consegui, fodaaaa-se!", seguido do ritual que costumamos partilhar, olhos nos olhos, mão aberta para highfive que se cerra para um fist bump. A seguir, um shot de vodka reforçado com um discurso especial, além do galvanizador "vamos partir esta merda toda!".

A determinada altura deixámos de sublinhar ou de dar ênfase às minhas aventuras pela Europa. Os problemas com passaportes desgastavam mais a banda do que as viagens intermináveis, as noites mal dormidas ou as críticas negativas com que os jornalistas de música nos brindavam de quando em quando. A nossa kriptonita eram os vistos recusados, os prazos do SEF para a renovação dos títulos de residência e, claro, os passaportes. Enquanto a maioria das bandas com quem competíamos diretamente se mudava de mala e cuia para Londres ou Nova Iorque para dar o salto para a ribalta, a nós poderia nem ser permitido ir lá passar uns dias. Enquanto tivéssemos cidadãos estrangeiros na banda ninguém se daria ao luxo de sonhar tão alto. Iríamos fazer as nossas canções e pisar até onde nos fosse permitido "por lei". Crescer dentro deste quintal à beira-mar plantado chamado Portugal.

Estávamos conscientes de que a nossa liga era a da periferia. Não nos iria ser permitido fazer o mesmo caminho que os outros para chegarmos aos Estados Unidos e ao Reino Unido. Por mais que, em Portugal, os Luís Montez da nossa praça nos colocassem no mesmo palco que as maiores estrelas da música pop, por mais que, em alguns casos, os nossos concertos fossem melhores, continuávamos a ser apenas os reis da aldeia.

Na altura ponderei contactar o governo português, aproveitando o facto de termos um governo socialista, mais sensível à questão dos imigrantes e dos estrangeiros. Falaria com o primeiro-ministro, e, se tal fosse impossível, com o ministro da Administração Interna, António Costa, filho de goês e portuguesa, de tez escura - alguém que saberia o que é ser estrangeiro. Quando Costa saiu do governo, substituído por Rui Pereira, um jurista especializado em direito penal, supus que este seria menos tolerante para com estrangeiros em situação irregular e desisti da pasta da Administração Interna, virando-me para a da Cultura. O novo ministro, José António Pinto Ribeiro, um advogado humanista, nascido em Moçambique, que me fora apresentado em tempos por Nuno Artur Silva, pareceu-me ser a pessoa certa para abordar, mas faltou-me a coragem. Andei a empurrar o assunto para a frente com a barriga até que nos cruzámos em Luanda. Ele de visita oficial e eu mais uma vez regressado à terra mãe para pedir um novo passaporte, o segundo no espaço de seis meses. Até hoje me pergunto de onde terá vindo a minha audácia. Suspeito que do desespero.

João Pignatelli, do Instituto Camões em Luanda, entendendo a minha urgência, ofereceu-me um convite para a receção em honra do ministro, na residência do embaixador português, no Miramar. Apareci à hora marcada, de fato e gravata, como a solenidade que o assunto exigia. Mesmo assim não consegui fundir-me na paisagem. Era obviamente uma carta fora daquele baralho, uma ave rara a passear-se pelo relvado daquela pequena mansão, no meio de altas figuras do Estado angolano, das Nações Unidas e da ONGs, embaixadores e adidos culturais de uma série de representações diplomáticas, deliciando-se com os canapés e o champanhe e rindo sobre trivialidades que não comprometiam nem ofendiam ninguém, e para as quais contribuí com um sorriso concordante.

A minha missão era outra, não estava ali para jogar conversa fora. Não queria distrações, estava prestes a pedir ao ministro a nacionalidade portuguesa, e, se os jogadores da bola Deco e Pepe se naturalizaram e passaram a representar a Seleção Nacional em campeonatos do mundo, naquilo que à cultura diz respeito Buraka Som Sistema também jogava em campeonatos mundiais, e merecia-o.

O ministro reconheceu-me e abraçou-me efusivamente. Não perdi tempo. Sabia que numa questão de instantes pessoas bem mais importantes, e provavelmente com assuntos bem mais bicudos do que o meu, iriam roubar-me a sua atenção. Depois de um par de piadas de circunstância, disse-lhe que estava com dificuldades em obter a nacionalidade portuguesa, "preciso de ajuda". Ribeiro olhou-me nos olhos, sorriu e estendeu-me o seu cartão, sem qualquer tom protocolar, sacramentou um "liga-me, ficarei à tua espera". Sorrimos, como se entendêssemos os dois o simbolismo daquele pedido. Se o tivesse abordado em Lisboa, certamente não teria a mesmo peso, mas falar de nacionalidade portuguesa em Luanda, no Miramar, o bairro das embaixadas, o bairro onde dormem os diplomatas e a elite do país, até o presidente da República tem ali morada, parecia ter outro peso. Ainda que o ministro apenas sentisse parte do simbolismo de verbalizar tal ideia sobre aquele torrão, em mim a coisa ia mais fundo. Senti a ressoar em mim os espíritos que repousam no cemitério do Alto das Cruzes.

Quando regressei a Lisboa toda a audácia que me fez abordar o ministro da Cultura português tinha ficado em Luanda. À medida que as semanas iam passando as minhas dúvidas iam aumentando. Talvez eu não quisesse tanto assim naturalizar-me português. Talvez me faltasse coragem para ligar e repetir o pedido. Talvez fosse orgulho, a minha fatuidade mwangolé a falar mais alto. Não queria ficar a dever favores a um político, pensei, ainda que essa ideia não me convencesse totalmente. E desisti de ser português.

Quando as páginas do meu passaporte voltavam a encher-se de vistos e carimbos, e a data de regressar a Luanda para a renovação dos documentos surgia novamente no horizonte, a ideia de voltar a insistir no projeto "nacionalidade portuguesa" voltava a tirar-me o sono. Como não queria ligar ao ministro, pensei ainda algumas vezes falar com Luís Montez, o filho do velho Montez, e um dos primeiros promotores a convidar Buraka para um festival de grandes dimensões em Portugal. Genro do Cavaco Silva, ex-primeiro-ministro e ex-presidente.

Quem melhor que Montez para se sensibilizar com a minha desgraça, ele, o filho do promotor das primeiras noites do semba, uma figura do antigamente, venerada por muitos kotas da música angolana, incluindo o dr. Eugénio Neto. Sempre que o encontrei ele fez questão de relembrar-me que éramos conterrâneos, falava-me sempre das suas origens angolanas. E era-o, de facto, porque só outro angolano consegue reconhecer o amor por aquela poeira, uma segunda pele que muda a luz que cai sobre as palmeiras, sobre a roupa lavada, sobre a quitanda de comida à beira da estrada, sobre os carros parados no engarrafamento na cidade.

A primeira vez que ouvi Luís falar sobre esse seu sentir foi na televisão, na RTP2 das conversas pausadas, no programa *Por Outro Lado*, da Ana Sousa Dias. A segunda foi no Alentejo, na herdade da Zambujeira do Mar, numa conversa que nos tomou breves minutos, e onde ele me descreveu uma ida à discoteca Chiuaua, em Luanda. O suficiente para que, naquele instante, a pessoa diante de mim deixasse de ser o sr. Luís Montez das rádios e dos festivais produzidos pela sua Música no Coração, que me ajudaram a moldar o gosto e a decidir de que lado gostaria de ver os concertos acontecerem – em cima de um palco –, e passou a ser Luís Montez, um dos nossos, que sente, debaixo do sol abrasador do Alentejo, saudade da Ilha de Luanda.

Foi o entusiasmo com que falava do Chiuaua, de kuduro e de como os Lambas eram grandes em palco que me encantar fez por ele. Se não soubesse do que me falava, certamente não me teria deixado contagiar pelas suas palavras. Mas eu bebi da mesma água que todos os luandenses, e acreditava nessa nova Angola de que Montez me falava. Conhecia-a.

Quem mais para entender o meu infortúnio que não o genro do Cavaco Silva, o homem que, inconscientemente e de forma inusitada, inventou a kizomba, mãe do kuduro, avô da tarraxinha? Sim, foi Cavaco Silva quem inventou a kizomba, ou melhor, quem contribuiu para que ela se tornasse a maior força cultural alguma vez saída do espaço lusófono. E para tal bastou que o seu governo aprovasse o Decreto-Lei n. 163/93, de 7 de maio, e que dele nascesse o Programa Especial de Realojamento (PER). Um projeto ambicioso que prometia dar resposta aos problemas de habitação num Portugal membro da CEE. Era preciso ficar bem na fotografia, Lisboa 94 Capital da Cultura estava ao virar da esquina, e a Expo 98 no horizonte. Era preciso uma solução rápida e definitiva. Com parte do dinheiro vindo da União Europeia, o Governo e os municípios integrantes das áreas metropolitanas de Lisboa e do Porto arregaçaram as mangas e juntos cooperaram na erradicação das barracas e bairros de lata, concentrando-se no realojamento dos moradores em habitações sociais construídas a custos controlados em regime de arrendamento.

Cavaco Silva exerceu funções como primeiro-ministro de 1985 a 1995 e, embora em termos de construção o PER sustentasse a edificação de mais de trinta e um mil fogos entre 1994 e 2005, o sucesso do programa só se tornou realmente visível nos anos entre 1996 e 1999, quando cerca de sessenta e cinco por cento dos cerca de trinta e cinco mil fogos passaram a ser habitados por famílias provenientes de bairros de lata. Muitas delas de imigrantes africanos, grupos de etnia cigana, assim como portugueses provenientes das zonas rurais nas décadas de 1940 e 1950. Grande parte dessas comunidades fixou-se nos concelhos da Amadora, Cascais, Lisboa, Loures, Oeiras e Setúbal. Claro está que o choque de culturas não foi pacífico inicialmente e, de quando em vez, aconteciam algumas escaramuças entre vizinhos, provocadas por animosidade antigas e hábitos difíceis de largar. Por exemplo, nós, africanos, gostamos de ouvir música em altos berros, e sei que ter-nos como vizinhos pode, por isso, não ser sempre muito fácil. Nada como o tempo, e o diálogo, para resolver as diferenças. E para não variar as crianças foram as primeiras a dar esse passo, começando por convidar os vizinhos para uma cachupa ou moamba de fim de semana onde a kizomba, sempre omnipresente, ajudou nas aproximações.

Outro fenómeno interessante ocorrido quase paralelamente à implementação do PER foi o surgimento dos grandes centros comerciais perto dos bairros sociais. Espaços como o Colombo, num país onde o entretenimento é em grande parte fornecido pela televisão, são agregadores quando o tédio televisivo chega e apetece passear. A escolha, por ser seguro, por ter estacionamento, parque infantil e um monte de lojas, tornou-se óbvia.

Para os angolanos de férias os centros comerciais são lugar de compras e de reencontros, mas para a comunidade de origem africana residente são o local de trabalho. Enquanto os primeiros imigrantes africanos, homens que desembarcaram em Lisboa nos anos 1960, eram essencialmente absorvidos pelo setor da construção civil e obras públicas, as mulheres destes, chegadas no final dos anos 1970, começaram por vender peixe nas ruas até a atividade ser proibida pelas regras da CEE, voltando-se depois para o setor das limpezas, tanto em casas de famílias como em empresas, responsáveis pela limpeza de escritórios, condomínios, espaços públicos e, claro, centros comerciais.

A entrada desta mão de obra proveniente da África negra, barata e não qualificada, que servia as necessidades de um país em crescimento que até então só conhecia o fenómeno da emigração, veio revelar o quão pouco preparado o país se encontrava para acolher estes estrangeiros, e não tardou que viessem à baila questões sobre tolerância, preconceito racial e discriminação social. Assuntos que a sociedade portuguesa ainda hoje encara como delicados e evita abordar com a frontalidade que se esperaria de um país cuja presença em África foi tão marcante.

Os meus primeiros meses de 1997, ano da inauguração do Centro Comercial Colombo, foram passados nas filas do SEF. Tinha entrado no país com visto de turista, mas, como o regresso a Angola se apresentava impossível para mim, não tive outro remédio senão madrugar à porta dos Serviços de Estrangeiros e Fronteiras no bairro de São Sebastião da Pedreira, o primeiro endereço que memorizei em Lisboa.

O ano de 1997 tornou-se inesquecível. Não porque Lisboa inaugurou cento e vinte mil metros quadrados de área comercial em Benfica, mas sim porque foi o ano em que as verdadeiras cores de Portugal se tornaram visíveis para mim. O tom severo e grave com que os inspetores se dirigiam a nós deixou de me impressionar. Nesse ano deixei de ter medo de ser deportado, de ter vergonha do estigma de ilegal e, com isso, passei a reparar nas pessoas à minha volta, e de certa forma a respeitar e a acarinhar a condição trágica que nos unia. Éramos todos estrangeiros, na maioria negros, africanos que falavam outras línguas, donos de outros costumes e experiências, outras histórias.

Os meus primeiros salários foram ganhos ainda em 1997, naquilo que todos os rapazes da minha idade e do meu grupo étnico faziam, nas obras. Servente de pedreiro é um trabalho escravo que só me serviu para suprir de forma honesta as necessidades mais urgentes.

Anos mais tarde, o músico angolano Dog Murras fixou na nossa cultura popular essa figura desafortunada do ramo da construção civil com a canção “Carta do servente”, que lhe valeu o título de "kuduro do Ano"no Top da Rádio Luanda, em 2004. Arrebatando os corações dos nossos patrícios e demais comunidades africanas em Portugal, com versos que narravam de forma humorada as peripécias vividas por angolanos que trabalhavam nas obras em Lisboa, a braços com as dificuldades de suportar a carestia da vida em Portugal e ajudar a família em Angola. O êxito alcançado pelo tema ajudou a cimentar a sua posição no mercado da música africana, e Dog sentiu que, ao aproximar-se da kazukuta, a dança e ritmo tradicional popularizado por grupos carnavalescos como a União Operária Kabocomeu e a União kazukuta do Sambizanga, estaria a resgatar algo inequivocamente angolano. Há quem diga que a kazukuta é um dos ritmos que estão na génese do kuduro. De sapateado lento, seguido de oscilações corporais, onde o bailarino ora se apoia no calcanhar, ora na ponta dos pés, sempre ajudado por uma bengala ou um guarda-chuva, a kazukuta tem como base instrumental uma orquestra de latas, dikanzas, garrafas, arcos de barril e, para algumas variações rítmicas, a corneta de latão e a caixa corneta. Os bailarinos trajam calças listadas e casacas devidamente ornamentadas, representando postos do Exército, e cobrem o rosto com máscaras de animais, para melhor caricaturar jocosamente o inimigo.

O trabalho nas obras era duro, mal pago, e, na primeira oportunidade que tive, por não suportar mais a humilhação infligida por um mestre de obras analfabeto e racista, troquei-o pela cozinha de um restaurante num centro comercial. Carregar baldes de cimento para cima de um andaime e fritar frango *teriyaki* por menos de quatro euros à hora deu-me uma perspetiva real sobre a Europa. A forma como os imigrantes africanos foram acolhidos e integrados nessa sociedade faz ainda com que me questione sobre até que ponto Portugal se reconciliou com o seu passado colonial.

A esperança era a de ver a forma como os centros comerciais estavam a mudar o tecido cultural dos grandes centros urbanos.

Sem estes lugares, provavelmente não teríamos a kizomba de hoje. Basta uma pequena volta pela zona de restauração de qualquer centro comercial para nos confrontarmos com o número de jovens de origem africana a trabalhar em cadeias de restaurantes. E que ouvem eles? Kizomba, kuduro, hip-hop. Tornando assim espaços como o Colombo, quer ele queira quer não, em sítios que aproximam as diversas realidades culturais e sociais que habitam os subúrbios da grande Lisboa.

Para se entender o sucesso que a música africana de feição pop, isto é, a kizomba e seus derivados, goza agora junto do público português, é importante olhar para o impacto que o PER lançado pelo Governo de Cavaco Silva, e os centros comerciais, tiveram junto das comunidades provenientes das barracas. O contrário também se sentiu, e da convivência entre colegas que se deu nos centros comerciais passámos a ver jovens africanos a frequentar espaços no centro da cidade que antes dos finais dos anos 1990 eram de uso exclusivo das comunidades brancas. Hoje, sempre que vejo um africano a descer as colinas de Alfama ou do Castelo com manjericos e a cantar canções das marchas populares no dia de Santo António, penso na zona de restauração do Colombo, lugar onde, a par das escolas, brancos e negros interagem de forma genuína, sem questões sobre multiculturalidade ou políticas sociais. Estão todos no mesmo barco, a tentar sobreviver com pouco mais do que o salário mínimo.

Fredrikstad, 9 de agosto de 2008

"*Think about your future but don't forget your past.*"
Fela Kuti & Roy Ayers, "2000 Blacks Got to Be Free"

15h37

Estacionámos junto a um *prunus padus* em flor. Os nórdicos chamam a esta árvore cerejeira de Hegg, uma caducifólia de floração branca e perfumada, com um fruto negro amargo. Na Idade Média acreditava-se que a casca tinha propriedades espirituais, que afastava a peste. Em Portugal é conhecida por azereiro-dos-danados.

O guarda da penitenciária era um ser redondo de cara e barriga, e, assim que me viu entrar, escoltado pelas duas agentes loiras, pôs-se hirto como um pé de cana-de-açúcar. Trocadas algumas palavras em norueguês, abriram-me a mala e espalharam os meus pertences sobre o balcão. Um iPod, um par de auscultadores, um computador, um telemóvel, dois livros – uma edição do *Distraídos venceremos*, de Paulo Leminski, presente de um amigo brasileiro, Rodrigo Amarante, e uma edição de *Nós, os do Makulusu*, de José Luandino Vieira, roubados da biblioteca do meu avô –, calçado, roupa interior, um par de *t-shirts* e uma muda de calças. Depois de listados cada um dos objetos, tiraram-me as algemas e, com o pulso ainda a latejar, assinei a folha do inventário. O pé de cana-de-açúcar pousou os olhos na minha assinatura, estudando-a, como se procurasse determinar naquele rabisco nervoso se eu era de facto culpado ou inocente. Tudo lhes servia. Estendeu-me o meu telemóvel e disse-me que tinha direito a um telefonema. "Fala em inglês!", advertiu-me.

A primeira pessoa em quem pensei foi na Teresa, a generosa e sempre otimista Tê, minha advogada. Imaginei-a nas suas aulas de dança contemporânea, atividade que lhe ocupa as tardes de sábado e permite que se abstraia dos processos em tribunal. A notícia iria apanhá-la em contramão e a partir de Lisboa ela não teria muito como ajudar. Lembrei-me depois de Phil, o meu manager, e da Belinda, minha agente, mas ambos vivem em Londres e, tal como Teresa, por mais preocupados e bem-intencionados que sejam, nenhum deles iria conseguir tirar-me deste aperto antes do início da próxima semana, e tudo me dizia que nessa altura já estaria condenado, num centro para imigrantes ilegais e à espera de ser repatriado. O pé de cana-de-açúcar estava a ficar impaciente, e recebi o telemóvel da sua mão. Pensei no meu pai. Não por sentir que ele me poderia valer, mas por me parecer que, na história de outro qualquer, um pai seria o primeiro na lista de emergências de um filho. Mas precisava de alguém perto, e que me fosse próximo, alguém da banda, precisava de Branko, só ele iria entender a gravidade da situação, atuar primeiro e fazer as perguntas depois.

15h42

Branko é o meu cúmplice desde a primeira hora. Não porque iniciámos juntos esta caminhada, mas antes porque estávamos os dois dispostos a chegar onde ninguém à nossa volta se predispunha a ir. Ambos tínhamos algo a provar, não necessariamente ao mundo, mas a nós próprios. É, e sempre foi, o mais lúcido do grupo, mesmo antes, quando ainda andávamos todos um pouco à deriva, a aprender a fazer música. A sua obsessão com o desconhecido, o que ainda não fora explorado, aliada a uma memória musical enciclopédica, foram determinantes no momento de ditar o que poderíamos fazer com o que andávamos a criar.

Sempre me comoveu a relação que os meus amigos têm com os pais, e sei que parte da admiração que sinto por Branko vem da relação que ele tem com o seu pai. Se o meu nunca me vira em palco, o pai do Branko emocionava-se só de ouvir as canções que criámos no quarto do filho. O sr. Jorge Barbosa nunca nos pediu que baixássemos a música. Nos primeiros concertos lá estava ele a aplaudir e a assobiar como um fã adolescente, orgulhoso por ter valido a pena transmitir o gosto pelos sistemas de aparelhagem que instalou na sala e que aos fins de semana fazia questão de tirar a poeira das colunas do filho. Com o volume no onze, tocava discos como o *Wish You Were Here* do Pink Floyd. Um homem de amigos, que levou o filho a Madrid quando ele decidiu sair da faculdade e ir para a capital espanhola estudar engenharia de som.

Não sei onde está o meu pai. A última vez que soube dele, sempre através da minha mãe, estava em Inglaterra a tirar uma especialidade qualquer em Medicina. Não quis prolongar aquela conversa, pois quase poderia jurar que, ao virar na Carnaby Street, em Londres, o vi, um homem talvez nos seus sessenta, um tanto mais baixo que eu, e cuja forma de andar, a curvatura dos ombros e o tom da pele me fizeram lembrar o meu pai, ou a imagem que guardo dele, desde a última vez que nos vimos. Um estranho não deveria lembrar a nenhum filho o seu pai.

Sempre pensei que um dia como esse, da casualidade de um encontro, iria chegar. Olharíamos um para o outro e talvez estendêssemos a mão, com a frieza de uma entrevista de trabalho ou a alegria comedida do fechar de um negócio que há muito queremos, e que nos poderá salvar, mas que não permitimos que o outro perceba.

Ou talvez um abraço. Marcaríamos um encontro para o dia seguinte, desmarcaríamos todos os nossos compromissos e colocaríamos a conversa em dia num sítio bonito.

A espera sempre foi longa. Pude pensar em quase todos os cenários possíveis durante todos estes anos sem nos vermos. Doze, desde a última vez que os contei. Gostaria de o reconhecer, de saber se tem alguns cabelos brancos, que herdarei daqui a uns anos.

O homem que vi na rua tinha cabelos negros. Pensei em gritar por um "pai" pouco comum no meu dia a dia, mas tive medo de que a única coisa que dele conheço bem, a sua voz, fosse a de um estranho. Foi dos telefonemas, a minha infância apenas guardou a voz do meu pai.

Segui aquele senhor durante algum tempo, esperando que em algum momento ele se virasse e me reconhecesse como filho. Não se virou, em momento algum.

Não são poucas as vezes que me questiono se serei um bom pai. Pois para tal não será preciso ter sido filho primeiro?

15h43

"Yo!". Branko atendeu de imediato. Numa situação normal teria respondido na mesma moeda. Há anos que nos saudávamos desta maneira económica. Mas a situação era grave e tinha as duas agentes loiras e o pé de cana-de-açúcar com os olhos postos em mim.

"João, vou falar em inglês. Estou na prisão, tirem-me daqui", disse-lhe. Não havia espaço para grandes explicações. Desligada a chamada, o telefone voltou para as mãos do carcereiro, que me pediu também os óculos. Normas da prisão, explicou-me. Devem ter medo que transformemos a armação em chaves de fendas e, tal qual o MacGyver, consigamos abrir a porta da cela e sair a monte. Ou então pior, devem recear que, no desespero, use uma das lentes para me suicidar, perfurando uma artéria.

O pé de cana-de-açúcar pediu às agentes que me conduzissem para um das celas no fundo do corredor. Levaram-me pelo braço, era o protocolo e já não restavam forças. Queria deitar-me, fechar os olhos e acordar quando fosse altura de ver o juiz.

Quando me atiraram para dentro da cela, olhei novamente para elas, e, sem os meus óculos, o que me reduz a distância de visão a cerca de um palmo, elas pareciam-me menos polícias, menos inquisidoras. Numa cela igual à minha, de dois por dois metros de alumínio e fedendo a urina, um dos reclusos roncava como uma serra elétrica. Deitei-me no colchão, uma superfície dura a dois palmos do chão, e senti-me o homem mais só do mundo.

Lembrei-me de Sofia de Rio de Mouro e da sua proposta de casamento feita anos antes numa pista de dança, onde lhe beijei as mãos em forma de agradecimento, e lhe pedi que kizombássemos apenas.

parte II

Rio de Mouro, 22 de setembro de 2012

"Ai ai ai olha a canção do povo
Povo da terra que dança sem saber porquê."

Paulo Flores & Eduardo Paim, "Processos da Banda"

N'xinti batimento di bo coração

O homem que agora entrelaça os seus braços em mim perguntou: "Quem inventou a kizomba?". A pergunta não me foi dirigida, mas, como alguém se esquivou a responder e eu sou a única professora de dança nesta sala, empurraram o pobre coitado para os meus braços para que lhe respondesse e, "já agora", para que lhe mostrasse como se dança. Coitado, oiço os amigos a rirem-se da sua falta de jeito e sinto-lhe as mãos a tremer. Acho bonito, sempre me comoveram os homens que quando sentem medo o deixam transparecer. Peguei-lhe na mão direita e pousei-a na minha cintura. A sua esquerda coloquei-a na minha mão direita. "Segue-me, não tenhas medo, se tropeçares para e recomeçaremos, vai correr tudo bem", disse-lhe. "Primeiro passo", orientei-o falando com os meus lábios encostados ao seu ouvido. "Os cavalheiros começam sempre por se movimentarem para o lado esquerdo, ok? Vamos fazer o passo básico, ou a base, de dois a oito tempos" – e saímos pelo salão numa sincronização harmoniosa, movendo-nos da esquerda para a direita e vice-versa. 1-2 marcação, 3-4 marcação, 5-6 marcação, 7 e 8... e outra vez.

Surgiam no meu pensamento os passos que dia sim dia não partilho com os meus alunos do grupo dos principiantes, mas procurei afastar aquela imagem tentando concentrar-me na pergunta que nos juntou. "Quem inventou a kizomba?" Ele até que não se está a sair assim tão mal. O segredo da kizomba, disse-lhe, é ser uma dança terra, ou seja, não é necessário levantar muitos os pés. "Sente o chão", voltei a dizer-lhe, sempre que apanhava um dos seus pés fora do desenho pretendido. E caiu-me nos braços tão de repente que nem tive tempo de olhar bem para ele. Magro, um metro e oitenta, brasileiro de cravo e canela. O que explica como apanhou rápido a ginga da kizomba. A experiência que têm com danças de pares como o forró e a lambada dá-lhes vantagem em relação aos outros povos. Nem já os argentinos com o tango. Além deles, talvez só mesmo os cubanos com o merengue e a salsa. O único erro verdadeiramente gritante dele é a tendência que tem para levantar ligeiramente a anca na marcação dos tempos. Voltei ao meu modo professora. "Ao contrário da bachata, na kizomba não levantamos a anca", e ele obedeceu, sossegando-me. Encostei a minha cabeça no seu ombro.

Os angolanos vão dizer que foram eles que inventaram a kizomba, pensei para mim. E têm argumentos fortes para defenderem esta posição. Começando pelo nome, que deriva do Quimbundo e significa "festa". Os cabo-verdianos vão contra-argumentar, reclamar e exigir que lhes seja reconhecido o contributo para a sua invenção e também com razão por causa do seu zouk. Zouk que é originário das Antilhas e que também significa "festa". Angolanos e cabo-verdianos andavam por aqui, de cave em cave, de salão em salão, do Aiué ao Kandando, do Kussunguila ao Quo Vadis. Do Ondeando ao B.Leza e do Enclave ao Lontra. O Lontra, que, segundo o meu pai, foi a primeira discoteca africana a tornar-se *mainstream*. Reza a lenda que o Prince, depois do concerto no antigo estádio de Alvalade, acabou a noite naquela discoteca africana, fechando o espaço só para ele e acompanhantes daquelas míticas *after parties* que o autor do *Purple Rain* dava em quase todas as cidades por onde passava. Foi em agosto de 1993, um ano particularmente prolífico para a kizomba. Eduardo Paim dominava a pista com o seu "Rosa Baila" do álbum *Kambuengo*. Paim, que para muitos é considerado o pai da kizomba, defende que ritmicamente a dança é um desacelerar dos ritmos que estão na génese do semba e na aceleração destes mesmos ritmos até aos 140bpm. Podemos encontrar pontos de contacto com o kuduro.

Enquanto às minhas amigas lhes contavam histórias de embalar da Carochinha, o meu preferia falar-me de música. Ao deitar-me punha-se a narrar os feitos dos seus heróis musicais que iam de Bonga a Belita Palma, de Cesária Évora a Eduardo Paim. Sobre o último, meu pai na sua voz rouca e solene de locutor de rádio da velha guarda, gesticulando as mãos numa excitação infantil em contraste com os cabelos brancos que despontavam da sua barba sempre bem aparada.

Dizia: "Kambuengo (nome pelo qual é tratado o Eduardo Paim) desembarcou em Lisboa no final dos anos 1980, trazendo com ele o semba, o embrião daquilo que em contacto com a diáspora africana deu origem à kizomba...". E gostava também de ilustrar aquelas histórias musicais com passos de dança. Por isso era inevitável que ganhasse o gosto por música africana. Soube primeiro quem era o Eduardo Paim do que quem era Rapunzel. Pouco sei sobre a Branca de Neve, mas já o que foi o ano de 1993 para a kizomba. Tenho-o na ponta da língua. Naquele ano vieram ao mundo o *Só pensa naquilo*, dos Tropical Band, Ruca Van-Dúnem saiu com o *S.K... ainda*, Moniz de Almeida brindou-nos com o grande *Tio Zé*, os Tabanka Djaz vieram em dose dupla com o *Tabanka* e *Indimigo*, que, além de trazer a Guiné-Bissau para a conversa, nos brindaram com o tema "Bacú", um dos maiores hinos ao adultério alguma vez ouvidos na Língua de Camões. Mas da safra de 93 o meu coração bate mais forte com o *Brincadeira tem hora* de Paulo Flores, que conta com clássicos como o "Cabelo da Moda, Amores de Hoje", e ainda, para ajudar ao nosso debate, o lado A da cassete, a faixa número cinco, "Tributo a Cabo Verde", uma singela mas sentida homenagem aos coinventores da kizomba. Se não fosse assim, esta cumplicidade entre os dois povos companheiros na poesia e na folia, com quem é que Paulo Flores teria aprendido a cantar em crioulo?

No compasso, reposicionei-lhe a mão para a minha região lombar. Ele deve estar em pânico. Sentindo o suor que me cobre as costas e as minhas coxas tocando suavemente nas suas, sem me impor, mas sugerindo o movimento. Para quem nos vê de fora, é como se estivesse ele a guiar, quando está apenas a repetir o que as minhas coxas lhe dizem que faça, de forma quase impercetível.

Até que dança razoavelmente bem. Não diria que é a sua primeira vez a dançar kizomba, mas é. Sinto, e acredito que seja mútuo, a sensação de regresso a um lugar familiar. Não é por partilharmos o mesmo oceano, a mesma língua. Trata-se de algo mais distinto, pertença. Sim, é isso, senti que ele pertence a este lugar, a esta casa, ao conjunto de prédios que formam este bairro. Talvez pela música, talvez por se deixar guiar de forma tão vulnerável.

"Sente a música", saiu-me, embora quisesse dizer-lhe outra coisa. Ele não se apercebeu mas sentiu algo e perguntou-me: "Fiz algo de errado?". Respondi-lhe negativamente e limitei-me a dançar, levando o meu pensamento novamente para longe. Mas algumas palavras têm âncoras, não nos deixam fugir tão facilmente, e aquilo que dentro daquela circunstância poderia ser entendido como parte da lição, uma recomendação da instrutora para o aluno, aquela interjeição pareceu não obedecer a nenhuma hierarquia, soou espontânea como um clamor de boas-vindas, um convite. Naquele instante, com o sotaque dele ainda ressoando, fazendo com que as minhas próprias palavras dentro da minha mente adotassem o seu sotaque arrastado e musical, senti a vontade de o convidar a vir comigo e a descobrir o porquê da kizomba tal como a dançamos agora, e que só poderia ter sido inventada numa cidade como esta.

Há dois anos que vou a campeonatos de kizomba, sempre que a faculdade me permite. Estou na Universidade Nova de Lisboa, no terceiro ano de Antropologia. Escolhi o curso porque gosto dele, e como as aulas de kizomba para turistas e portugueses da classe média têm vindo aumentar, o futuro não me assusta. Se me fizessem essa pergunta há cinco anos atrás, diria que iria seguir os passos da minha mãe e virar professora do ensino básico ou secundário. Já me tinha mentalizado. Mas depois tivemos o boom da kizomba e as escolas multiplicaram-se e, pela primeira vez, temos pessoas de fora da comunidade africana, e que nunca puseram o pé dentro de um clube de kizomba, a tomarem contacto com a dança através de ginásios, academias e dezenas de workshops que acontecem um pouco por todo o lado, da Europa aos Estados Unidos. Não me posso queixar.

Só tenho que agradecer, principalmente ao homem que me criou. Não temos os mesmos genes, ele é negro, pele de chocolate noventa e cinco por cento de cacau, cabelo carapinha. Eu, igual à minha mãe. Branca, olhos azuis, cabelo loiro. Pela aparência não podíamos ser mais diferentes. Mas na alma respiramos e sentimos a música exatamente da mesma forma. Ele ensinou-me tudo o que sei sobre esta dança. Primeiro com as histórias de embalar e ao vê-lo dançar com a minha mãe, e depois, com os meus cinco ou seis anos (os meus pais diziam que foi antes), dava-lhe as mãos e pisava-lhe os sapatos, sendo assim levada no ritmo das passadas das primeiras kizombas. Eduardo Paim e Paulo Flores passaram a ser membros da família. Aliás, foram eles que aproximaram os meus pais, o Ti Paulo e o Ti Paim passaram a estar presentes sempre, dia e noite, nos momentos de alegria e nos de tristeza também, testemunhando todo o meu crescimento. Mas as minhas primeiras memórias com a kizomba vêm de antes, da minha mãe. Talvez sejam as memórias dela mas o certo é que tenho presente a imagem da minha mãe, recém-divorciada e com uma saudade sufocante do país que a viu nascer. Largava-me todos os fins de semana em casa da avó e mergulhava de cabeça na noite africana de São Bento. É claro que a avó não achava graça nenhuma àquela boémia, que se transformou nas minhas primeiras memórias da kizomba. Antes de ouvir uma única nota musical, vejo a minha mãe toda arranjada e a discutir com a avó sobre música. A casa toda abanava quando elas discutiam. A minha avó perguntava: "Se gostas assim tanto de pretos, por que não voltas para Angola?", e a minha mãe sempre lhe respondia: "Sim, devia ter ficado". Tudo se dizia aos berros. "Se tu e o teu marido tivessem tratado aqueles pretos com mais dignidade, eu não teria sido obrigada a fugir para este teu país de merda", rematava a minha mãe, que nasceu no Huambo e nunca conseguiu adaptar-se à nova realidade, depois de terem sido obrigados a abandonar o país em 1975. Acho que só depois de ter conhecido o meu padrasto é que se resignou. Volta e meia, quando uma situação na escola em que dava aulas a irritava, ou quando o inverno estava intolerável, voltava-se para o meu pai e dizia-lhe que estava farta, acrescentando sempre um "vou voltar para a minha terra, podes ficar tu com este Portugal".

Desde que saiu de Angola o meu padrasto nunca mais lá voltou. Foi enviado para a RDA, a Alemanha socialista, em meados dos anos 1980, com uma bolsa de estudo do MPLA. Mas, depois da queda do muro de Berlim, em vez de voltar para Angola, escapou para Portugal, onde conheceu a minha mãe. Sempre achou que o prenderiam se regressasse a Angola, por ter fugido para a "tuga". Apaixonou-se pela minha mãe e adotou-me, e o regresso a Angola foi sendo adiado, adiado. Ele diz que voltará quando o José Eduardo dos Santos deixar de controlar o destino da nação. Digo-lhe muitas vezes para tirar o cavalinho da chuva. Filha de angolanos, adoraria conhecer aquela terra pela mão dos meus pais, mas já estou a ver que ou vou sozinha ou não vou. Talvez a kizomba me leve até lá antes deles.

"Terminou a canção", disse-me ele. Continuávamos abraçados e já tinha começado outra canção. Senti os olhares da sala sobre nós e ele cada vez mais tenso, talvez envergonhado. Repeti os versos do cabo-verdiano Mika Mendes, "*Na bu lado bem colado n'xinti batimento di bo coração*", e tarraxei-lhe levemente. Nada muito escandaloso, ainda somos praticamente estranhos e aquela ainda é a sala dos meus pais. Talvez fosse melhor convidá-lo para sair dali. Falta-me só encontrar as palavras certas, ou o tom. Faria como fizera até aqui, soprar-lhe-ia ao ouvido o convite. Mas, quando me preparava para ganhar balanço, ou coragem, Mário, o amigo que partilhamos e que descaradamente o atirou para os meus braços, antecipou-se com um truque elementar das festas de kizomba. "Quito, segura-me só aqui esta cerveja."

E separámo-nos.

Como no Brasil, mas em África

Mário Patrocínio e o seu sorriso de surfista alfacinha. Conhecemo-nos desde os tempos de faculdade e desde aquela altura que não consigo levá-lo a sério, não sei bem por quê. Foi o nosso grupo da Nova que o arrastou para as noites africanas, estando nós longe de imaginarmos que aquelas saídas lhe viriam a alimentar a escolha da profissão. Era a pessoa que entre nós menos referências africanas tinha. A maior parte do grupo era constituída por angolanos e cabo-verdianos. Eu e ele éramos os únicos nascidos em Lisboa. Eu era filha de mãe portuguesa, retornada, e de um angolano bolseiro que chegou a Portugal nos anos 1980. A família do Mário era portuguesa de gema.

Quando o Mário me contou que se tornou realizador de kuduro, ri-me com a mesma energia com que ri quando ele me descreveu o kuduro pela primeira vez, em tempos de estudante. "No meio da pista as pessoas abrem uma roda e, dentro dela, dois bailarinos contorcem os corpos numa batalha pelo título de melhor kudurista da noite", dizia. Explicámos-lhe muitas vezes que não estava em causa a defesa de um título, que era apenas uma noite de festa onde todos participavam, ninguém ficava parado. Enquanto no meio da roda aqueles corpos se entregavam em acrobacias fantásticas, os espectadores também participavam com palmas e gritos de ordem que entusiasmavam ainda mais os dançarinos no meio da roda. A música era a grande vencedora da noite. Selvagem, crua e frenética, tinha o poder de fazer com que todos os presentes levitassem a alguns centímetros do chão. Aquele foi o início da aventura que o levou a mergulhar de cabeça nos movimentos musicais nascidos nas periferias, nos bairros e cidades à margem dos grandes centros urbanos como o Rio de Janeiro e Luanda, cidade que visitou pela primeira vez pela mão de um amigo angolano que conheceu num curso de representação. Sim, Mário representava, antes de realizar.

Em dezembro de 2002, quando já tinham decorrido mais de trinta anos depois da início da guerra civil, Patrocínio desembarcou em Luanda. Ele não me revelou muito sobre este primeiro contacto. Talvez eu não estivesse lá muito interessada nas suas histórias. O que sei é que não foi naquele ano que passou a entender de que matéria são feitos os kuduristas.

É preciso conhecer Luanda para entender todas as nuances que se escondem dentro do kuduro. Depois daquela primeira introdução, Mário só regressou a Luanda quase uma década depois. Antes disso, foi aprender os segredos da realização na zona norte do Rio de Janeiro. "Fui chamado para ajudar na produção de um videoclipe para um MC de Baile Funk, ali no coração da favela que se ergue a partir da Serra da Misericórdia e que, desde a década de 1950, quando alastrou para os morros adjacentes, passou a ser designada de Complexo do Alemão." Falou entusiasmado como nunca o vira antes. E continuou "Foi ali, numa das zonas mais afetadas pela guerra do tráfico, que descobriu a sua vocação." Disse com os olhos a transbordarem vida. Na companhia do seu irmão caçula, Pedro, passaram três anos a observar e a filmar as vidas do cidadão comum e do narcotraficante, a luta pela sobrevivência das cerca de trezentas mil pessoas que chamam casa ao conjunto de treze favelas no morro que ganhou nome de Alemão por causa de Leonard Kaczmarkiewicz, um imigrante polaco, proprietário das terras que serviram de embrião da favela.

Quando desceram do morro rumo a Portugal os irmãos Patrocínio desembarcaram em Lisboa trazendo debaixo do braço um terabit de imagens guardadas num disco rígido, sem um único centavo no bolso. Apresentavam-se como "contadores de histórias", e, mais do que um título, sentiam isto como um chamamento. Correram mundo com o documentário filmado no Complexo do Alemão, recolhendo aplausos de plateias e prémios, como o dos Direitos Humanos no Artivist Film Festival, em Los Angeles. Ele e o Quito Ribeiro conheceram-se nessa altura, aquando da estreia do documentário no Festival de Cinema do Rio de Janeiro. Falaram de kuduro, "um sonho antigo", confessou ao editor de filmes Quito Ribeiro, o baiano de cravo e canela que caiu nos meus braços.

"Quando penso em kuduro, 'elevação' é o primeiro termo que me surge no pensamento", contou o Quito sobre as palavras com que Mário o brindou naquele primeiro encontro. "Interessante", respondeu, sabendo que aquela não era a resposta mais entusiasta. O que Quito sabia de Angola era o básico, sendo um nativo de São Salvador. Há muito de Angola presente na cultura baiana. Mas a Angola contemporânea foi-lhe passada por antigos colegas que foram para Luanda trabalhar em marketing político para o MPLA, partido do Presidente da República, no poder há trinta e três anos. Uma situação privilegiada, já que fora daquela bolha é um salve-se quem puder. "Como no Brasil, mas em África", diziam-lhe os antigos colegas, agora publicitários, num misto de escárnio e eufemismo poético-filosófico. A Quito incomodava-lhe a expressão "mas em África", confessou ao grupo que se reunia para ouvir a história que o trouxe até Lisboa. Sobre a expressão disse que ela fazia com que sentisse que o sol só nasce de facto para alguns sortudos, e toda a miséria era irremediável.

"Vou filmar em Luanda e gostaria que fosses o editor", disse-lhe Mário Patrocínio. E Quito topou na hora. "Como iria desperdiçar a oportunidade de aprender sobre o kuduro?", confessou. A mesma curiosidade trouxe-o hoje a Rio de Mouro, quando Mário lhe falou da sentada familiar que acontece todos os domingos cá em casa, explicando-lhe que não só iria ter a oportunidade de provar um calulu* angolano como também teria uma aula de kizomba, comigo.

E aqui está ele, a tentar não pisar os calos da minha vizinha que agora o chamou para dançar. Uma senhora de meia-idade que, tal como ele, está a dar os primeiros passos no maravilhoso e fascinante mundo da kizomba. Os nossos olhares não voltaram a cruzar-se, e posso estar a imaginar mas senti por instantes que nos evitávamos de propósito. Depois daquela canção e meia onde os nossos olhos sorriam em silêncio diante do embaraço dele, tentando não descompassar nada. Talvez ele estivesse também a tentar fazer sentido, lidando com aquela canção e meia em silêncio, esperando o fim da festa para dizer algo. Ele deve ter tido tempo para ler os sinais que deixei transparecer. Estou certa de que um baiano sabe ler o que um corpo diz. A minha

* Prato típico à base de peixe e temperos. [N. E.]

mão na sua nuca, o meu rosto no seu peito. Ele deve ter percebido pelo meu batimento cardíaco que tinha algo para lhe revelar.

O Mário ria-se para Quito. Talvez estivesse a ver algo fora do meu campo de visão. Não me atrevi a olhar para trás, nem ousei perguntar-lhe o que se passava. Sempre que empregava a vírgula da kizomba e os nossos corpos mudavam de direção, ficando de frente para Quito, via que ele tinha os olhos fixados nos seus próprios pés, seguindo as indicações que eu lhe dera momentos atrás. Concentrava-se para não tropeçar, seguindo o fluir natural da canção sem acrescentar mais do que se pedia a um aprendiz de dança: controlo e paciência. Quando finalmente nos aproximámos, ouvi o Mário a brincar com os seus dotes de dançarino, dizendo-lhe que talvez devesse adiar o regresso ao Rio de Janeiro e ficar mais umas semanas em Lisboa para aprender a dançar kizomba.

"Sim, fica", pensei em silêncio.

Kizomba de quintal

Lisboa, mesmo não sendo a sua cidade berço, é considerada a meca da kizomba. Aqui se codificaram os passos que ajudaram a fixá-la como produto comercial para consumo de massas. E tudo começou com o festival Africadançar, organizado pelo produtor e coreógrafo Paulo Magalhães. A sensação com que fiquei foi a de que finalmente podíamos dizer que foi criado o espaço onde angolanos e cabo-verdianos unidos podiam dedicar-se à criação de métodos e regras de aprendizagem que fossem comuns para todos os que quisessem aprender ou ensinar a dançar kizomba.

E a partir da terceira edição daquele festival, ficou claro para todos nós que o sonho de colocar a kizomba no universo das danças de salão, a par da salsa, do chá-chá-chá e do merengue, começou a ganhar forma. Todos nós, os aficionados do género, acreditamos que um dia a kizomba será tão celebrada quanto o tango, com a diferença de que, ao contrário da dança argentina, cujas raízes africanas foram apagadas, na kizomba são estas raízes a base que dá força e projeção internacional à dança.

"Sim, fica. Deixa-me ensinar-te", pensei para mim. "Esta kizomba de quintal. A kizomba do musseque."

O meu pai sempre disse que as festas de quintal são o espaço de socialização mais importante para os angolanos. Ali se jogam conversas, narrativas, histórias e encenações várias. Lugar de comida, bebida, festa e alegria, é o "laboratório" para múltiplas expressões culturais que persistem no tempo e unem os laços sociais. Foi lugar de família, de resistência cultural contra a presença colonial e foi também onde se esboçaram danças e géneros musicais como o "açúcar", que depois deu origem ao kuduro, e o semba, que, mais lento, deu origem à kizomba. Os angolanos gostam de dançar tudo, não se limitam. Gostam de interpretar o ritmo à sua maneira, que normalmente é bastante teatral, fundindo passos de diferentes danças e ritmos.

Aproveitei o fim da canção para me dirigir até à aparelhagem e mudar a música para algo mais uptempo. E nada como o "Esse Madié", de Eduardo Paim, para agitar a festa. Tiro e queda. O meu pai veio a correr da cozinha à procura da minha mãe, e, tal qual João Cometa, deslizou pelo soalho da sala riscando passos do antigamente. Adoro vê-los a dançar. Muito do que sei sobre dançar aprendi com o angolano Mestre Petchu e o cabo-verdiano Zé Barbosa, mas não posso deixar de aplaudir o meu primeiro professor. "Cota Sebas, ainda não melhorou/ desde que a pinta bazou// foi na conversa desse madié, que fala muitué...", canta Eduardo Paim desde as colunas da sala. Passaram vinte e um anos desde o lançamento desta canção, e foram muitos os que contribuíram para que o género e a dança se transformassem. A kizomba que se dançava no tempo dos meus pais, nos anos 1980 do Kussungila, não é igual à que se dança hoje no Gossip, e ainda bem. A kizomba é como uma esponja. Por ser uma dança relativamente jovem não se fecha a influências provenientes de outros géneros. Se observarmos os dançarinos mais arrojados, eles não se inibem em roubar passos ao kuduro e ao breakdance. Nos festivais de kizomba por esse mundo fora, é comum ver bailarinos fazerem um *moonwalk* ou um andamento ndombolo no meio do salão. Nada na dança é puro. O mesmo acontece com a música.

Aprendi com o meu pai. No pré-Eduardo Paim, e até mesmo um pouco depois, Passada era o nome com que se denominava este estilo de dança. Para ele a década de 1980 é que foi a cena e como não havia artistas de expressão portuguesa a reinterpretarem o zouk que surgiu das Antilhas francesas. Um género que mistura vários ritmos tropicais como cadence-lypso, gwo ka e compas direct, tornados populares pelos icónicos Kassav e que incendiaram todas os bodas de quintal do seu tempo. De Lisboa a Luanda, da Cidade da Praia a Maputo, o zouk foi a banda sonora dos anos 1980 da geração dos meus pais, o que eles não se cansam de dizer, quase em tom de provocação, para mim e os da minha laia. Tudo isso aconteceu sem internet e praticamente sem o apoio das grandes editoras ou promotores de festivais de verão do calibre do Sudoeste na Zambujeira do Mar. A música circulava porque era necessária, porque ligava universos e permitia conhecer o outro.

Os meus pais ainda ouvem as canções da altura, o "Lé ou Lov" de Jean Michel Rotin, o "Sentimental" de Annick et Jean-Claude, ou uma das minhas favoritas, "Mi Tchè Mwen" da Jocelyne Béroard. Aprendi a dançar com estas canções. E, agora que os tenho aos dois no meio do salão, não resisto à oportunidade de derreter os seus corações nostálgicos, passando do Eduardo Paim para esse grande clássico da Jocelyne Béroard, uma das vocalistas principais dos Kassav. A sala soltou um longo suspiro de satisfação. Essa viagem no tempo não é nada mais do que a minha resposta à questão "Quem inventou a Kizomba?". Para mim, ela é isto. Uma festa de família. O resultado da soma do que estamos a ouvir das colunas com o semba, a matéria com que Eduardo Paim forjou as suas primeiras composições, a partir de caixas de ritmos e sintetizadores (o que foi quase um sacrilégio). Nunca até então ninguém ousara fazer isso com o zouk. As críticas não demoraram. Os kotas não acharam muita graça e algo semelhante aconteceu com os cabo-verdianos, que foram ainda mais explícitos e chamaram ao resultado da equação coladera + zouk, colazouk ou cabozouk. O que não deixa de ser curioso, porque os mesmos que rejeitavam aquela nova música foram os que se deixaram contaminar pela rumba e o merengue cubanos e a cumbia colombiana. Foram também quem, na primeira oportunidade, pôs as mãos em guitarras elétricas, mudando o rosto da música tradicional africana.

Volto a pôr outro tema das Antilhas e, assim que as primeiras notas do sintetizador do "Chèché Mwen" da dupla Frédéric Caracas & Eric Broutase se fazem ouvir, o meu pai beija a mão da minha mãe e volta-se para mim estendendo-me o braço. Toda a sala parou para nos ver dançar, exceto a minha mãe, que, sendo da velha guarda, não comunga desse princípio de se ficar de fora a aplaudir. Podemos dançar mal, mas todos temos que participar. E lá foi ela, puxando os convidados um a um, dançando meia dúzia de compassos com alguns, para depois formar um par com quem estivesse mais próximo. E partia, chamando para o meio da sala mais pessoas, sempre no ritmo, da música, sem nunca perder o tempo. Apesar de branca, tem balanço, tudo na minha mãe ginga como numa africana. Quando me perguntam de onde vem o meu sentido de ritmo a resposta é-me fácil, herdei-o dela. E, claro, embora não seja sua filha biológica, ter sido criada por um pai negro fez toda a diferença.

Quando a canção terminou, ainda com a sala a bater palmas, a minha mãe tomou conta do iPod e pôs a tocar a sua *playlist* de música brasileira. A voz de Chico Buarque encheu a sala. Aproximei-me de Quito, que observava, muito atento, toda aquela ação.

"Importas-te?", perguntei-lhe. "Como haveria de me importar?", sorriram-me as suas covinhas. Expliquei-lhe que a minha mãe adora música brasileira. "Há anos que não oiço Chico", disse-me Quito. A minha mãe é apaixonada por Chico, solta longos suspiros, elogia os seus olhos azuis, olhos de gatão selvagem, dos grandes gatos do mato, olhos glaucos, iluminados, como disse Tom Jobim referindo-se aos olhos azuis do autor de "Pedaço de Mim", o tema que ela diz ser o maior hino à saudade, pois nenhum outro conseguiu descrever a dor desse sentimento como aquela canção. E mais, ela acredita que ninguém canta o feminino tão bem como o Chico. Mas a canção que agora ouvimos não é sobre uma mulher. É fado "Tropical", que ele compôs com o cineasta luso-moçambicano Ruy Guerra.

E, ainda que tropical, tratava-se de um fado. Sentei-me no chão para ouvir em silêncio e Quito imitou-me a ação, indo um pouco mais além. Deitou-se de costas com os olhos fixos no candeeiro de teto. Observando-o ali deitado, completamente absorvido pelo tema, pareceu-me que o retrato irónico do Brasil apresentado pela canção aumentava a saudade que ele sentia de casa. "E se o destino do Brasil como nação tivesse sido condenado, como diz o refrão, a permanecer para sempre 'um imenso Portugal', imagina?" Acredito que ele estivesse a colocar esta pergunta a si mesmo, mas ainda assim respondi-lhe "impossível". Ele desviou o olhar para mim, "pelo menos enquanto existirem brasileiros", acrescentei.

A banda sonora do pecado

Estava Chico a cantar os versos "sardinhas, mandioca/ Num suave azulejo", quando o sr. Ludomir Rosa Semedo, nosso vizinho cabo-verdiano do lado oposto do corredor, entrou na sala e pôs-se logo a dançar movimentos de lundu ao som daquele fado "Tropical". De chapéu e fato branco, parecia saído da peça *Ópera do malandro*. Dançou um par de compassos até cair cansado na cadeira ao nosso lado, ofegante, e abanando-se com o seu chapéu-panamá.

"Desculpem-me, não vos vi aí. Esta cadeira está livre?", perguntou. "Agora é sua", disse Quito. Ele continuava a abanar-se, e, depois de sentir que o suor não secava, tirou um lenço colorido que lhe enfeitava a lapela e passou-o na testa. Quando viu a minha mãe, levantou os braços e clamou um "vizinha, acuda este velho sampadjudo". A minha mãe aproximou-se e perguntou-lhe qual era o apuro. "Preciso recuperar o fôlego, o corpo já não aguenta", respondeu-lhe o sr. Ludomir. "Remédio para tensão ou uma sagres?", perguntou a minha mãe a rir-se.

"Uma sagres, vizinha, por favor."

Pedido feito, voltou a colocar o chapéu na cabeça e agora procurava saber sobre Quito. "E o meu companheiro é brasileiro de onde?", perguntou-lhe. Salvador da Bahia, ouviu. "Ah! Bahia, estação primeira...", e suspirou longamente, fixando os olhos na janela, num ponto além do prédio em frente do lugar onde nos encontrávamos, para lá da Serra das Minas, muito além dos limites da freguesia.

"O senhor já esteve na Bahia?", perguntou Quito, trazendo-o de novo à sala, hesitando, no entanto, em interromper aquela contemplação. "Nunca. Mas quem me dera", respondeu o nosso enigmático vizinho.

Pelo longo suspiro e o olhar perdido, era capaz de jurar que estava diante de alguém que já lá esteve e que de repente fora atropelado pela saudade do cheiro intenso do vatapá. Quando ele se pôs de pé, pensei que logo começaria a cantar Caymmi...

Ai, se ter saudade é ter algum defeito
Eu pelo menos mereço o direito
De ter alguém com quem eu possa me confessar.

... mas não. "Ludomir Rosa Semedo, às suas ordens", apresentou-se. Quito imitou-lhe o gesto, pondo-se igualmente de pé. "Quito Ribeiro, meu caro cabo-verdiano, muito gosto." Ele voltou a cair na cadeira e Quito voltou para o chão. Quando a minha mãe lhe estendeu a cerveja, ele sorriu, levantou a garrafa em gesto de brinde e sorveu metade num longo gole. Satisfeito, estalou a língua e puxou do lenço para limpar o bigode.

"Quito! Quito... Ribeiro!", repetiu o sr. Ludomir Rosa Semedo, contemplativo, "San Francisco de Quito?", insistiu. "Como é que um baiano acaba batizado com o nome da capital equatoriana?" Quito encolheu os ombros e disse divertido: "Creio que da mesma forma que um cabo-verdiano acaba batizado com um nome eslavo". O sr. Ludomir Rosa Semedo soltou uma gargalhada e voltou a levar a garrafa aos lábios, sorvendo o resto da cerveja. Pousou a garrafa e pôs-se a narrar a origem do seu nome. Como eu já conhecia a história, levantei-me no momento em que ele começou por dizer que o seu pai era um admirador de música clássica, principalmente de compositores polacos. Sabia aquela história de cor.

O sr. Semedo-pai começou a caminhada levado pela mão óbvia de Frédéric François Chopin, mas rapidamente se aventurou por mares menos conhecidos e descobriu a peça *Manru* e a *Violin Sonata, Op. 13*, de Ignacy Jan Paderewski, que o conduziram aos *Caprices* de Grażyna Bacewicz. A sua mãe, confessou o sr. Ludomir, foi a grande responsável. O sr. Semedo-pai esteve quase para lhe dar o nome de Estanislau, em homenagem a Stanisław Moniuszko, o pai da Ópera Nacional da Polônia, mas o filho nasceria a 1º de janeiro de 1953, dia de ano-novo e da morte do compositor Ludomir Różycki. Semedo-pai não quis deixar passar a data em branco e registou o filho com o nome do compositor de *Pan Twardowski*, a primeira peça de bailado de grande escala a ser apresentada no estrangeiro. Só não levou com o sobrenome do polaco porque a mãe, que detestava música clássica e só gostava de coladeras, mornas e fados, lutou para que fosse poupado, chegando assim a um acordo: Różycki virou Rosa (que segundo ela era uma homenagem secreta ao fado "Rosa", aquele do *Nos tempos em que eu cantava* interpretado pelo grande Alfredo Marceneiro). Quando me reaproximei deles, trazendo cervejas para todos, reparei que o sr. Ludomir voltava a tirar o chapéu da cabeça, levando-o depois ao peito e, de repente, com o queixo erguido, soltou as estrofes:

Entre fadistas de lei
Com o meu concurso não falto
Tenho orgulho em ser da grei
Dos faias do Bairro Alto

"A minha mãe dizia que eu tinha jeito para fado", desabafou o sr. Ludomir, voltando a colocar o chapéu na cabeça e a sentar-se. "Mas a dança é que me chamava. Se ao menos o fado não tivesse perdido o seu lado dançante, talvez me tivesse feito fadista", dizia. "E a música clássica?", perguntei. "O que tem a música clássica, menina?", questionou, recebendo a cerveja das minhas mãos. "Já que o seu pai era apreciador, imagino que ele o tenha sentado em frente de um piano na primeira oportunidade", retorqui. "Bem que tentou, mas não deu certo, a minha primeira paixão foi o violão, ou as mulheres, mas foi o violão que me levou até elas, como já te disse antes, a dança sempre falou mais alto. Quando era moço ninguém dançava valsas. Já as coladeras...", e Quito interrompeu-o: "Coladeras?". O sr. Rosa Semedo fez um olhar cúmplice e explicou: "Sim, a Coladera, a banda sonora do pecado, popularizada por Bana e Ildo Lobo". Aproveitei a deixa de Ludomir e pus a tocar "As Melhores Coladeras de Sempre" do Bana, enquanto ele continuava a contar como na coladera "o ritmo é vivo e excitante, fazendo com que o corpo se deixe levar sem esforço. E estava certo. À nossa volta, naquele momento, não havia pé ou pescoço que estivesse quieto. Segundo o relato do mais-velho cabo-verdiano, não se sabe a partir de que momento a coladera começou a fazer parte da vida dos cabo-verdianos. Entre as décadas de 1920 e 1950 do século XX começou a aparecer desavisada, como todas as coisas boas da vida. Ouvia-se nos antigos bailes, pelo som de grupos de "pau e corda", que é como dizer a tríade guitarra, cavaquinho e violino. O sr. Ludomir explicou-nos que, a dado momento da noite, a sonoridade melancólica da morna não casava bem com a quantidade de grogue consumida e com o calor que se fazia sentir na sala. Os mais atrevidos e impacientes pediam aos músicos que tocassem no "contratempo", mudando de compasso, do quaternário para o binário, e puxando para a dança e para folia até à madrugada adulta.

"Coladeira de dançar coladinho, bem apertadinho", sorriu, em jeito de criança traquina e sorvendo mais um gole de cerveja, Rosa Semedo. "Há muitas teorias sobre a origem da coladeira, no nosso crioulo 'sampadjudo'. Dizem que começou por ser uma dança de mulheres acompanhada por palmas, em pouco tempo juntaram-se os homens, tornando-se assim uma dança para casais."

"Eh Ti Jon! Bocê viral um coladera!", disse um outro vizinho de São Vicente que ouvia a conversa. Os olhos de Rosa Semedo brilhavam ao lembrar-se da sua ilha materna, a cidade do Mindelo da sua meninice.

"A Coladeira nasce da necessidade de quebrar o tédio", suspirou, soltando depois uma inesperada gargalhada que chamou a atenção de todos na sala. Levantou-se e começou a cantar e a dançar um gingado manso que, no seu balanço leve e flutuante como uma pena levada pela brisa do mar de São Vicente, fez desaguar na nossa sala toda a grandeza do compositor

Francisco Xavier da Cruz, ou, como preferimos chamar-lhe, B.Leza, o homem que assinou, entre outras mornas inesquecíveis, o grande *Miss Perfumado*, ao qual Cesária Évora deu voz, sendo para muitos, incluindo Quito Ribeiro, a porta de entrada para o universo encantador da música cabo-verdiana. O compositor não só revolucionou a morna como também ensinou os seus conterrâneos do Mindelo dos anos 1950 a acreditar no poder do romance. Muitos eram os que o visitavam, pedindo para que fizesse uma morna para a pessoa amada. Na época, as serenatas surtiam efeito e juras de amor eterno eram mais credíveis quando acompanhadas por uma melodia irresistível.

"A verdadeira coladeira é aquela que esconde uma morna", dizia o compositor. Mas foi a morna a primeira a viajar, deixando para trás, presa à ilha de São Vicente, a coladeira, a sua prima atrevida. E ela não se importou. Afinal de contas, havia muito com que se entreter. São Vicente era um importante centro económico e era ali que as Cory Brothers and Co., Millers and Nephew e Wilson Sons tinham os seus depósitos de carvão, fazendo do porto do Mindelo uma escala marítima obrigatória entre a Europa e a América do Sul. Daquela água, ou melhor, daquele pó, se fez a coladeira. Aliás, não é por acaso que B.Leza tropeçou nos acordes e ritmos sul-americanos. Os meios-tons com que o Brasil brindou o mundo encontram no violão de B.Leza Xavier da Cruz terreno fértil, e de lá germinaram preciosidades como "Luiza" ou "Lua nha testemunha".

O sr. Ludomir olhou para mim e acenou com a cabeça. Não foi preciso dizer nada para o entender. Peguei no iPod e escolhi uma música para ele.

"'Ribeira de Paul!'", gritou ele ao ouvir os primeiros acordes, fechando depois os olhos e assobiando a melodia da canção com o ar de satisfação de quem saboreia um gelado italiano depois de um dia de praia. Só voltou a abri-los quando a canção terminou. E num gesto tão antigo quanto a canção que acabávamos de ouvir, levantou o chapéu para mim em gesto de agradecimento. O "Ribeira de Paul" foi uma das primeiras coladeiras assinadas como tal por volta de 1930, numa altura em que ainda se conseguia algum sustento na ilha do Porto Grande graças aos navios que por ali passavam. Dos seus impulsionadores destacam-se Gregório Gonçalves, mais conhecido por Ti Goy, e Djosa Marques, membro do grupo Ritmos Cabo-Verdianos. O primeiro, figura igualmente ligada ao teatro e ao carnaval mindelenses, criou uma coladeira popular. Já o segundo, uma mais erudita.

"Quais são os seus compositores favoritos de Cabo Verde?" Sr. Ludomir, sorriu, voltando-se para o Quito, que não esperou resposta, voltou a atirar outra questão. "O senhor me recomendaria começar por onde, quero aproveitar as minhas últimas horas em Lisboa para recolher referências sobre essa África que nos é tão distante. Precisamos combater, nem que seja culturalmente e espiritualmente, essa distância, principalmente quando lemos sobre essa coisa das placas tectónicas, e que a distância entre a América do Sul e África todos os anos aumenta cerca de três centímetros." Sr. Ludomir voltou a sorrir e como resposta disse: "O meu favorito é o poeta e músico Manuel Jesus Lopes, ou *Manuel d'Novas*, alcunha que ganhou na altura em que trabalhava a bordo do navio *Novas Alegrias*, que fazia ligações entre Cabo Verde e o Senegal, foi um dos primeiros compositores cabo-verdianos a trazer o humor para dentro do género". O sr. Ludomir fez uma pausa, tinha os olhos perdidos apontados na direção da janela, talvez buscasse mais nomes de compositores, talvez buscasse as lembranças de uma paixão crioula esquecida no Mindelo da sua juventude. Quito esperava paciente com o telefone na mão para anotar mais nomes. "Voz de Cabo Verde... o grupo que mudou a coladeira e internacionalizou a música do nosso arquipélago e já que vais te dar ao trabalho, começa com o álbum *Partida*, editado em 1968, onde, entre outras pérolas do nosso cancioneiro, vais descobrir uma versão do 'Nem Eu' do teu conterrâno baiano, Dorival Caymmi", voltou a sorrir o sr. Ludomir Rosa Semedo. Feliz por revelar ao Quito as afinidades musicais entre São Vicente e Salvador da Bahia.

Quito Ribeiro, feliz com a aula de história musical, perguntou se o sr. Ludomir Rosa Semedo era músico. "Não, sou contabilista e pintor nas horas vagas", respondeu. "Aliás, a única altura em que consigo ouvir música clássica é quando pinto. Oiço os compositores polacos que o meu pai tanto adorava e que me deixou de herança. Quando era criança ouvia-os vindos da vitrola do meu pai. Quando ele morreu não fui capaz de deitá-la fora, mesmo não funcionando", contou. Ao vê-lo entrar em casa com aquela velharia musical a esposa resmungou, anunciando o princípio do fim da sua relação. "Ela não suportava música clássica e eu não estava disposto a abrir mão da minha herança", desabafou o sr. Ludomir Rosa Semedo.

Surpreendido, e em jeito de brincadeira, Quito perguntou ao sr. Ludomir se ele tinha deixado a mulher por causa dos compositores polacos. E a resposta chegou rápida: "Não, deixei-a porque me apaixonei por outra mulher e esse segundo casamento é que sim, acabou por causa dos meus polacos", arrematou Rosa Semedo. "Como assim?", insistiu Quito.

As segundas núpcias de Ludomir Rosa Semedo começaram mal as primeiras terminaram. O casal conheceu-se na Associação Cabo-Verdiana, um mini centro cultural que ocupa o 8º andar de um prédio deslavado da rua Duque de Palmela, a escassos metros da rotunda do Marquês do Pombal. Foi ali, no restaurante da Associação, onde todos os dias um batalhão faminto de banqueiros, jornalistas, executivos das empresas da vizinhança lotavam o espaço para se deliciarem com a cachupa, bife de atum e caril de frango, pratos confecionados pela crioula Zita, oriunda da ilha do Sal, foi ali que Ludomir conheceu a sua segunda esposa. Os almoços mais concorridos são os das terças e quintas, é nesses dias que avistamos mais cabo-verdianos na sala. Muitos nem vão pela comida, aparecem lá para matar saudade das mornas e coladeiras com um pé de dança e dois copos de vinho.

"Era uma terça-feira de inverno", contou Rosa Semedo. "Roubei-a para dançar a um cavalheiro de gravata. Ela jurou que o homem era seu colega de trabalho, mas eu desconfiei que era mais do que isso, o homem não a largava! Tive que aplicar o velho truque do copo de vinho." Quito, que não quis interromper a história de Rosa Semedo, virou-se para mim e piscou-me o olho.

"O homem da gravata, desorientado e com um copo cheio na mão, viu-me levar a sua companhia para dançarmos ao ritmo do 'Guenta Canela', de Bana. Ficou a ver navios, mas ao menos tinha o vinho para engolir a vergonha", contou o sr. Ludomir entre gargalhadas. "Mas os polacos. Os polacos entram nesta história por causa da inspiração para a pintura. Com a morte do meu pai, voltei a reaproximar-me das telas, desconfio até que voltei a pintar para ouvir os discos que herdei dele. Às tantas, decidi alugar um estúdio fora de casa porque sempre que pegava no pincel só desenhava mulheres. Mas não foi esse o motivo para o 'divórcio'. O meu problema começou quando me apercebi, ou a minha esposa se apercebeu, de que todas aquelas mulheres eram só uma, e esta tinha muito da minha ex-mulher. Quando lhe pintei um retrato e ela reparou que o rosto estava mais parecido com o da minha primeira mulher do que com o dela, convidou-me a ir morar para o estúdio", contou Rosa Semedo.

"Será verdade aquilo que se diz sobre nos apaixonarmos sempre pelo mesmo tipo de pessoa?", perguntou, sem esperar qualquer resposta. "Ambas são mulheres fascinantes, com rostos simétricos e risos contaminantes. Formadas em escolas bem reputadas e seguras de si. Movimentam-se com tanta graciosidade que cheguei muitas vezes a abrandar o passo, sem que elas notassem, claro, só para as ver caminhar. Ambas de uma radiosidade sem igual. São duas mulheres diferentes, mas também uma só, acompanhadas pelos seus gestos de perfeita harmonia. Contaminam as paredes brancas com os tons que sempre vestem. Uma explosão de cores que fazia com que deixasse de olhar para os seus corpos e sorrisos e ficasse fascinado a ver o festival colorido nas paredes. Elas são completamente diferentes, mas, sempre que as pintava, misturava-as", disse o contabilista pintor divorciado, acrescentando que, "contas feitas", nenhuma das relações durou muito tempo.

"E teve filhos, sr. Semedo?", perguntou Quito.

"Não, houve o tempo mas faltou-nos a vontade", respondeu. Não era possível ler nas entrelinhas daquelas palavras, ou nas rugas do seu rosto, nenhum fio de tristeza. Mas o assunto não o deixava muito confortável e, de repente, bateu no peito com a energia de um jovem soldado que está pronto para embarcar para a guerra e disse: "Se me apaixonar de novo, que seja num dia de inverno, de preferência num espaço com ausência de cor, frio, simples e despojado de artefactos que me obriguem a olhar além de um único ponto". Levantou-se, deu meia-volta e partiu em direção à cozinha, parando para dar os seus passos de lundu com a nossa vizinha aprendiz de dançarina.

"Sofia, põe lá a Amália", gritou Rosa Semedo, "vou mostrar-lhes como se dança o fado." Fiz-lhe a vontade e, quando voltámos a ouvir voz do Vinicius a anunciar a ousadia de ter criado um fado para Amália, ouvi a minha mãe a chamar por mim. Quito continuou no chão, seguindo-me com o olhar até à porta da cozinha. Quando voltei para a sala, com duas cervejas na mão, Quito levantou-se e perguntou se podíamos ir a uma casa de fados. Concordei.

"Mas primeiro o calulu", disse-lhe.

A vizinhança deve ter farejado o cheiro do calulu, pois em menos de nada a cozinha estava lotada.

"Uma rima gastronómica em homenagem ao nosso convidado internacional. O calulu de Angola e o caruru da Bahia são primos afastados", disse o meu pai vendo Quito entrar na cozinha. "Quanta honra, *seu* António!", respondeu Quito. O meu pai sorriu e imitou o sotaque brasileiro com um "não tem de quê".

"Quando me apresentei disse que me chamava António de Sousa mas que podias tratar-me por Paizinho. Por favor, não me faças sentir um senhor", disse o meu pai a Quito, fazendo-o corar. Apressei-me a explicar-lhe que em Angola, quando nos é atribuído o mesmo nome que o do nosso pai, ao invés de "júnior", como fazem no Brasil, chamam "paizinho". "Saquei, ele é xará do pai dele", disse Quito.

De repente entraram mais uns amigos de Mário Patrocínio, a cozinha já estava a rebentar pelas costuras e, quando dei conta, Quito estava junto do fogão, com o loico de bater funge na mão, esse pedaço de madeira em forma de remo que o meu pai dizia ter alimentado e educado várias gerações na sua família. "É o corretor disciplinar mais usado em Angola", dizia brincando. Fui ter com eles, dizendo ao meu pai que não se deve pôr as visitas a trabalhar. E, quando eu me preparava para o salvar, Quito bateu o pé para ficar, dizendo que queria aprender. O meu pai estava divertidíssimo com toda aquela cena.

"Bem que podias ter pedido ajuda para cortar legumes, ou algo assim mais simples, pai. Logo bater o funge", reclamei divertida com o meu pai. "Já está tudo feito, filha. Só falta mesmo o funge", respondeu, dizendo a Quito que, desta vez, ficaria apenas a ver.

"Mário, tu voltaste agora do Sambizanga...", disse eu olhando na direção do funge por bater. Mário riu-se e disse que não tinha aprendido a bater funge, perguntando ao seu grupo de amigos se alguém se chegava à frente para a tarefa.

Kalaf, o meu marido de papel, MC dos Buraka Som Sistema, vestido como no dia do nosso casamento, com um fato preto, camisa de colarinho branca e gravata fina, tal como aqueles membros da nação do Islão discípulos de Malcolm X, deu um passo em frente, ajeitou os óculos de massa e, quando se preparava para tirar o blazer...

"Por amor de deus, não vou deixar gente tão ilustre bater o funge. Filha, chama-me o Vemba do 7º A, ele sabe bicular bem o funge", interrompeu o meu pai. Em menos de nada o Vemba estava ao fogão. O meu pai, que aproveita sempre estes momentos para dissertar sobre a sua terra natal, agora que tinha uma audiência de gente ligada às artes sentiu-se mais inspirado ainda e falou das tias e do restaurante delas. Tia Filomena e a tia São, que a bem da verdade nem eram bem tias, mas a África tem dessas coisas, amigos próximos viram parentes. A tia Filomena era afilhada da minha avó e a tia São, sua melhor amiga, virou tia por afinidade. Tanto uma como a outra nunca saíram de Benguela, acredito que nem passaporte tinham, mas sempre que nos sentávamos à sua mesa éramos levados numa viagem gastronómica a todos os cantos do globo. Nas lições sobre a geografia dos sabores podíamos aprender onde ficavam o Alentejo da açorda, a Hungria do goulash, Salvador da Bahia do vatapá.

Vemba voltou a levar o loico para a panela com água e, antes que esta atingisse o ponto de ebulição, foi colocando mãos de farinha de mandioca, ou fuba de bombô, para dentro da panela. E com o loico, em movimentos circulares, desfez a farinha até ela se transformar numa papa homogénea. Num movimento contínuo, tirou a panela do fogo e colocou-a no chão, entre as pernas. O meu pai apressou-se a entregar dois pedaços de tecido que serviam para proteger os pés do calor. E, tal qual um remador olímpico, no Tejo, Vemba iniciou um ataque frenético, com movimentos rápidos e precisos, eliminando qualquer bolha de farinha que não se desfizera na fervura. Ao ver-lhe o suor a formar-se na testa, olhei para Quito, que acenou, entendendo agora por que o quis poupar. O grau de exigência física que bater funge pede aproxima-se dos desportos de resistência-força, e, tal como as corridas de remo, exige dos atletas força muscular e capacidade de resistência à fadiga. Impressionante.

"Imaginem aquelas mamãs em África que têm que bater o funge diariamente", disse o meu pai a Quito, Mário e Kalaf. "Respect", respondeu Quito, enquanto Mário e Kalaf acenavam concordando.

"Já consigo viajar até Benguela. Às vezes pergunto-me como é que consegui resistir trinta invernos na Europa e manter-me tanto tempo afastado da terra", disse o meu pai ao abrir a panela do calulu. O meu pai não é muito de se render às saudades. Para angolano até que vive bem sem o funge, a bandeira gastronómica dos angolanos. Eu e minha mãe é que lhe pedimos que, pelo menos uma vez por semana, se cozinhe algo tipicamente angolano.

"Cozinhar esse tipo de prato, revisitando velhas receitas familiares, é como abrir um álbum de fotografias. Os cheiros trazem-me lugares, rostos e conversas que julgava perdidos", continuou o meu pai, como se agora estivesse apenas a falar para si próprio, enquanto a colher de pau visitava o interior do tacho com cerimónia, para não deixar o peixe desfazer-se. "O calulu é de cozedura lenta", disse olhando para mim. Chegará o dia em que terei que assumir a confeção do almoço destas nossas sentadas. E estou pronta, acredito. De tanto o observar, já sei muitas das suas receitas de cor. Até os seus truques, por exemplo. Para o calulu não é necessário colocar água para o molho, ela virá dos próprios ingredientes, basta baixar a intensidade do fogo e esperar. Passados trinta minutos colocamos os quiabos na panela. Depois de cozidos os legumes e de o peixe estar no ponto, desfazemos uma colher de sopa de farinha de mandioca em água para engrossar o molho e deixamos apurar por mais alguns instantes.

"No sul de Angola come-se o calulu com funge de milho, ou pirão, como dizem os bailundos. O Kalaf é de Benguela, ele sabe", acrescentou o meu pai, e Kalaf acenou, concordando com o seu sogro de papel. Os meus pais sabem que somos casados, mas não o tratam como genro. Não os censuro. Casei-me para o ajudar a obter a cidadania portuguesa, numa cerimónia simples, sem troca de alianças nem lançamento de buquê de flores. Apenas nós dois e duas testemunhas, amigos dele que conheciam a sua azáfama dos vistos. Acho que a gota d'água para Kalaf foi quando teve que ir a Angola renovar o passaporte. Precisava de mais um visto e já não tinha espaço no passaporte. Tanto trabalho que lhe deu para nada, negaram-lhe o visto para a Austrália. O promotor da turné dormiu na forma e esqueceu-se de enviar a tempo os papéis necessários para o visto de trabalho. Como alternativa, tentaram pedir um visto de turismo. Só que este veio recusado e com uma explicação descabida da Embaixada da Austrália em Londres, que explicava que os angolanos não viajam para a Austrália "em turismo". O funcionário, ironizando, disse que em cinco anos de serviço consular nunca emitira um visto para um cidadão angolano. Naquela mesma noite Kalaf veio a Rio de Mouro. Nunca tinha recebido uma visita sua aqui e, assim que o vi, de olhos tristes e ombros caídos, soube que viera para pedir-me em casamento. E, antes que dissesse alguma coisa, disse-lhe "Aceito".

"O que é isto de liberdade afinal, Sofia? Para mim liberdade sempre esteve associada à ideia de movimento, de explorar o mundo sem restrições. Embora desde cedo me tenha habituado a viver solto, sem ninguém a quem prestar satisfações, a ideia de liberdade nunca se instalou verdadeiramente em mim porque sempre a associei ao poder de escolher. Escolher livre de compromissos é um luxo que só os loucos podem ter. Pelo menos foi-me ensinado assim. Aqueles que não têm a âncora da responsabilidade para com a profissão, a família, o amor, a sociedade etc. ... são tidos como libertinos. Logo, a liberdade tal como a 'conhecemos' é um ideal inatingível", disse-me Kalaf naquela noite, inconsolável.

Como gosto de provocar os meus pais, sempre que sei que o Kalaf vem aos nossos almoços brinco, dizendo que o genro vem visitá-los. O meu pai resmunga sempre, mas no fundo, como ele é bangão como todo angolano, sei que lhe agrada a ideia de ter um genro seu patrício, e famoso ainda por cima. Mesmo que seja só no papel.

"Mas eu, como sou de Luanda e filho de quicongos, prefiro comer com funge de bombô", disse o meu pai. Mário e Kalaf gabaram o aspeto da comida. "O que acha, sr. Paizinho, bato mais?", perguntou Vemba. O meu pai inspecionou a massa cinza e elástica dentro da panela e soltou um "Tá fixe". Vemba voltou a colocar a panela no fogão e o "paizinho" estendeu-lhe uma cerveja.

"Cozinhar é um jogo de memória e paciência. Pelo menos foi o que aprendi observando as minhas tias. Quando era miúdo ficava num canto, fazendo-me invisível, com uma gasosa na mão e uma fatia de bolo na outra a olhar para elas", contava o meu pai enquanto pegava num prato e servia o funge. "Já doces é aqui com as mulheres da casa, não é, pai?", disse eu, sorrindo para o meu pai.

"Com as minhas tias não aprendi a fazer sequer uma única sobremesa. E olha que a tia São era uma doceira de mão-cheia. O seu pecado, dizia, era não conseguir resistir ao açúcar. Daí a razão de ser gorda", contava o meu pai quando a minha mãe chegou à cozinha.

"Isso é lá maneira de falar da tua tia?", perguntou a minha mãe, indignada. E tirou-lhe o prato da mão, um gesto natural e que se repete desde que me lembro de existir. O meu pai perde-se na conversa e por ele ficaríamos ali um bom quarto de hora à espera que terminasse de servir aquele prato. Mas minha mãe, a sua eterna cúmplice, num diálogo silencioso só dos dois, consegue antecipar-lhe o pensamento. Ele voltou a sentar-se, deu mais um gole na cerveja e continuou. "Já a tia Filomena era uma trinca-espinhas. Por mais que comesse, e não comia pouco, não conseguia pesar mais de cinquenta quilos. Todas as outras mulheres morriam de inveja. Na altura nunca soube bem por quê, não era ela a mais bela, nem a mais cobiçada", lembrava o meu pai.

"Os homens que frequentavam o restaurante só tinham olhos para a tia São, no alto dos seu um metro e setenta de altura, ancas fartas e rosto rechonchudo. Todos os homens viravam o rosto quando ela passava, e ela fazia-lhes a vontade, desfilava, ria-se dos piropos e enchia o quintal com a sua graça de mulher-moça que sabe que é desejada", acrescentou a minha mãe, ao mesmo tempo que me ia passando os pratos. Servi-os com calulu e passei para os rapazes. Primeiro para o Vemba, que agradeceu e desapareceu em direção à sala. Os outros três preferiam sentar-se ao lado do meu pai e comer na mesa da cozinha. A minha mãe voltou para a sala para chamar o resto dos convidados. Sentei-me ao lado de Quito.

"Não sei se o Mário já fez as honras, mas o Kalaf é membro dos Buraka Som Sistema, a banda que popularizou o kuduro por cantos nunca antes imaginados", expliquei a Quito. "Sim, o xará do Luís Kalaff, já nos conhecemos", disse o Quito. "Ele contou-te a origem do nome?", pergunta-lhe. E dirijindo-se ao Kalaff: "Não sei por que insistes na teoria de que o teu nome te foi atribuído em homenagem ao Luís Kalaf, quando a explicação pela ópera *Turandot* é bem mais lírica". Kalaf sorriu e acrescentou. "Pode até ser mas meus pais nunca me confirmaram, além de que estou convencido de que em Angola os merengues do Luís Kalaff eram bem mais populares que a ópera do Giacomo Puccini." Por isso... "E quem disse que os teus pais optaram por seguir a corrente da popularidade na hora de te batizar? O meu esposo de papel encolheu os ombros e Quito veio em sua defesa, somando: "Em Salvador, a influência de Luís Kalaff e Y-Sus-Alegres-Dominicanos junto de artistas como Carlinhos Brown e Luiz Caldas, o pai do axé music, foi gigante". O sr. Rosa Semedo não quis ficar de fora, disse: "A história do *Turandot* faz parte de uma coleção de contos e fábulas do antigo Império Persa, chamado o *Livro dos mil e um dias*, ou na versão francesa, assinada por François Pétis de la Croix, *Les Mille*". O sotaque irrepreensível do sr. Rosa Semedo arrancou gargalhadas de todos na cozinha. Ele não fez caso, preferiu insistir no *Turandot*. "Não confundir com o *Livro das mil e uma noites*", disse, muito sério. Não pelas nossas risadas, ele já estava acostumado com a galhofa e estigas deste lado do corredor.

"Puccini não chegou a terminar a peça, quando morreu, faltava-lhe fechar o terceiro ato e deixou indicações de como gostaria o que a história do triângulo entre o príncipe Calaf, a princesa Turandot e a escrava Liú terminasse. Arturo Toscanini, o maestro que dirigiu a estreia em 1926, detestava tanto o final que Franco Alfano criou que, no final da cena da morte de Liú, virou-se para a plateia e disse: "Senhoras e Senhores, aqui parou Giacomo Puccini". O Vemba, que ouvia muito atentamente, interveio: "Agora já sabemos que a escrava morre, sr. Rosa Semedo", suspirou dececionado.

"Isso não é impedimento para ires ver, da mesma forma que saber de antemão que Romeu e Julieta morrem não é impedimento para ires ver a peça", disse-lhe. O sr. Rosa Semedo voltou a acrescentar. Em 2001, o compositor italiano Luciano Berio compôs um novo final para o *Turandot*. Vemba voltou a animar-se e, voltando-se para o sr. Rosa Semedo, disse: "A escrava Liú sobrevive?". Em resposta: "Não, a pobre infeliz, morre para proteger o príncipe Calaf". Todos se voltaram para o Kalaf, que respondeu: "Não tenho nada a ver com essa novela!". "O Kalaf esteve lá na produtora, já viu o corte final do filme", disse Mário. Perguntei a Kalaf qual a sua opinião. E Kalaf procurava as palavras certas para responder quando o meu pai se adiantou. "Quem realizou o filme?", perguntou ele. "Os irmãos Mário e Pedro Patrocínio, papá", apressei-me a responder.

"Parabéns, Mário", felicitou o meu pai, erguendo a garrafa de cerveja. "E foi produzido pelo Coréon Dú", acrescentei, seguindo-se uma pausa de alguns segundos em que todos na mesa se entreolharam. De repente, os rostos dos presentes encheram-se daquele ar de "sei, mas não quero saber", como se todos soubessem o resultado dos meus exames médicos e quisessem poupar-me a alguma coisa. Não sou do género de enfiar a cabeça na areia. Seja qual for o diagnóstico ou o segredo, prefiro que me digam. Restam-me quantos meses de vida? Foi o que me apeteceu perguntar. Nesta altura do campeonato, seja lá o que for que se diga de Coréon Dú, não vai alterar rigorosamente nada. O filme está feito. "O que tem o Coréon Dú? É por ser filho do presidente de Angola?", perguntou Quito, estranhando uma pausa tão prolongada numa conversa que ia animada.

Kalaf encolheu os ombros, e via-se que escolhia as palavras com cuidado. Não o censuro. De todos os presentes é provavelmente o que tem de ser mais diplomático. Não entra no filme, embora fosse inegável que tinha algo a dizer sobre a matéria. O sucesso dos Buraka Som Sistema fala por si. Como ninguém se chegava à frente, acabei eu por dizer a Quito que Córeon Dú não é filho de um presidente qualquer. Quando Quito me ia responder Kalaf interrompeu-o. "Nada ou tudo de errado com o Coréon Dú. Depende se fazemos vista grossa às circunstâncias que o rodeiam." Virámo-nos todos para ele, sem esconder os nossos olhares expectantes e o desejo que desenvolvesse mais. Os artistas têm a tendência de se colocarem sempre em cima do muro, assumindo uma postura de Suíça quando o assunto é omitir uma opinião em relação ao trabalho de um outro artista. Talvez Mário Patrocínio, tal como Kalaf, estivesse também a escolher as palavras com cuidado.

"O moço é filho de um homem que está no poder há mais de trinta anos. Sempre ouvimos falar de projetos ligados à família, e admito que alguns têm o mérito de serem boas ideias, mas, por outro lado, não se consegue afastar do pensamento a palavra nepotismo, quando não mais grave", disse Mário.

"Nós, angolanos, que somos bons de discussão, pobres de argumentação e teimosos em mudar de ideias, porque não nos ensinaram a viver com a mudança, nunca somos chamados a opinar em concordância ou discordância com coisíssima nenhuma. Cada vez mais inferiorizados, vemos a caravana passar ao longe, rumando para onde, embora muito se especule, ninguém saberá adivinhar", acrescentou Kalaf. O meu pai olhou para mim como que agradecendo secretamente. É deste tipo de sentada que ele gosta. Aliás, todos os angolanos que conheço adoram quando, no meio da kizomba, do funge e da cerveja, a conversa passa inevitavelmente para a política. "Estamos condenados a resmungar, submersos na irritação da nossa impotente e órfã indignação. À espera de que se faça luz e seja revelado. Se na linha de sucessão não estiver alguém com o sobrenome dos Santos, então quem?", rematou Kalaf. A cozinha ficou silenciosa. Apenas se ouviam o som do frigorífico e uma canção ao longe vinda da sala, quase impercetível. Tocava Ruy Mingas.

"Não existe no mundo ninguém mais sozinho que o líder incontestado", disse o meu pai, quebrando o silêncio. Aproximei-me ainda mais de Quito e sussurrei-lhe que o meu pai tem um ódio de estimação ao presidente. Mesmo assim, o meu pai ouviu-me e apressou-se a explicar que não se tratava de ódio, e sim de uma aguda desilusão. "Eu acreditava naquele homem, filha, mas com o tempo apercebi-me de que a homens como José Eduardo dos Santos só os inimigos lhe são leais. Os amigos são falíveis, os inimigos não. Um inimigo dificilmente irá trair-te a confiança, e se o fizesse estaria a contrariar a sua própria natureza." Quito sorriu-lhe.

"Conhecem a lenda da rã e do escorpião?", perguntou meu pai, levantando-se em direção ao frigorífico. "É uma das minhas fábulas favoritas", explicou-nos enquanto nos passava cervejas. Nenhum de nós respondeu. O meu pai deu um gole na cerveja, estalou a língua e começou como a maioria das histórias começam.

"Era uma vez um escorpião que pediu a uma rã para o ajudar a atravessar o rio, pois não sabia nadar. A rã negou, tinha muito medo do infame veneno do ferrão do escorpião. No entanto, ele argumentou com ela: 'Não tenha medo, dona Rã… Se eu a atacar, ambos morreremos afogados, e eu não quero morrer'. E com isto convenceu a rã." Todos naquela mesa tinham os olhos postos no meu pai, que falava com o corpo inteiro. "O escorpião subiu nas costas da rã e, enquanto ela nadava, ficou observando o movimento de seus músculos. E mais ou menos a meio da travessia o escorpião feriu-a com seu ferrão. Já sentindo as dores do veneno, e quase sucumbindo, a rã perguntou ao escorpião: 'Por que fizeste isso, seu louco? Agora vamos morrer os dois'. E o escorpião respondeu-lhe: 'Desculpe-me, não pude evitar… É a minha natureza'." Desapontados, todos na cozinha suspiraram em uníssono.

Hummm, hummm

Na sala o vinho começava a fazer efeito e todos estavam bem animados. A minha mãe falava a um canto com a vizinha aspirante a dançarina. Ou melhor, instruía-a. Quando chegam às suas mãos um par de ouvidos frescos ela não resiste a entrar no seu modo professora, a trabalhar há mais de quinze anos no liceu da Amadora, o concelho com maior população africana, dezesseis por cento segundo a estatística oficial. Oiço a minha mãe dizer-lhe que "a história africana deste país está mal, muito mal contada, ainda que Lisboa fosse a região que contava com a maior população negra. Um recenseamento das paróquias da cidade, realizado nos anos de 1551-52, permite concluir que Lisboa possuía uma população de 9950 escravos, isto é, 9,95 por cento, ou, digamos, que dez por cento da população total da cidade. Em 1620 os escravos somavam dez mil quatrocentos e setenta, num total populacional de 143 mil. Os números da população escrava no Algarve em termos percentuais eram semelhantes aos da capital. Cerca de seis mil escravos representavam algo em torno de dez por cento da população total da região".

Todo aquele entusiasmo pela história dos negros não era fruto da curiosidade exótica com que muitos brancos nos brindam. Quem a visse à vista desarmada não diria que ela amava de forma tão intensa a cultura africana, passando por mais uma cinquentona loira, não do tipo bimbo, mas também não do tipo que encontramos numa biblioteca a vasculhar calhamaços de livros à procura de cartas régias da monarquia portuguesa. Quito, que até então não tinha recebido atenção de muitas pessoas, aproximou-se discretamente para ouvir o que a minha mãe dizia. Assim que deram conta da sua presença na sala, passou a ser alvo do assédio dos meus vizinhos. Queriam saber o que ele estava a achar de Lisboa, que monumentos tinha visitado e qual a praia mais bonita para ele. "Infelizmente não visitei nenhuma praia", ouvi-o contar. O sr. Ludomir ficou espantado com a resposta de Quito. "Nem sequer visitaste a praia do Tamariz no Estoril? Isso é quase como ir ao Rio de Janeiro e não visitar a praia de Copacabana!" A vizinha que dançou com ele saiu em sua defesa e vaiou o comentário de Rosa Semedo. "Deixa o moço, se calhar nem gosta de praia, coitado!" Mas

Rosa Semedo estava indignado e queria saber. "Por quê!? Não me digas que és um desses pretos que não sabem nadar?", disse, apontando para um grupo de jovens sentados no sofá, entre eles Vemba. Quito respondeu que não tinha tido ainda tempo, mas o sr. Ludomir não o ouviu. "Como sabem, nós os negros não somos nada dados a atividades aquáticas. Gostamos de praia mais pelo convívio do que para saltar para dentro de água", teorizou. Vemba aproveitou a pausa para se defender, explicando que isso de os negros não saberem nadar é puro mito. "Eu particularmente me considero um nadador bastante medíocre. As minhas idas à praia sempre foram cirúrgicas. Consigo suportar uma hora, mais do que isso começa a ser tortura", juntou-se o meu pai à conversa. E eu podia confirmá-lo, conto pelos dedos as vezes que fomos juntos à praia.

"Não sei ao certo quando esta minha aversão ao mar se iniciou, talvez na mesma altura em que comecei a interessar-me por raparigas, por volta dos meus treze anos", continuou o meu pai, fazendo com que todos os olhos da sala se virassem para a minha mãe. Assobios e gargalhadas. O meu pai, divertido, levantou os ombros e soprou-lhe um beijo. "Não tens que te preocupar com o passado, meu doce de coco, o meu coração é todo teu", respondeu a minha mãe com tom de atriz de cinema. Os assobios subiram de tom e ela soprou-lhe outro beijo.

"O que eu queria dizer antes de ser interrompido por este casal de desavergonhados era que estou convencido de que o nosso distanciamento do mar é hereditário. É uma manifestação da nossa memória genética", interveio Rosa Semedo. O meu pai, depois de reclamar por ter sido interrompido pela minha mãe e por Ludomir, continuou a desenrolar a sua teoria. "Os mais de cinco séculos de comércio de escravos deixaram sequelas, traumas profundos alojados no nosso subconsciente, que se manifestam, por exemplo, quando molhamos os tornozelos numa grande extensão de água." A sala irrompeu numa gargalhada coletiva, e o meu pai, tentando travar o riso, prosseguia. "Estou a falar a sério! E o mesmo pode aplicar-se à relação que temos com os agentes da autoridade. Quando estamos diante de um polícia ficamos todos mansos, e falo por experiência própria. 'Tá aqui a minha esposa que não me deixa mentir. Quando a polícia me para no trânsito só digo 'sim, chefe', 'sim, senhor agente', mesmo que dentro de mim esteja sempre a perguntar por que é que estou a beijar o rabo àquele polícia." A sala volta à gargalhada geral. "Já a minha esposa, ai do polícia que ouse pará-la. Destrata-os de uma maneira que já cheguei a temer pela nossa vida." Os argumentos do meu pai eram cómicos, mas verdadeiros, e levaram a sala a discutir sobre o que é isso de ser negro. Nós, os brancos, à exceção da minha mãe, ouvimos calados.

"Com toda a aptidão física que nos é atribuída, raras são as vezes que os negros se aventuram numa piscina olímpica e poucas foram as que conseguiram fazer bonito. É claro que há quem aponte para questões socioeconómicas para responder ao facto de existirem poucos nadadores negros. Bolas de futebol podem ser construídas com meias e sacos de plástico, jogando-se em qualquer descampado. Na natação precisa-se de água, muita água, e sabemos o luxo que ela representa para as comunidades negras em África. Outra razão, talvez a única que realmente interessa, é saber quanto é que ganha um nadador olímpico, se não for papa-medalhas como o Michael Phelps", dizia o meu pai. As moças presentes sublinharam histórias de nadadores que, por exibirem um corpo de surfista prateado, tiveram sucesso junto do público feminino durante as olimpíadas, tal como as estrelas de rock. "Mas é só mesmo durante as Olimpíadas, porque no dia a dia, no mundo real, o da revista *Caras*, nunca ouvimos sobre o medalha de ouro em Pequim fofocas do género 'divorciou-se da atriz fulana de tal que lhe quebrou o coração e a carteira', nadando de bruços para fora do casamento com metade da fortuna e com o amante, uma jovem promessa, recordista dos cem metros mariposa", acrescentei eu à conversa. Natação não dá dinheiro, essa é a ideia que muitos pais africanos têm quando ponderam inscrever a sua criança numa atividade desportiva qualquer. Se a ideia é ocupar as tardes depois da escola, ao menos que seja num desporto "com saída" e que lhes garanta bolsas de estudo. Correr, corremos num terreno baldio. Agora nadar, obrigaria os pais a terem que sair do bairro na maioria dos casos.

"Acredito que se existissem mais infraestruturas não só nos era possível contrariar essa ideia de que os negros têm medo de nadar como teríamos mais Edvaldos Valérios, negro e diversas vezes campeão brasileiro de natação e medalha de bronze na prova da estafeta quatro por cem metros, nos Jogos Olímpicos de Sydney", contribuiu para a conversa Quito. "Lembro-me de ver a prova do teu conterrâneo baiano", respondeu o meu pai, que sempre foi um aficionado pelos Jogos Olímpicos. E, como sabe que tem amigos como o sr. Ludomir Rosa Semedo, que gostam de o contradizer, tem seguido de perto todas as competições aquáticas em que participam atletas negros, para defender a sua tese da relação hereditária dos negros com o mar.

"Em Sydney, na mesma distância, os cem metros livres individuais, outro nadador negro destacou-se, o Eric Moussambani, da Guiné Equatorial, não por ganhar uma medalha ou por bater um recorde olímpico, mas sim por ter terminado sozinho a eliminatória." Segundo o meu pai, a história de Eric Moussambani comoveu o mundo do desporto. Quando dois nadadores foram desqualificados por falsas partidas, Moussambani, também conhecido por "Eric, a enguia", ficou sozinho na piscina, e apenas com seis meses de treino o nadador, que chegara à Austrália sem nunca ter competido numa piscina olímpica, nadou a distância com uma marca risível e terminou a prova praticamente sem pulmões. Todos se sentiram identificados com a sua aventura olímpica. Diz o espírito olímpico, quando apregoa a sua nobre máxima, que o importante é participar. "Nadar mal está no topo da lista de estereótipos geralmente associados aos negros", teorizou o meu pai. E Rosa Semedo acrescentou: "Logo a seguir ao 'nunca respeitam horários'".

"Ainda que me divirta com as especulações sobre a memória genética dos descendentes de africanos espalhados pelo mundo, acredito que se tiver que ser puxamos um Eric Moussambani e mergulhamos com convicção. Se não for pela medalha, que seja ao menos para termos uma boa história para contar", concluiu o meu pai. Entretanto, o disco de Ruy Mingas já tinha acabado. Perguntei ao meu pai o que lhe apetecia ouvir. "Música feita pelo nosso outro desportista", respondeu-me.

Da pilha de vinis amontoados ao lado do gira-discos retirei dois álbuns do Bonga, levantei-os à altura da minha cabeça para que ele os visse. "São os dois muito bons... Vamos ouvir o *Angola 72*", escolheu.

"Baiano, isso é o semba da minha terra", disse o meu pai a Quito, que acenou e ouviu atento. Estou certa de que no decorrer da montagem do filme o Mário deve ter falado do semba de Angola.

O meu pai torna-se outra pessoa sempre que tropeça em qualquer pedaço de história musical de Angola, seja em 33 ou 45 RPM, riscado ou bolorento. Não resiste. Já o vi regatear tal qual um feirante do mercado de Marraquexe. Implora, apela à Nossa Senhora de Fátima, faz até chantagem emocional, invocando os meus ancestrais para que lhe seja concedido o direito de ser o fiel guardião de tal disco. Nunca vi o meu pai ficar mudo diante de ninguém até ao dia em que fomos ver o Waldemar Bastos tocar. Até me assustei, pensei que ele estava a ter um enfarte. Uma respiração funda. Ele, que tanto gosta de se entregar aos prazeres da conversa fiada com substância, quando diante de um dos meus heróis da música angolana, o silêncio. A minha mãe costuma dizer que o tempo que os dois já gastaram na Feira da Ladra atrás de discos lhe garante o estatuto de embaixador não-oficial do semba, um missionário errante por esse mundo livre, espalhando a doutrina, o evangelho segundo Liceu Vieira Dias.

"Meu ilustre irmão baiano, não vais sair de minha casa sem antes levar uma seleçãozinha, uma retrospetiva de clássicos que vão desde Bonga a Yuri da Cunha, passando por Sofia Rosa, Elias Diá Kimuezo e outros gigantes da música angolana, da nova e velha escola." Quando alguém demonstra interesse na música angolana, o meu pai costuma oferecer um CD que ele próprio grava com uma seleção especial de música do seu país. Antes emprestava os vinis, mas começou a sofrer de desgostos musicais por não os reaver quase nunca. A minha mãe fez questão de relembrar-lhe um desses casos.

"Antigamente, sempre que alguém manifestava interesse nessa música, ele emprestava os vinis. Tive que me chatear com ele porque depois ficava todo triste. Uma vez conheceu uma jovem cantora que lhe disse que queria gravar um álbum de sembas. E o que é que aconteceu? Emprestou-lhe alguns dos seus álbuns preferidos de semba e nunca mais os viu!"

"Até hoje me arrependo. Sei que cometi o maior dos pecados dos dez mandamentos dos colecionadores de vinil: nunca emprestar raridades. Mas fiquei emocionado com a vontade e o entusiasmo dela", explicava o meu pai quando a minha mãe, rindo-se para ele, disse que ele estava era a arrastar a asa para a jovem.

"Nada! Até hoje tenho pesadelos, sinto que emprestei a Bíblia de Gutenberg a um ateu. Jesus aprovaria certamente esse ato caridoso, mas parte de mim vive atormentado por nunca mais reaver aquelas relíquias", lamentou o meu pai.

"Lá está o casal outra vez. Vá, a pergunta de ainda há pouco era o que é que o nosso ilustre baiano está a achar da cidade!", relembrou Rosa Semedo.

Quito ficou em silêncio por um momento e, olhando para mim, finalmente sentenciou:

"Me sinto muito próximo do que eu realmente sou, talvez o mais próximo disso que já estive desde os meus dez anos de idade. Esta cidade tem um ritmo só dela, é fácil nos sentirmos em casa. Era capaz de viver aqui."

Todos levantaram os copos e as garrafas para brindar. Eu continuei de olhar fixo no Quito, e ele apanhou-me. Por instantes pensei que ele fosse vir ao meu encontro e pedir para que lhe traduzisse por palavras o que os meus olhos lhe diziam. Mas não. Preferiu juntar-se a Kalaf, e, como os dois cochichavam algo que não queriam que ninguém ouvisse, desisti e voltei para o meio da sala onde o semba estava animado. Abriu-se uma roda e o sr. Ludomir, assim que me viu, abriu os braços, convidando-me para o "Uabite Boba", de Carlos Burity. Assim que a música terminou, crente de que continuaria a dançar com Rosa Semedo, sou surpreendida por Quito, que repetiu o velho truque do copo com o mais-velho Ludomir. Só que desta vez a vítima foi o próprio, que, sem oferecer resistência e dando-lhe espaço, rematou: "Baiano aprende depressa, sim senhor!".

E mais uma vez me vi enlaçada nos braços do Quito.

"Foste tu que escolheste esta canção?" E ele não me respondeu, limitando-se a emitir um hummm, hummm quase musical. "E como é que chegaste até à 'Saia Branca' do Nelson Freitas?", voltei a insistir.

"Fácil, senhorita. Consultei os locais e me foi sugerido esse tema por causa de uma linha em crioulo que não me atrevo a repetir com medo de errar", contou-me. "*N'cre perguntab pa dança/ Ma coragem n'ca traze ma mi*", disse-lhe sorrindo.

"É a minha dança de despedida, amanhã volto para o Rio", acrescentou Quito. Não respondi. Aquela dança não me sabia a despedida. Se lêssemos o que nos diziam os nossos corpos, diria que não estávamos prontos para dizer adeus.

"Vamos ouvir fado!", disse-lhe. Quito parou, olhou para mim muito sério, Nelson Freitas nas colunas continuava...

...flan donde e ke bu bem
e donde e ke bu ta ba
bu lad n'cre ta

"Há melhor maneira de te despedires de Lisboa?"

Um pingo de medo

Quando chegámos ao Chiado o sol já se tinha posto por detrás dos edifícios que circundam a praça Luís de Camões. Era quase noite e sobre os telhados terracota dos prédios o céu apresentava um azul profundo. O largo estava animado, todas as mesas da Benard e d'A Brasileira estavam ocupadas, e até Fernando Pessoa tinha companhia, um casal de namorados ocupava o assento vago ao lado do autor de *Desassossego.*

Trouxe-o até cá por distração. Não há nada aqui que o Quito já não conheça, não fosse essa a colina mais visitada da cidade. É impossível turistar por Lisboa sem passar no Chiado pelo menos meia dúzia de vezes. Se não for pelo Bairro Alto ali mesmo ao lado, será pela Fnac nos Armazéns do Chiado; se não for pelos teatros, é pela bica da Brasileira, uma longínqua e desbotada memória da que era servida antigamente. Mas olha!, como lhe resistir se nos dizem que este Chiado foi inventado justamente dentro de uma xícara de café.

Raramente o visito a esta hora do dia. Está igual a si mesmo. Mal notou a nossa presença. Está entretido com os seus novos agitadores, que já não vestem fato e gravata como os da geração do homem da estátua. Já não se sentam nos cafés, ocupam agora os largos e as esquinas. Já não planejam revoluções culturais. Estão demasiado ocupados e, de chapéu estendido, saltitam de mesa em mesa para recolher a moeda do visitante que aplaude feliz por estar a viver – a Lisboa genuína.

Atravessámos o largo e entrámos na Brasileira. No balcão estendi o braço, chamando o empregado de mesa, que estava com o olhar fixo no outro lado da sala. Quito voltou a chamá-lo. "Chefe! Por favor..." Disse-me que tinha aprendido o termo com a turma do estúdio do Mário Patrocínio, que utilizavam a palavra "chefe" para chamar o empregado da tasca onde habitualmente almoçavam quando este os ignorava. "Convém que o tom seja assertivo, nem muito alto, pois não queremos ser agressivos, nem demasiado baixo, para não passarmos por tímidos. O segredo consiste em ser-se autoritário e demonstrar reverência a quem nos serve." Funcionava sempre, garantia ele. Conheço os truques todos, mas deixei-me estar calada, querendo ser educada para um estrangeiro. E ele continuou. "Dependendo da intimidade ou do grau de assiduidade que mantemos em determinado lugar, podemos acrescentar variações, do tipo 'chefe, não se esqueça de nós', ou apelar à bondade cristã do sujeito gritando-lhe um 'chefe, por amor a Jesus Cristo'. E, se depois de tudo isso continuarmos a ser ignorados, o melhor é procurar outro estabelecimento", finalizou ele, orgulhoso por conhecer já algumas das manhas lisboetas. Mas n'A Brasileira não precisámos de grandes truques, bastou-nos um sonoro "por favor" e rapidamente o empregado de mesa apareceu. Era um conterrâneo de Quito, nordestino, que, ao mesmo tempo que recolhia a loiça deixada no balcão pelo cliente anterior, passava o pano na mesa e perguntava o que queríamos.

"Duas águas das Pedras Salgadas", pediu Quito, recebendo um aceno positivo de cabeça do garçom, que saiu disparado sem reparar na família alemã ao nosso lado, que tinha os braços levantados e esperava pacientemente que o nordestino pousasse o olhar naqueles dedos em riste.

"Que te espera quando aterrares no Rio?", perguntei. Quito esperou alguns segundos antes de responder: "Uma folha em branco e um lápis em cima de uma secretária. Tenho andando a evitar aqueles dois objetos faz tempo". "Por medo?", insisti. Ao que ele, demorando mais tempo que na resposta anterior, disse por fim: "Quatro homens entram num restaurante chique em Lisboa, não tinham reserva mas o empregado pediu-lhes que esperassem no zona do bar até que lhes fosse arranjada uma mesa. Concordaram. Os drinques que lhes foram servidos não iam ainda pela metade quando o empregado reapareceu, interrompeu a conversa animada com que se entretinham e conduziu-os até à mesa. Uma das melhores do restaurante". Quito fez uma pausa, talvez para resgatar um pormenor da história. Mas eu não esperei que voltasse à narração. "Vais escrever um filme?", e ele sorriu e retomou o fio. "Eu era um dos quatro homens." "Um documentário?", insisti. A resposta saiu-lhe pronta. "Ainda não sei o que vai ser. Tenho que começar a escrever primeiro." E voltou a pôr os olhos na coleção de garrafas expostas na bancada oposta ao balcão, como se buscasse nas dezenas de rótulos a próxima frase. Quando a encontrou disse: "A situação poderia ser banalíssima e sem nenhum proveito cinematográfico. Só não o foi para mim, porque esses quatro éramos todos negros. Os únicos naquele restaurante e ninguém lançou um só olhar na nossa direção. E olha que conversávamos e ríamos de forma bastante expansiva". Quito, desta vez, olhando-me nos olhos, acrescentou: "Na cidade onde vivo aquela situação, quatro homens negros relativamente jovens dentro de um restaurante caro, rindo, comendo e bebendo, é muito rara senão mesmo impossível". Tentei refazer aquela imagem dentro da minha cabeça, sabendo que palavra nenhuma que lhe dissesse chegaria perto do que o Quito acabara de me revelar. Limitei-me a ouvir. "Talvez nem chegue a filmar, mas fiquei com vontade de fazer algo, porque a experiência do negro numa capital europeia como Lisboa, ainda que com alguns pontos de contacto e algumas similitudes, é diferente da nossa experiência no Brasil. E, tirando a música que viaja de forma muito veloz, entre nós o pensamento dos negros não cruza o Atlântico", concluiu Quito.

Como não tinha nada a acrescentar, pus-me a inspecionar os rótulos das garrafas dispostas à nossa frente. "E você, o que te espera quando acordar amanhã?", perguntou Quito. "O mesmo da semana passada, faculdade e aulas de dança e ensaios para o Bratislava Kizomba Festival." "Bratislava! A kizomba está indo longe, hem!" Sorriu e eu acenei, concordando. Todos os dias recebo o convite para um novo festival ou encontro de amantes da kizomba. Só este ano já visitei Ljubljana, Praga, Minsk, Zurique, e depois de Bratislava seguirei para Budapeste, Varsóvia e Stuttgart. A seguir vou a Miami. Será a minha primeira vez nos Estados Unidos. Quito que me ouviu com os lábios prestes a rasgarem-se num sorriso, indagou: "E quando é que o Brasil será incluído nessa sua volta ao mundo?". Encolhi os ombros mas, como não quis que ele ficasse a pensar que estou a evitar o país por causa dele, corri em busca de algo que indicasse o contrário. "Queria muito conhecer o Rio durante o Carnaval", disse eu a Quito. "Com certeza, você vai adorar. Todo o mundo tem que assistir ao desfile das escolas de samba pelo menos uma vez na vida. Mas a verdadeira beleza do Carnaval está na rua, longe do Sambódromo, nos bairros típicos do Rio. Grupos carnavalescos improvisados desfilam pelas ruas, e isso, sim, é impressionante!", contou-me, entusiasmado e de sorriso largo. "Já ouvi falar sobre essas festas na rua, duram o mês todo do Carnaval, não é?" "Sim, e alguém que dança tão bem como você iria adorar." Respondi ao elogio com um sorriso e perguntei se ele também saía para sambar. Ao que parece Quito só alinhou na folia do Carnaval nos primeiros anos em que viveu no Rio. Depois "aconteceu a vida", como ele disse, e hoje prefere o Carnaval da Bahia. "Quando for visitar o Brasil, e se tiver oportunidade, vai também ao Carnaval da Bahia, e já agora ao de Olinda. Não se vai arrepender, posso garantir." Não consegui conter o riso com as sugestões para tantas festas de Carnaval diferentes. "Duvido que tenha energia para tudo isso. Vou começar aos poucos, um de cada vez, ok?"

"Tenho uma pergunta, uma curiosidade", diz. "Como chegou a kizomba à Europa do Leste?" Tu mesmo disseste. A música viaja depressa. Não há como a travar, além de que existe essa figura que dá pelo nome de Mestre Petchu. Ele é uma espécie de Yoda da kizomba. Quito riu-se mas é a pura verdade. "A maior parte dos professores...", continuei. "Ou Jedi", interrompeu-me Quito. "Ou isso... A maior parte dos professores que andam a ensinar a kizomba por esse mundo fora aprendeu com o Mestre Petchu, aqui em Lisboa. E estás diante de uma das suas discípulas."

"Queres então dizer-me que tive a honra de ser introduzido no maravilhoso mundo da kizomba pela Obi-Wan Kenobi da kizomba e ninguém me disse nada." Era Quito de novo a brincar. "Essas referências do *Star Wars* passam-me completamente ao lado. Eu diria que sou apenas a Sofia, ou, como dizem as minhas amigas da faculdade, Sofia Kizombeira." Quito não se conteve ao ouvir a minha alcunha. Ainda tentou conter o riso, mas sem sucesso. "É o que dá ter um nome comum como o meu", disse-lhe. "Só na minha turma existem três Sofias. A Sofia Gótica, a Sofia Tia, a mais dondoca da turma, e eu, a Kizombeira. Tudo porque um dia alguém descobriu um vídeo meu a dançar diante de uma multidão de alunos num workshop de kizomba. Postaram no Facebook e desde então tenho essa alcunha. Não me incomoda nada. Quando começam a inundar-me com perguntas irritantes, digo-lhes que a kizomba vai bem, muito obrigada, está na disposição que nos habituou, agradece o interesse e segue, imperturbável, distante até, a caminho da glória e da consagração popular, sem o dedo ou influência dos defensores do bom gosto."

Quito estendeu os seus dedos finos e ossudos, agarrou o copo e ergueu-o. "Ao mau gosto", disse em forma de brinde. Em resposta ergui o meu e acrescentei: "Os foleiros também têm coração". Quito deu um gole, mas a interrogação que se formava, com a franja bem no centro da sua testa, me fez traduzir imediatamente a frase para "quem é brega também tem coração", com o que ele concordou. Quem é minimamente atento às coisas do povo, dos desdenhados e ridicularizados, sabe que o que é brega ou foleiro hoje, amanhã será moda.

É claro que o contrário também acontece. Nada me diverte mais do que ver marcas de roupa que durante décadas foram sinónimo de betos de Cascais, como a Lacoste e a Ralph Lauren, serem adotadas pelos mitras da linha de Sintra meus vizinhos. Ao ponto de o combo, calças de fato de treino com a bainha enfiada dentro das meias, polos Lacoste e ténis Air Max, serem a farda do mitra por excelência.

"Você sente que a kizomba é foleira?" Respondi que sim. Mas muitas outras coisas são foleiras. O amor, por exemplo. Quando o verbalizamos, por mais voltas que se lhe dê não há como evitar que soe kitsch, que é a forma cool de dizer foleiro. Quito ouviu-me e ria-se. Só parou para dizer que, no amor, soar foleiro é dado adquirido, fugir a isso seria como trair a natureza. E disse mesmo mais. Que seria das canções se todos os compositores tivessem medo de soar foleiros? Me pediu para imaginar Cartola jogando no lixo "As Rosas Não Falam", o Vinicius e o Tom optando por não compor "Garota de Ipanema", por exemplo. "Nos fazia bem sermos um pouco mais foleiros", disse Quito. Eu concordei, e ele continuou. "Todos nós precisamos de um pouquinho mais de amor, precisamos que nos cantem, que nos embalem, que nos alegrem. Não há nada como uma canção para nos servir de bálsamo, para nos devolver a esperança. Nada como uma canção para nos tirar do escuro, nos levantar do chão, nos sacudir a poeira. Nada como uma canção de amor para nos ensinar a pedir desculpas, a ouvir, a corrigir, a perdoar. Precisamos de mais amor (no Brasil diríamos PORRA para sublinhar essa súplica)." Em resposta disse-lhe: "Em Portugal talvez um 'precisamos mais amor, CARALHO', seria mais incisivo". Esse sim, faria passar a urgência de precisarmos de um amor filho e mãe, um amor horizonte, um amor chão, um amor estrela guia que nos livre dos nossos pecados, da cegueira, do absurdo. Um amor que nos seque as lágrimas e nos lamba as feridas mas que não esconda as cicatrizes pois estas nos são tão úteis como os livros.

"Vamos ouvir fado!", decretei, recebendo um entusiasta, e tão brasileiro, "oba!".

Estávamos praticamente no Bairro Alto, onde há muitas casas de fado para-turista-ver. Mas eu queria que Quito tivesse a tal experiência genuína. Por isso decidi mudar de rota, descer a rua Garrett e levá-lo até Alfama. Mas ainda era cedo. Para não sermos os únicos dois gatos-pingados numa casa de fado, decidi fazer tempo, subindo até ao largo de São Cristovão a visitar o estúdio duns amigos músicos. Um lugar de criação que batizaram de A Sacristia porque, segundo os fundadores do espaço, as salas de concertos são os templos, os lugares de culto, e A Sacristia o lugar de oração e meditação. De facto, não é difícil traçar semelhanças entre os cultos religiosos e os espetáculos de música. Para mim, essa semelhança se torna ainda mais evidente dentro das discotecas. Não é por acaso que o tema "God is a DJ", dos Faithless, teve a abrangência que teve. Música é religião.

O estúdio A Sacristia esconde-se numa rua pacata por detrás da igreja que dá nome ao bairro, São Cristovão. Uma autêntica vila na colina que dá para o Castelo de São Jorge. Aproximámo-nos da porta, uma placa de ferro guardando ainda os vestígios de um azul grisáceo que teima em resistir ao ataque implacável da ferrugem. Quem não conhecesse intimamente os acordes de guitarra que escapavam pela fresta não diria que por detrás daquela porta se encontram algumas das promessas da nova música feita em português. Talvez dissessem que por detrás daquela porta se encontra uma oficina de recauchutagem de pneus ou qualquer outro ofício em vias de extinção. Eram nove da noite e a rua já se encontrava de pijama pronta para ir para a cama. Dentro de alguns daqueles prédios, que o terramoto de 1755 poupou da destruição, estão agora, provavelmente diante do televisor, os alfacinhas de gema.

No estúdio, dentro do aquário, Toty Sa'Med curvado sobre a guitarra a contorcer os dedos em busca de um acorde impossível. Do lado de cá, Fred, o jovem engenheiro de som, tão jovem quanto o cantor do lado de lá, voltou-se para mim. Queria saber se era meu desejo fazer-me anunciar. "Deixa-o tocar", sorri-lhe, aproveitando para pedir, agora que tinha a sua atenção, que subisse o volume das colunas, que deixasse o semba angolano instalar-se naquela Sacristia. Lugar onde alguns dos nomes mais importantes do panorama musical português vêm refugiar-se para aperfeiçoar as suas canções. Li-lhes os nomes pintados nas várias caixas de instrumentos espalhadas pelo espaço. Sara Tavares, Ana Moura, Legendary Tigerman, Linda Martini. Deixa o semba tomar conta do espaço, deixa que se instale, toque na buganvília que repousa triste no seu vaso, e que se refastele neste velho divã de veludo borgonha, e que se deite nestes tapetes turcos se lhe apetecer. Deixa a voz desse moço luandense que transporta agora esses sembas do antigamente, sembas com que meu paidrasto me embalou no berço, se instalem e seduzam Quito.

O engenheiro de som, apercebendo-se de que eu cantarolava os versos que ouvíamos, voltou-se para mim novamente. Quis saber que língua era aquela e se se tratava de uma canção original. A língua é Quimbundo e o tema, "Belina", um dos clássicos com que Artur Nunes nos abençoou.

Existem canções com que me relaciono desde muito antes de ter a possibilidade de as adquirir. Sim, lá em casa os discos de cada um estão bem identificados. As canções da minha vida começaram a fazer parte de mim bem antes de eu me aperceber de que estas seriam as tais. Sempre estiveram presentes, no objeto disco, à espera de que finalmente acordasse para a vida e os carregasse comigo até ao fim do mundo. Para sempre. Sei que o Quito sabe como é pois sinto nele o mesmo gosto pela música. O tipo de gosto e dedicação que torna impossível a tarefa de escolher, por exemplo, o disco que salvaríamos de um incêndio. Quito, desconseguindo de indicar-me um, insistiu para que lhe dissesse o meu. Sem pestanejar, com o peito a transbordar de orgulho, afirmei, *Monangambé e outras canções angolanas* de Ruy Mingas.

Toty Sa'Med acena um olá de dentro do aquário e revela ao engenheiro de som que está pronto para gravar. Sempre senti um fascínio pelo espaço onde a música acontece. Em salas como esta, mais ou menos apetrechadas. Algumas com cheiro de sofá de cabedal e outras fedendo a cigarros. Cada uma com a sua magia que, claro, não acontece sem os músicos. Dentro desta categoria há quem prefira iniciar o ato de criar logo pela manhã, outros, ao cair da noite. Uns gostam de começar em jejum; outros, basta ter pizzas e algumas cervejas à disposição para que a sessão seja dada como iniciada. Há quem evite comer carne durante o processo criativo. Conheço quem não resista a acordar o seu lado esotérico, vestindo-se de branco dos pés à cabeça, tal como os conterrâneos de Quito nas noites de fim de ano. Afirmam que o branco, entre outras coisas, repele as energias negativas e eleva as vibrações, estimula a memória e tal e tal. E tudo isso, é claro, combinado com aquele incenso básico a queimar lentamente para afastar os maus espíritos de dentro do estúdio.

"Não existe nada mais cool que ouvir músicos da nova geração resgatarem as canções do antigamente", disse eu em voz alta. Quito ouviu-me e devolveu outra pergunta. "O semba é cool?" Hesitei em responder-lhe, pois dentro do semba existem várias correntes. O semba dos kotas, o semba bandeira, o semba festa e o resto onde talvez o Toty Sa'Med se enquadra. Há quem considere que o conceito de cool está apenas associado a uma ideia de consumo. Talvez não estejam errados se pensarmos que a ideia de um comportamento cool surgiu num mundo obcecado com a juventude e a imagem. Para mim o que o semba tem de cool é o facto de, através dele, os novos angolanos estarem dispostos a encurtar a distância que os separa da sua própria história e línguas. Até eu, que sou apenas filha de angolanos, tenho em mim essa vontade. E existirá algo mais cool do que o saber?

Sssssssshhhhhhhhhhhh

Alfama, o bairro que só pelo nome já é sinónimo de fado. Ao entrarmos naquelas ruas estreitas, de paredes decoradas com estendais de roupa, Quito deixou escapar o turista que repousava cerimonioso dentro de si, dizendo que aquela Lisboa lhe parecia uma Lisboa mais verdadeira, pedindo desculpa pelo clichê. "O tempo aqui parece ter sido mais devagaroso", confessou ao chegarmos ao Beco do Espírito Santo, onde entrámos na porta em que se lia Parreirinha de Alfama, atravessámos o pátio e sentámo-nos nos únicos lugares ainda vagos, na mesa de um casal francês. "Silêncio que se vai cantar o fado."

Sentimo-nos hipnotizados por aquela voz. Uma mulher de mão estendida, olhos cerrados, como se não existisse plateia. Como se estivesse possuída, e o xaile negro que lhe cobria os ombros pesasse chumbo e fosse do mais profundo luto. A voz da fadista chegava-nos trémula, no limiar de se quebrar, tanta era a dor que lhe coloria o canto, esse choro musical do infortúnio.

"Esta é a casa da dona Argentina Santos", segredei-lhe baixinho ao ouvido, apontando discretamente para a velhinha sentada junto ao balcão. "Ela começou como cozinheira neste restaurante e dirige-o desde a década de 1950. Fez agora oitenta e oito anos, uma senhora já." Alguém me mandou calar e lembrou-me a regra de ouro nas casas de fado. Enquanto se canta, o silêncio impera. Tradição que já vem desde o tempo em que o fado ainda vivia na boca dos marinheiros, prostitutas e rufiões. Como a polícia tinha pouca tolerância para com este tipo de bródio, as noites acabavam sempre em pancadaria. Com a ameaça de encerrar os estabelecimentos mais ruidosos, passou-se a pedir silêncio durante os números musicais para não acordar a vizinhança e esta chamar os agentes da lei. O público, talvez por não querer beber sem animação musical, passou a se autopoliciar. O hábito mantém-se até hoje. Sorri em concordância e, pedindo desculpa, esperei que a fadista terminasse.

"Antes do policiamento a regra era dançar o fado", disse-lhe ainda num sussurro. "Tal como o sr. Ludomir Rosa Semedo o dançou na sua sala?", relembrou Quito. Sorri em concordância.

"A corte de d. João VI, com os seus fidalgos e legião de serviçais, quando regressou do Brasil, em 1821, trouxe também na bagagem um canto dançado denominado lundum. Um género musical que nasceu dos batuques dos escravos bantos trazidos de Angola", explicava-lhe, quando os seus olhos se abriram de espanto por ouvir pela primeira vez as palavras fado e Brasil na mesma frase. "Ao ritmo, a malemolência lasciva caracterizada pela umbigada, pelos rebolados e por outros gestos que imitam o ato sexual, juntaram-se o bandolim, as danças ibéricas, como o estalar dos dedos, a melodia e a harmonia..."

"Quase como uma kizomba arcaica", comentou ele. "Isso. Aquela mistura tropical não demorou a espalhar-se por todas as camadas da sociedade portuguesa, encontrando terreno particularmente fértil junto das camadas mais baixas, que circulavam pela zona ribeirinha, junto ao porto e, claro, Alfama. Foi aqui que se fixou, transformando-se no canto dorido e no gingado malandro a que se chamou fado e bater o fado."

"E quando é que morreu a folia para ficarem apenas as lágrimas?"

"Nem todos os estudiosos do fado acreditam nesta teoria. Para alguns é uma total blasfémia afirmar que o fado tem origens brasileiras, nascidas do casamento entre os escravos banto e a aristocracia portuguesa exilada no Rio de Janeiro. O meu sonho...", entusiasmei-me, contendo-me de imediato. Quito cobriu as minhas mãos com as suas e pediu-me para continuar.

"A tese que planeio apresentar no final do curso aborda os pontos de ligação entre a massemba, a dança associada ao género semba angolano (pai da kizomba), e o lundum. O termo 'massemba', originário do Quimbundo, significa 'umbigada'. Sendo este um dos movimentos que mais chocaram a moral e os bons costumes da sociedade da altura, sinto que é necessário resgatar essa memória. Uma das razões por que quero voar até ao Brasil quanto antes é porque pretendo visitar o município de Quissamã, o lugar que ainda hoje preserva uma expressão artística próxima daquilo que podemos considerar como uma reminiscência da dança do fado", desabafei.

"Quissamã fica no norte do estado do Rio de Janeiro", disse-me, não me oferecendo muita informação nova. Aliás, eu já sabia quase tudo o que se podia saber através da leitura, que devoro sempre que encontro algo sobre o tema. Agora preciso de ir a Quissamã, que em kimbundo significa "tocha" e se escreve com "k", kissama e que é também o nome de um parque natural a setenta e cinco quilómetros de Luanda. Tudo lugares que não conheço mas que desde criança me surgem nos sonhos.

"Ah!, quero ler essa tese", pediu Quito. "Não vejo a hora de começar. Sorri-lhe." "Vamos a..." Quito ia convidar-me para algo quando o segundo fadista entrou em cena. Um homem de meia-idade, vestido de fato e gravata, violão debaixo do braço, ar de avôzinho simpático, tal qual um João Gilberto. O seu sotaque lisboeta carrega uma voz madura mas que não lhe cabe na idade. Se fecharmos os olhos somos capazes de arriscar que o fadista diante de nós ainda traz os seus trinta anos na garganta.

Aproximei-me de Quito e perguntei-lhe, sussurrando, o que pretendia dizer-me. "Ssssssssshhhhhhhhhhhhh", fizeram os franceses sentados ao nosso lado, com um olhar ameaçador e fartos dos nossos segredinhos. Rimo-nos os dois, pedindo desculpa, e Quito assinalou, com um sorriso e um abanar leve de cabeça, que o que tinha a dizer não era assim tão importante.

E eis que de repente tudo me surge nítido. Aqueles olhares inquisidores dos franceses diziam outra coisa. Numa primeira leitura, diria que não deveriam estar a achar piada nenhuma aos nossos segredinhos e risinhos infantis... Ou... apaixonados. Parei de rir imediatamente quando pensei nessa segunda hipótese, e levei o vinho tinto aos lábios. Quito voltou a inclinar-se para mim e sussurrou-me um convite: "Gosto do teu fado e quero muito ser eu a levar-te a Quissamã". Sorri sem jeito e dei mais um gole no vinho, afastando o meu olhar para dona Argentina, a diva do fado castiço, que estava quieta no seu cantinho. No seu silêncio, dá vida aos objetos espalhados nas paredes desta sala. Os tetos baixos, o altar de Nossa Senhora de Fátima, o busto de Amália Rodrigues, as uvas, as parras e os jarros de vinho, uma pequena extensão das galerias do Museu do Fado a escassos metros daqui.

E, quando os meus olhos voltaram a encontrar os de Quito, ele os tinha na mesma posição, a olhar para mim. Num misto de curiosidade e um pingo de medo. Quem sabe, talvez não seja medo, talvez o medo seja meu e estou aqui a tentar encontrar uma desculpa para não admitir que gosto da forma como ele olha para mim. E se fado também é destino, será esse moço baiano que me dita sorrindo o início do meu? Esta pergunta formou-se só no meu pensamento, mas parece ter chegado a Quito, que me deu a sua mão. Obedecemos, finalmente, ao silêncio.

Quando o fadista se retirou, os franceses levantaram-se. Ficámos sozinhos, de mãos dadas, e Quito arriscou um "Sofia...". Nervosa, fiz o que sempre faço quando não sei o que fazer: falo como uma matraca e preparava-me para fazer exatamente isso, para despejar um século de fado de uma vez só para acalmar as borboletas no meu estômago, para agora que ele olha fixamente para mim, como se lesse o que me vai na alma. "Sabes que o fado conheceu a sua fase aristocrática..." Quito não me deu ouvidos. Interrompeu o meu discurso lançando-me a pergunta: "Que teria acontecido se nos conhecêssemos na primeira semana em que cá cheguei?". Não respondi, preferi devolver-lhe outra questão: "Estaríamos aqui agora?". Ele deve ter achado graça porque não demorou a servir-se da mesma estratégia: "Teríamos dançado?". Era evidente que não tínhamos respostas para nenhuma dessas questões. "Não sei o que Lisboa nos reserva, mas, seja lá o que for, já valeu a pena esse nosso encontro", disse, com os olhos, com os lábios, com esse seu sotaque que arredonda essa nossa língua tal qual o mar formando uma onda antes de se quebrar na praia. Não conheço o mar da Bahia, imagino que seja bonito e musical, tendo em conta o número de canções que Dorival Caymmi lhe dedicou.

Acenei, concordando e sem saber mais o que dizer. Levei rapidamente o copo de vinho à boca e lembrei-me: quando estou nervosa, ou falo muito ou acalmo-me a dançar. Ele olhava para mim como que à espera que lhe retribuísse o olhar. Pousei o copo e, quando não podia adiar mais, encarei-o e disse-lhe: "Ou pedimos mais um jarro de vinho ou procuramos um sítio para dançar".

Quito respeitou o meu nervosismo, pousou com rapidez as suas duas mãos em cima das suas pernas, e num gesto de ação escolheu:

"Dancemos".

O triângulo crioulo

Desde que saímos de Rio de Mouro, Quito já tinha tentado dizer-me algo, tentando sempre ler em mim se seria o momento certo. Depois dos fados, Quito mudou de conversa como que para me tranquilizar, fazendo-me perguntas sobre a kizomba e a cena dançante lisboeta.

A questão que nos juntou ainda ressoa dentro dele. Quem inventou a kizomba? Continuava a querer saber. Resisti ao impulso de aspirante a antropóloga e, antes que o convidasse a dar a curva mais longa, ocorreu-me: E se lhe respondesse que a kizomba não foi inventada? E se lhe dissesse que ela aconteceu? Quão perto estaríamos da verdade? Sim, foi isso, meu doce baiano, a kizomba simplesmente aconteceu pelas mãos e pés daqueles que a dançaram pela primeira vez. No instante em que se dava a magia, eles não pensaram que estavam a inventar coisíssima nenhuma. Dançavam apenas.

Em frente ao Museu do Fado, à espera de táxi há um bom tempo, mais uma vez em silêncio. "Há mais opções", disse eu. Quito riu-se e olhou para mim.

"Podemos andar poucos metros e ir ao Lux, uma discoteca de house e techno. Provavelmente vamos lá encontrar o Mário Patrocínio ou o Kalaf, ou até os dois. Podemos também procurar outros lugares. Mas para isso teremos que ir até à zona de São Bento." Quito ficou pensativo por breves instantes. Acho que não esperava que encontrar o Mário e o Kalaf fosse a terceira opção.

"São Bento", respondeu-me.

"Obrigado por me mostrar a sua cidade", acrescentou Quito, impedindo que voltássemos ao silêncio. "Não há nada para agradecer. Para retribuir apenas tens que me mostrar o Rio de Janeiro quando eu lá for", respondi. "Vou-me sentir ofendido se não me procurar. Te levo aos clássicos. Você sabe que em duas semanas que cá estive não tive tempo de ver museus, monumentos, parques, os bairros emblemáticos. Não visitei a Madragoa nem provei pastéis de Belém." Detive-o no meio da estrada. "Tu não provaste pastéis de nata, Quito Ribeiro?" Ele riu-se. "Provei só num café da Baixa. Mas disseram que teria que provar aqueles pastéis ancestrais, que têm receita especial, né?" "Tá aí mais um motivo para regressar." E, mais rápido do que o meu pensamento, perguntei-lhe por que outros motivos voltaria. Quito foi muito rápido: "Por você". Sorri e pensei em dizer-lhe para ficar mais tempo, para não ir embora amanhã. Como raras vezes em situações de *flirt* me sai o que realmente estou a pensar, disse-lhe com ar inocente: "Por mim? Mas eu sou uma mulher casada, Quito Ribeiro". E caímos os dois numa gargalhada.

Estávamos junto ao número 73 da Poço dos Negros. "Foi aqui que os meus pais se conheceram", disse-lhe com um sorriso e sem tirar os olhos da fachada do prédio. Vista de fora, a minha reação àquele prédio decadente de quatro andares devia parecer incompreensível. Aqueles quatro andares são para mim como um monumento erguido em homenagem ao amor dos meus pais.

"Ahh, depois de me falar que o semba é isso e que o semba é aquilo e que a kizomba vai conquistar o mundo, me conta do amor de seus pais... Quero ver se consegue a mesma firmeza e detalhe, senhorita antropóloga", provocou Quito. Soltei o melhor mixoxo para o sr. Ribeiro-armado-em-espertinho, e comecei, tal qual o historiador José Hermano Sairava...

"Tudo começou numa madrugada de dezembro. Nenhum deles, boémios, se lembra bem de onde vinham naquela noite, se do Noites Longas, do Zé da Guiné e Hernâni Miguel, ou do palácio Almada Carvalhais, o primeiro B.Leza, depois de ser Baile...", Quito interrompeu-me para me dizer que lhe tinham contado a história de Zé da Guiné no Rio. Continuei. "Pois, aposto que não te contaram com todos os pormenores que conheço. Mas, se já sabes quem são, vamos prosseguir. Então, na casa da Ti Lina e da dona Alda, duas mulheres de São Vicente que mudaram a forma como os lisboetas terminavam as suas noites ao abrirem as portas da sua casa a todos os conterrâneos que por lá quisessem aparecer, servindo cachupa e alguns petiscos típicos de Cabo Verde. Um restaurante totalmente ilegal, mas que foi subindo de popularidade à medida que a notícia foi correndo de boca em boca e, em menos de nada, dezenas de lisboetas boémios terminavam ou iniciavam a sua noite naquele apartamento. Um dos primeiros centros culturais africanos. Aliás, São Bento é tida como a décima ilha do arquipélago de Cabo Verde. Muito poucos são os turistas, ou mesmo os lisboetas, que têm noção de que o largo Dr. António Sousa Macedo forma o vértice onde convergem os carris do elétrico 28, também conhecido como triângulo crioulo. Sucessivas vagas de migrações africanas passaram por estas ruelas tortas e inclinadas, mas isso não se nota à primeira vista. É preciso olhar com atenção. Os primeiros cabo-verdianos, que começaram a chegar nos anos 1960 do século passado, traziam na mala os sonhos de uma vida melhor, e uma vez desembarcados dispersaram-se pelos andares dos pequenos prédios, incrustando-se numa trama popular tecida ao longo de séculos..." Quito interrompeu-me. "Sofia, a história de seus pais", relembrou-me.

"Ok, ok. É que não muito longe daqui se encontra aquele que foi o ponto de partida da presença africana nesta cidade. Só achei importante contar isso. Os meus pais conheceram-se a dançar", disse, amuada. "Ah, vai, conta a história direito. Ainda por cima começa como a nossa", pediu Quito.

"Ok. Desculpa. Então, naquela madrugada de dezembro, vindos não se sabe bem de onde, eles cruzaram-se na casa da Ti Lina e da dona Alda. Nem tinham reparado um no outro quando, de repente, o rádio, que geralmente só dava mornas e coladeiras, começou a tocar uma canção de Paulo Flores, 'Kapuete Kamundanda'. Os dois puseram-se de pé quase ao mesmo tempo..."

"Ahh, que massa. Aí começaram a dançar, né?", adiantou Quito. Olhei para ele com um ar divertido. "Posso acabar a minha história?"

"O meu pai dançava e a minha mãe cantava." E comecei a imitar o jeito de dançar da minha mãe, cantando o que sei da letra, e fechando os olhos, da mesma forma que a minha mãe os fecha sempre quando uma canção lhe bate forte. Ainda de olhos fechados e assobiando a melodia daquela que é uma das primeiras canções a carregar o signo da kizomba, e sabendo que a calçada é estreita, puxei Quito para o meio da estrada, dançando com ele como se estivéssemos também na sala da Ti Lina e da dona Alda. "Ao sentirem a presença um do outro, lançaram a pergunta 'Angola?' sem esperar resposta. Não era necessário, nenhum outro ser que não o angolano faria tamanho alarido ao descobrir um conterrâneo num enclave cabo-verdiano. Lançaram-se nos braços um do outro e continuam ainda hoje nessa mesma dança. Fim."

Quito voltou o olhar para a fachada do edifício e entrelacei o meu braço no dele, agora convidando-o a seguirmos caminho.

Um-dois-um-dois

"Mas deixa-me contar-te a minha história neste bairro, o sítio das minhas primeiras saídas à noite, para aí com uns catorze anos, e acompanhada pelos meus pais", sugeri. Contei-lhe as minhas histórias de adolescente aprendiz de dançarina e rapidamente chegámos ao primeiro andar de um prédio semiabandonado na esquina da rua Boqueirão Ferreira com a rua da Boavista. Um bar improvisado no mesmo andar do estúdio/sala de ensaio que o coreógrafo e dançarino Avelino Chantre cede a alguns DJs de kizomba, para organizarem festas ou, como eles preferem dizer, "convívios". Um lugar-refúgio onde muitos dos novos boémios de Lisboa passam para um último copo, uma última dança antes de darem por encerrada a noite. Na sala, de um lado as moças, com os seus copos de Fanta e Amarula na mão, formam pequenos grupos à volta da pista. Embora o ambiente seja bem mais descontraído do que o das discotecas africanas, elas não dispensam as minissaias, calções tchuna baby e top crops. Do pescoço e pulsos exalam os mais franceses dos perfumes. No cabelo, aquele cheiro do desfrisado ou de uma tissagem recente. Um caleidoscópio de odores daquilo que usam para domesticar os cabelos é tão rico que só um Jean-Baptiste Grenouille seria capaz de o decifrar e mapear ao pormenor. Eles, como quem não quer a coisa, circulam triunfantes pelo espaço, num misto entre campanha de reconhecimento e exibicionismo. Meio ridículos, convenhamos. Camisa engomada, sapatos sem meias, calça a chover, mostrando o tornozelo. Nunca param muito longe do bar e são só dentes para com a empregada boazuda que nunca lhes passa cartão. Bebem cerveja e uísque com coca-cola.

As mulheres marcam o passo, um-dois-um-dois, no ritmo da música, rebolando lentamente a cintura, sem nunca desviarem o olhar da pista de dança onde casais se tarraxam, afogados nos braços um do outro. Elas, as que ficaram de fora numa espera homologada pela falta de audácia masculina, marcam passo naquele convite quase discreto, mas não muito. Lábios batom carmim cantarolam os versos românticos que se fazem ouvir das colunas. E eles, "marcando pausa", como se diz no calão de Angola, têm os olhos postos na zona circundante à pista de dança, tentando decifrar, entre a penumbra, a qual delas entregarão o convite para dançar. Estudam-lhes os movimentos com a atenção de um agente da Polícia Judiciária. No instante em que uma canção se inicia, colocam-se diante da dama pretendida e, sem proferir uma única vírgula, lançam-se num jogo de olhares e movimentos previamente estudados, ou não fossem eles o protótipo do homem africano! Aquela economia nos gestos foi aperfeiçoada ao longo de toda uma infância passada em festas de quintal, observando os kotas no salão, no seu semba da saudade, e, claro, dando tragos nos copos que estes deixavam à sua mercê.

Chamo a atenção de Quito, pedindo-lhe que observe como a coisa se desenrola. Ela dá um passo em direção ao moço, e ele, vitorioso, caminha para a pista e lança um olhar circular, tal qual um gladiador em pleno coliseu, antes de pousar os olhos nela e abrir os braços. Os minutos que se seguem são da máxima importância. Certamente haverão de se entregar a outros corpos ao longo daquela noite, mas aquela primeira dança irá definir que tipo de noite será aquela. Existe algo de sexual, mas não o tipo de coisa que tipicamente observamos entre dois amantes antes do coito. Enquanto dançam, são um só. Não estão interessados no que se passa à sua volta, estão num planeta só deles, e dançam como se ninguém os estivesse a ver, como se a sala estivesse vazia. Nós, os que ficamos de fora do jogo, não escondemos a admiração e o pingo de inveja por não sermos nós naqueles braços, a dançar aqueles passos e a amar aquela música como só os bons dançarinos sabem e conseguem amar uma canção.

"Parece que quando se está no meio do salão, apesar de parecermos apenas concentrados no nosso par, há toda uma coreografia coletiva que todos parecem seguir, um código de circulação, não é não?", perguntou-me Quito. Respondi afirmativamente.

"O espaço que existe para dançar é mínimo, mas todos sabem adivinhar o movimento do par ao lado e desenham as suas passadas no espaço deixado pelo outro, evitando o contacto de ombros a todo custo", expliquei-lhe.

É bonito de se ver. Aquela multidão de corpos, aos pares, enroscados uns nos outros, dançando numa malemolência ritmada, desdobrando-se numa economia de passos semirrasgados para depois pausar. O homem, praticamente imóvel, a mulher com a cintura colada no parceiro, rodopia-a lentamente, copiando movimentos do sexo.

Quito olha para mim, quando o movimento se torna mais óbvio. Ri-me. "Ora aí está a tarraxinha, Quito Ribeiro, a parente mais atrevida da kizomba", expliquei. A dança ultrapassa, em muito, os limites do erotismo que geralmente são atribuídos às danças de salão em África. Por causa dos seus designados movimentos "semipornográficos", a tarraxinha foi largamente proibida, em nome da preservação dos bons costumes e da decência das "meninas de família". Puxei Quito para o salão e, sem precisar de mostrar-lhe o caminho, ele colocou as mãos no lugar certo, na curva da minha cintura.

"Vamos lá, os nomes dos passos são bem elucidativos. Ao primeiro chamamos lavar a roupa", sussurrei, enquanto descrevia com as ancas o movimento que fazemos quando lavamos a roupa manualmente num tanque. "O segundo, a ventoinha", rodopiando com a cintura da esquerda para direita. "O quadradinho, em terceiro lugar, que leva o quadril a desenhar um quadrado." "E por último a cobrinha." O mais desconcertante dos movimentos da tarraxinha e que se baseia no rastejar de uma cobra. Ao fim de três tarraxos separámo-nos, a sala parecia ter o dobro da temperatura, e ele sugeriu que fôssemos ao bar.

"Como é que os homens conseguem", perguntou quando esperávamos pelas nossas bebidas. "Acho que tu estás biologicamente mais habilitado para responder a essa questão", disse-lhe, soltando uma gargalhada. "Se os três primeiros passos não deixam os caras de pau duro, a cobrinha com toda a certeza deixará, Sofia!", respondeu ele, divertido.

"E...?", perguntei-lhe. Ele sorriu e esquivou-se, salvo pela *bartender* que depositara as bebidas à nossa frente. "Existem mulheres que levam isso a peito e se sentem ofendidas se depois de uma tarraxinha o parceiro não mostra nenhuma satisfação na braguilha", contei-lhe, a rir-me com ar de aviso.

"Respondendo à tua pergunta", e virou-se para mim. Ri ainda mais. "Homem é previsível pra caralho. Eu sei. Mas oh, vou-te contar um truque. Para evitar sair do salão com a bandeira em riste, a solução é dizer interiormente o nome de todos os jogadores da seleção brasileira que já venceram o mundial de futebol, começando pela Copa de 1958, a de 1962, a de 1994, com São Romário no comando, sem deixar de fora a de 2002 que nos trouxe o penta", partilhou Quito.

"Sinto-me lisonjeada", brinquei. Quito sorriu e deixou fugir o olhar para os casais que dançavam no meio do salão. Que tipo de homem és tu, Quito Ribeiro? Sei que deves estar a colocar-te esta mesma pergunta. Há um aspeto interessante nessa dinâmica do engate. Hoje os homens sentem que não precisam de se esforçar tanto, pois há mais mulheres dispostas a partirem em busca do príncipe, invertendo aquela que era, até recentemente, a ordem natural do engate – o homem corre e a mulher espera. Sei que estas são as tuas últimas horas em Lisboa, mas ainda assim gostaria de saber se és tão tímido quanto aparentas. Talvez sejas apenas reservado. Saber gerir a nossa performance social é muitas vezes a chave do sucesso nesse jogo. Ser paciente e saber lidar de forma saudável com a ansiedade e as expectativas é determinante. Por outro lado, o medo da rejeição pode ser encarado como falta de coragem. Navegar nesse mar de inseguranças e indecisões pode ser emocionalmente dispendioso. Ou seja, o engate não é um desporto barato.

Quando ele voltou a fixar os olhos nos meus, o DJ soltou um dos kuduros da Fofandó. Aproximámo-nos da boca do salão onde se formava uma roda de gente para ver e aplaudir um grupo de dançarinos a desdobrarem-se em acrobacias, cada uma mais espetacular que a outra.

"Nas últimas duas semanas vivi completamente absorvido por este universo", relembrou Quito. Era visível no seu rosto que aquilo era o que ainda lhe faltava ver. "Mil vezes melhor vê-los ao vivo, confesso."

Quito sorria como uma criança. Era como se os personagens do filme estivessem ali, bem diante dos seus olhos, e aquela festa não estivesse a acontecer em Lisboa, mas em Luanda, e no meio daquela roda não estivessem dançarinos anónimos, mas sim o Nagrelha ou a Titica, dois dos heróis do documentário dos irmãos Patrocínio. Digo Nagrelha e Titica, mas poderia ser Príncipe Ouro Negro e Presidente Gasolina.

Nagrelha, em *I Love Kuduro*, e cheguei a comentar isso com Mário depois da versão que me enviou, faz esquecer que aquele é um filme sobre kuduro, de tão icónica que é a sua personagem. Isso é percetível nos minutos que o realizador lhe dedica, no seu Sambizanga umbilical. Poucos minutos, na minha opinião claramente insuficientes, porque, vendo a forma como aquele kudurista se movimenta, torna-se clara de imediato a razão pela qual muitos o consideram o maior artista angolano, depois de Paulo Flores e Ruy Mingas, ainda que nenhum angolano com o mínimo de senso e juízo sonhe sequer um dia vir a admitir tal coisa.

O filme deveria ter-se centrado nas figuras de Nagrelha e da outra heroína, a poderosa Titica, que, com uma honestidade comovente, confessou os abusos e privações de uma infância passada na Angola dos anos 1990. Logo nos apercebemos, naquelas palavras nuas, naquela voz rouca, de que ser estrela é ser corajosa. Titica, que é nome de palco e da música – no bilhete de identidade é Teca Miguel Garcia, órfão de pai e mãe, criado pelas tias –, desde muito cedo soube o que era ser diferente e sobreviveu ao preconceito, à cólera e à febre amarela. Venceu-os a todos e hoje, transexual, diva, kudurista, é um ícone, um símbolo da luta contra a discriminação sexual numa sociedade conservadora e maioritariamente católica como é a angolana.

Vendo aqueles dançarinos, surgem-me as frases que os outros dançarinos, os do filme, diziam sobre a dança, sobre o género. "O kuduro é a minha namorada, é algo pelo qual me apaixonei, e quero dar muito amor." Muitos não dançam para fazer carreira, mas sim para escapar ao dia a dia de um país com tantas carências, o único veículo para libertar tudo o que se tem dentro.

Tal como acontece com aqueles na semana do Carnaval que despejam todo o recalque emocional acumulado durante o ano, ou aqueles que vão para o ginásio correr, levantar pesos ou inscreverem-se nas minhas aulas de kizomba. Todos precisam de um escape.

"Mas por que é que o kuduro não é gigante? O que falta?", perguntou Quito de forma retórica. "Quando a gente faz uma pesquisa no YouTube sobre kuduro aparece no topo da lista o 'Danza Kuduro', do Don Omar com a participação de Lucenzo. O único vídeo que lhe chega perto é o 'Sound of Kuduro', dos Buraka Som Sistema com a participação de M.I.A., Puto Prata, Saborosa e DJ Znobia. E qual é a razão para isso? Falta de aposta de gravadoras?", perguntou, e agora sim, esperando uma resposta minha.

"Também, mas principalmente porque ninguém percebe o kuduro." Quito olhou para mim incrédulo com a resposta. "Repara na RDP África, por exemplo. A África que aquela rádio promove é a do politicamente correto. Se não há espaço para o rap que é feito nos países africanos de expressão portuguesa, como é que o kuduro alguma vez terá chance de chegar ao *mainstream*?", expliquei.

"Entendo. O mesmo acontece com a música que nasce nos bairros das periferias das grandes cidades brasileiras. Música de pobre, de preto, de favelado", rematou.

Embora se reconheça Tony Amado como inventor do género, e Sebem como a primeira pessoa que o consagrou, nem um nem o outro foram os responsáveis por que o mundo fora de Angola o conhecesse, disse eu voltando-me para Quito. Ele, surpreso, acrescentou: "Foi o Buraka do teu maridinho de papel?". Não consegui conter a gargalhada. "Não, claro que não. Na altura Buraka não sonhava sequer vir a existir. Quem levou o kuduro, as canções do Tony Amado e Sebem, a passear pela primeira vez foi Hélder, que, para que não restassem dúvidas sobre o seu espírito pioneiro, se autoproclamou Rei do Kuduro." "E ninguém reclamou?" O ar de incredulidade com que Quito colocou aquela questão deve ter sido o mesmo que os angolanos exibiram diante da estreia do Hélder num programa do Herman José. Eu era miúda, não fazia ideia de que ele era o Senhor Humor, o maior responsável pela mudança na forma como se fazia televisão em Portugal. Mas, como vim a descobrir mais tarde, sempre esteve à frente do seu tempo, pois foi ele o primeiro apresentador de TV com coragem para colocar o kuduro em *prime-time*, dando tempo para antena ao Rei do Kuduro e aos seus dançarinos, Salsicha e Vaca Louca.

Mas respondendo ao Quito: "Sim, ninguém o poupou. Ele foi acusado de fraude e plágio". Quito, entre risadas, disse: "É a história da música popular, há sempre uma figura dessas que rouba a obra de alguém e se faz passar por herói". "Ele diz que foi tudo por acaso..." Quito, interrompendo-me: "Ah e você acredita!". Ri-me e rematei: "Claro que não, tolo! O que se conta é que Hélder viajou até Luanda e lá ouviu aquela música nova que estava a bater nas ruas da Baixa, o tal de kuduro. Entusiasmado, gravou alguns dos temas num CD e levou-os para Lisboa, onde começou por mostrar aos amigos e vizinhos".

Quito, na pressa de completar, adiantou-se mais uma vez, adivinhando o resto sem muito esforço: "E alguém ouviu e levou as músicas para uma gravadora que achou incrível e decidiu fazer do cara o Rei do Kuduro". Acenei, concordando, e avancei com um número para dar dimensão ao sucesso alcançado. "Mais de vinte mil cópias foram vendidas e tenho sérias dúvidas de que o Sebem ou Tony Amado alguma vez tenham chegado a ver a cor de um centavo desse dinheiro."

"Lembras-te do genérico da novela *Avenida Brasil*", perguntei. "Vagamente. Porquê?" "Apanhei a minha mãe muitas vezes a assistir à novela." Insisti para que ele se lembrasse da música de abertura. "Não lembro mesmo, por quê?", voltou a perguntar.

"Há mais ou menos um ano conheci um promotor de danças de salão brasileiro, num workshop de kizomba em Budapeste. Ele mandou-me um email no dia em que supostamente a novela estreou no Brasil. Entre outras coisas, escreveu algo como:

Hoje começou no Brasil uma nova novela, a principal da Rede Globo. Se chama Avenida Brasil *e o tema de abertura* é *uma música de kuduro... Temos de armar turnés de artistas angolanos aqui no Brasil, tenho contactos com os grandes empresários do* show business."

"Sério? E organizaram?"

"Claro que não. Eu sou uma mera professora de dança, não entendo nada de promoção e agenciamento de artistas. Mas era preciso corrigir o equívoco. O tema que inspira a versão usada pela Globo foi o 'Danza Kuduro', criado pelo músico e produtor francês, luso-descendente, Lucenzo, de que falaste há pouco. Se a ouvires com atenção te aperceberás de que é tudo menos kuduro, embora inclua essa palavra no título." Quito riu-se. "A canção é um desses produtos de consumo rápido que nos chegam via Miami, né?", acrescentou.

"Completamente! O que ouvimos aqui é kuduro. Aquilo é outra coisa. Se o DJ passasse aquele tema agora iriam atirar-lhe copos para cara", acrescentei.

"Nossa, tudo isso?", perguntou, franzindo o sobrolho.

"'Vem Dançar Kuduro', o original do Lucenzo, data de 2010 e tornou-se enorme no circuito de música latina, chegando a número 1 em alguns *chats*, antes de o astro do reggaeton, Don Omar, lançar a sua versão 'Danza Kuduro' com ajuda do próprio, e tomar de assalto as tabelas de vendas um pouco por todo lado, incluindo a proeza de chegar ao número 82 no Billboard Hot 100." Quito insistiu: "Por que é que eles não chamaram um produtor de kuduro para dar credibilidade à coisa, então?".

"Lá está, Quito. Porque ninguém percebe o kuduro", desabafei, e ele riu-se novamente. "Graças a Deus, o tema não se tornou num hit à escala planetária como o 'Macarena' ou ainda o 'Aserejé' das Las Ketchup. Imagina a tragédia que seria."

"Não sei, Sofia. Poderia acontecer que as pessoas se interessassem pelo kuduro e fossem para Luanda investigar", disse Quito, fazendo de advogado do diabo.

"Duvido. Mas duvido mesmo. Tal como Las Ketchup, que se basearam no tema na linha...

Said a hip-hop
Hippie to the hippie
e hip, hip a hop, and you don't stop, a rock it
To the bang bang boogie..."

Quito olhava para mim divertidíssimo. Tentei não rir do meu *flow old-school* e continuei. "... não quis dizer que espanhóis fossem voar para Nova Iorque em busca dos Sugarhill Gang e as origens do hip-hop, certo?"

"Não é a mesma coisa, senhorita."

"Bem, não interessa. O que sei é que o 'Danza Kuduro' vendeu mais de um milhão de downloads só nos Estados Unidos, foi tema de filme e recebeu dezenas de remixes que contaram com a contribuição vocal de artistas como Pittbull, Akon, Daddy Yankee e Shakira."

"Ok", disse Quito, e levantou os braços, rendendo-se.

"E o mais engraçado ainda foi ver os artistas do universo da música popular de cá serem influenciados pelo Lucenzo. O Emanuel saiu-se com 'O Ritmo do Amor' (kuduro) e José Malhoa brindou-nos com o 'Morena do Kuduro'. Paciência." Quito olhou para mim abanando a cabeça, sem reconhecer nenhum dos nomes. "Não te preocupes, não perdes nada", garanti-lhe. Soltámos os dois uma valente gargalhada e algumas pessoas viraram-se, curiosas.

"É verdade, por causa do luso-francês não há festa popular ou bar de praia, da Costa da Caparica a Portimão, que não toque esse tal kuduro, que, a bem da verdade, não podia estar mais longe daquilo que chega dos bairros da periferia de Luanda. Depois um monte de espertinhos vêm mandar postas de pescada sobre o kuduro quando nem sabem qual é a capital de Angola", rematei.

"É, é muito mau", concordou Quito. "Eu também lamento. O Lucenzo foi o músico que melhor conseguiu capitalizar com o kuduro, ainda que com uma canção que de kuduro só tem mesmo o nome."

O DJ voltou à kizomba e os kuduristas abandonaram a pista, os casais retomaram as suas posições no tarraxo. E nós, num dos cantos da sala, continuámos no kuduro.

"Nada conseguiu vencer a apropriação e desvirtuação que Miami fez do kuduro. Podemos é dissertar sobre as várias razões que impedem os kuduristas angolanos de se afirmarem internacionalmente. Já cheguei a pensar que o impedimento estivesse na língua, mas depois vieram os Buraka, que contrariaram isso. O que me levou a concluir que talvez se deva começar por conhecer Luanda. Aprender a navegar a fronteira entre o gueto e a cidade, os lugares que inspiram essa música. Tal como o Rio de Janeiro. Antes de o visitar, ouvi histórias e canções, vi filmes, li livros. Apaixonei-me pela cidade e a cultura que ela produz, antes de pisar o seu chão. Não fui lá, mas ela é-me próxima."

"E isso não acontece com Luanda, é um facto. Não sabia nada sobre aquela cidade, sobre aquele país até vir para Lisboa trabalhar nesse documentário", insistiu Quito.

"É difícil entrar naquela cidade. Os vistos de turismo são difíceis, precisas de uma carta de chamada, extrato bancário e o diabo a quatro... Eu acho até que é mais difícil do que pedir vistos para Inglaterra." Quito riu-se, acenando, e acrescentei: "O Rio tem a sorte de, para além de uma enorme diáspora espalhada pelo mundo, ter quem a visite e promova os seus encantos".

"Mas isso pode vir a acontecer com Luanda, não?"

"É possível, mas algo me diz que quando isso acontecer o kuduro já vai ser história." Quito encolheu os ombros e eu voltei-me para os casais na pista. "A kizomba é alimento, Quito, mas o kuduro é o género musical que melhor espelha o rosto daquela urgência frenética, próspera, colorida, cobiçada, incompreendida e altamente contraditória da nova Angola."

Mar da palha

Saímos daquele primeiro andar era já quase dia. Entrámos no primeiro táxi que nos apareceu à frente e fomos parar aos pastéis de Belém. Como ainda estavam fechados, fomos espreitar os Jerónimos. As ruas estavam praticamente desertas, tirando os carros que subiam e desciam a avenida, as únicas almas vivas naquele canto da cidade eram os homens da recolha do lixo. Continuámos a caminhar e cruzámos o jardim da praça do Império, em direção ao monumento dos Navegantes, antes de mergulharmos na passagem de nível que liga a avenida da Índia à avenida Brasília. Parei para olhar para o Tejo perene. Não pude resistir a dizer: "O Rio que nos trouxe África". Ficámos em silêncio por alguns instantes.

"Mas os primeiros escravos não desembarcaram no Algarve?", perguntou ele. "Sim, em Lagos, mas eu sou lisboeta e não algarvia. Para mim, África chegou por este rio e desaguou nesta margem. É claro que já não é a mesma Lisboa, e ainda bem! Mas a cidade que celebro começou no momento em que os africanos desembarcaram neste Mar da Palha." Pisámos a rosa dos ventos diante do imponente Padrão dos Descobrimentos.

"Este é o local que marcou o início da nossa relação Brasil-Portugal", disse-lhe. "Então essa é a praia do Restelo, o local de onde partiram as treze caravelas de Pedro Álvares Cabral?", perguntou, com os olhos postos no rio Tejo. Apontei para a foz do rio e disse-lhe que o local exato era aquele. "Foi dali que partiram."

"Gostaste da noite?", perguntei, já um pouco cansada. "Nossa, Sofia, adorei! Muito mais do que poderia imaginar", respondeu. Perguntei o que pensava ele encontrar. Sorriu e deu-me o braço, onde voltei a entrelaçar o meu, como fizemos à saída dos fados. Um gesto repetido mas, tal como da primeira vez, surpreendeu-me como tudo em nós fluía. Não tive coragem de trocar por palavras, mas é assim que começam as longas amizades e os grandes amores. Talvez não me viesse a arrepender se partilhasse com ele algumas das coisas que passavam pela minha cabeça, pensei para mim, começando talvez com esse "início de uma longa amizade". Quando finalmente enchi o peito para lançar a primeira palavra, ele também o fez e as nossas duas palavras, o meu "sabes..." e o "hoje..." dele, se atropelaram por duas vezes, intercaladas com risos. Até que ele se ofereceu para que fosse eu a tomar a dianteira.

"Muito gentil da sua parte, sr. Quito Ribeiro", disse, ao mesmo tempo que lhe oferecia uma pequena vénia, curvando ligeiramente a cabeça.

"Eu insisto, por favor", disse-me.

Como senti que perdera o compasso, e com medo de tornar o momento constrangedor, corri para pescar outro assunto. Peguei o que pareceu mais profundo.

"Não te ensinei como se põe de lado, na kizomba, pois não?" Ele olhou para mim admirado. "Agora que saímos da discoteca é que você me pergunta isso?", e riu-se. Tinha toda a razão. A dança sempre foi a minha zona de conforto, mas a escolha de palavras não foi a mais acertada. A determinada altura lembrei-me disso, mas como acabámos por dançar apenas tarraxinha, acabámos por não ter oportunidade, expliquei-lhe e soltei-me. Puxei-lhe a mão e pousei o braço à volta dos seus ombros. "Não temos música, vais ter que a sentir."

E começámos com o passo básico. Fui-lhe dando indicações baixinho para que lhe fosse mais simples acompanhar os movimentos, mas sem tornar o momento numa aula de dança. Um, dois, três, quatro, passo em frente, cinco, seis, passo atrás, sete, oito. Saída para mulher, um, dois, rotação, três, quatro, passo da mulher, cinco e seis. Saída para o homem sete e oito. Os nossos joelhos chocaram. Ele parou, visivelmente envergonhado.

"Sinto-me completamente perdido, Sofia." Sorri, e ele insistiu. "Essa contagem, esses números, esses passos geométricos, soam-me a cálculos para o lançamento de foguete para o espaço. Podemos tentar sem números?"

Quando estava a aproximar-se de mim parou antes de pegar na minha mão. "Juro que vou falar só mais uma coisa e depois me calo. Temos muito ainda para dizer em silêncio um ao outro. Mas já te ocorreu que o Infante Dom Henrique pode ter sido o responsável pela invenção da kizomba? Se foi sob a sua tutela que em Lagos, em 1444, foram leiloados mais de duzentos homens, mulheres e crianças. Negros", disse, deixando-me confusa com a sua segunda frase. Recompus-me. "Eu não iria tão longe. A cerca de dez minutos a pé daqui dorme o homem que criou as condições para que a kizomba e todos seus parentes musicais se desenvolvessem da forma extraordinária como se desenvolveram. Chama-se Aníbal Cavaco Silva." Quito ficou perdido.

"O quê? O vosso Presidente da República?"

"Sim, ele mesmo", ri-me. "Eu e o Kalaf costumamos brincar com essa teoria. O fado da kizomba foi traçado no dia 5 de novembro de 1985. O dia em que ele chegou a primeiro-ministro. Foi do seu governo que saíram as políticas de eliminação das barracas e o consequente realojamento das famílias de baixa renda, muitos deles de origem africana, em bairros sociais.

Em simultâneo e em resultado da mesma política, começaram a crescer e a multiplicar-se os centros comerciais. Foi para um destes que eu fui trabalhar, eu que cresci num daqueles bairros sociais. Eu e muitos dos meus vizinhos, dos que tinham a minha idade. Foi por nos juntar a todos nos mesmos espaços que Cavaco Silva acabou por nos dar os ingredientes que nos faltavam para fazer da kizomba o género musical mais exportável. A kizomba será maior que o fado. Não creio que fosse esse o objetivo de Cavaco Silva. Não foi, certamente. Mas sobre o seu governo podemos dizer o mesmo que dizemos em relação a Pedro Álvares Cabral: ia a caminho da Índia e descobriu o Brasil. Ou mesmo o que dizemos em relação a Cristóvão Colombo, que morreu convencido de que tinha chegado ao Japão mas que "apena" descobriu a América.

Ele sorriu, esfregou as mãos e sacudiu os ombros para afastar o nervosismo. Fez-me sinal para que me chegasse mais perto. Não ofereci resistência. "Ouve a música que está dentro de ti. A kizomba não são os passos, é a alegria que te invade quando a danças." Respirou fundo e voltou a abraçar-me.

Senti-o mais leve. Um, dois, saída. Fizemos deslizar os pés sobre o mapa do mundo gravado no centro desta rosa dos ventos. Quando os nossos corpos voltaram a juntar-se, os lábios dele encontram os meus.

"Você é a alegria que me invade, Sofia. Soube disso desde que pousei os meus olhos nos seus."

parte III

Rygge, 9 de agosto de 2008

"There are two kinds of music. Good music, and the other kind."

Duke Ellington

15h02

Mari está de pé no escritório do inspetor-chefe, a observar os aviões a aproximarem-se da pista de aterragem do aeroporto de Rygge. Da minha secretária consigo ver os dois dentro daquele aquário, ela de costas para mim, ele com os olhos nas folhas do relatório que acabámos de redigir. No canto da janela aparece o Boeing 737 da Ryanair a tocar o solo, quase como se tivesse caído do nada.

Ela já não é jovem, e é difícil descrever a sua beleza exatamente. A curva do seu pescoço é bastante atraente e os seus olhos são despertos e amigáveis. Nunca se maquilha. Veste sempre *t-shirts* coladas ao corpo, como se comprasse de propósito um número abaixo do seu para revelar os músculos dos braços, que poderiam ser considerados pouco atraentes e pouco femininos, mas não sob o meu olhar. O rosto quase adolescente resgata toda a feminilidade que o seu corpo musculado tenta esconder.

O inspetor mexe os lábios, ela afasta-se da janela, volta-se para ele e profere algumas palavras. Não oiço o diálogo, mas consigo imaginar as falas de cada um. Já estive naquele lugar demasiadas vezes, sei de cor e salteado todas as frases desse guião. O inspetor vai começar por perguntar se o detido carregava consigo narcóticos. Ela vai responder que não. Ele vai de seguida perguntar se mostrou sinais de resistência. Ela vai responder novamente que não. Como o indivíduo alega ser de nacionalidade angolana, o inspetor-chefe irá estranhar esse facto. Eu também estranhei quando olhei para o passaporte caducado que ele apresentou quando o tirámos do autocarro. Imigrantes angolanos não vêm dar a estas bandas sem passaporte.

O chefe passa-lhe uma das páginas do relatório. Ela franze a testa ao ler o parágrafo. Fui eu que escrevi o relatório, mas o chefe preferiu que fosse ela a apresentá-lo, confia mais no julgamento dela do que no meu. Ele estica o braço apontando para as cadeiras no lado oposto da sua secretária. Ela olha para elas durante alguns segundos, sei o que ela está a pensar nesse momento. Aquelas são as cadeiras nas quais nenhum agente gosta de se sentar. Quando o inspetor te manda sentar numa delas, nunca sais daquele aquário com boas notícias. Antes de se sentar ela fuzilou-me com o olhar. Aquele olhar que diz "isto vai dar merda", e que devia ser eu a estar naquela cadeira. Até há um ano atrás era eu que apresentava os relatórios. Ela é uma mulher de ação, e dizia "tu é que tens jeito para a escrita". Tínhamos um pacto. Ela cobria-me quando eu chegava atrasado. Não sou de chegar tarde, mas de vez em quando gosto de sair para ouvir música e já me aconteceu não ouvir o despertador um par de vezes. Bem, mais do que um par de vezes. Para lhe agradecer todas as ocasiões em que me salvou ofereci-me para escrever os relatórios. Inclusive para os apresentar. Mas depois daquele incidente o inspetor passou a ter-me de baixo de olho, a desconfiar de tudo o que escrevo.

Há dois invernos atrás prendemos um grupo de imigrantes ilegais provenientes da Eritreia. Fizemos o que nos é ordenado. Se não apresentarem documentos, enviamos para o centro de detenção, nada de estranhar. O inspetor chamou-me para o aquário e fez-me sentar naquela mesma cadeira em que ela agora se encontra. Começou por perguntar se eu sabia que a miúda que estava com o tal grupo era menor. Disse que tinha perguntado e ela me tinha dito que tinha dezesseis anos, mas podia ser mentira. Ela não trazia nenhum documento que provasse a idade. Conheço bem os procedimentos a seguir, disse-lhe. Devemos enviar para os centros todos os requerentes de proteção internacional sujeitos aos procedimentos de Dublin, os requerentes de reagrupamento familiar rejeitados e ainda as pessoas detidas na fronteira, para impedir a sua entrada ilegal. O inspetor irritou-se, disse que não precisava de uma lição sobre as leis de imigração do país. E foi aí que se levantou, dirigiu-se à janela, viu um Boeing da Norwegian a levantar voo e disse que a miúda da Eritreia se tinha suicidado. Estava grávida, disse. O relatório da autópsia estava na secretária. Disse ainda que haveria uma investigação interna. Mandou-me para casa naquela tarde. Quando ela me viu sair do aquário, recolher o casaco e o meu termo de café, pensou que estaríamos a ser enviados para uma missão. Não lhe disse uma única palavra.

Nos dias que se seguiram àquela conversa com o inspetor tive um sonho que se repetiu durante semanas a fio. Sonhei com a jovem eritreia. Aparecia-me a repetir a mesma canção que cantou nas horas em que esteve detida nessa esquadra. Na mesma cela em que agora estava o angolano. Uma canção triste, na língua dela, que se me entranhou na pele, debaixo das unhas e por entre os cabelos. Na investigação interna não se apurou a culpa de ninguém. Nem dos guardas, nem dos assistentes do serviço de asilo, nem minha. Não podíamos prever aquele desfecho. Talvez se deva enviar psicólogos para a linha da frente. Pessoas mais sensíveis para fazer o serviço sujo de caçar os ilegais que tentam atravessar as nossas fronteiras.

Ainda hoje oiço a voz daquela miúda e aquela canção, a mesma canção. Pensei em visitar um psicólogo, mas tive medo de que me diagnosticassem algo que me impossibilitasse de fazer o meu trabalho. Eu gosto de ser polícia, venho de uma família de polícias. O meu avô, o meu pai, os meus irmãos, todos vestiram o uniforme antes de mim. Eu adoro esta merda. Menos o café. De resto, adoro tudo. Até escrever relatórios.

15h08

Para compreender as coisas é preciso saber falar sozinho.

Os dias que se seguiram aos tumultos no centro de refugiados foram passados num silêncio absoluto. Fechei-me em casa e desliguei o telefone. Passava o tempo a ver pela minha janela um velho carvalho a perder todas as suas folhas à medida que os termómetros em Oslo desciam drasticamente para níveis glaciares. Ficava ali a apreciar a luz do sol a fugir e a brincar de esconde-esconde, vendo a noite chegar de repente, sempre mais cedo do que no dia anterior. E mesmo quando chovia a luz não se dignava a sair de cena, ficando enquanto houvesse nuvens para a aconchegar. Como senti falta do trabalho, pensei que fosse enlouquecer de tédio. Nunca pensei que fosse dizer isso, mas senti até falta daquela água intragável que é servida na esquadra e que alguém com um sentido de humor distorcido decidiu chamar de café. Quando me fartava da janela ligava a televisão. As mesmas caras, as mesmas notícias – refugiados, refugiados... Sempre que rebenta um conflito num canto qualquer do planeta, no espaço de duas a três semanas já os temos a saltar as nossas fronteiras. Pelas notícias sei quem virá. Iraque, Rússia, Congo, Eritreia.

Quando me chegam às mãos apetece-me esclarecê-los, dizer-lhes que mais de metade vai ser mandada de volta. De qualquer forma, vale a pena o risco quando o lugar para onde têm que regressar não é opção. Sei que muitos vão cair na tentação de fugir para outro país, mas não o façam, apetece-me dizer-lhes. A primeira coisa que vamos fazer será recolher as vossas impressões digitais, e com elas podemos seguir-vos o rasto e saber quando tentam pedir asilo noutro país europeu. E vão mentir nas entrevistas, dizer que é a primeira vez que estão a fazer o pedido. Mentem sempre. Os requerentes de asilo não percebem que só o podem pedir uma vez.

O nosso sistema está interligado. Nem sempre funciona bem, é certo, mas quando funciona são mandados de volta para o país onde requereram asilo pela primeira vez. Quando isso acontece, perdem as possibilidades de ficar, são imediatamente repatriados. O que os requerentes de asilo normalmente também não sabem é que, mesmo quando lhes é concedido asilo, ainda podem ser enviados para casa a qualquer momento, uma vez que a situação no seu país de origem se normalize, tal como aconteceu com os refugiados vítimas da guerra do Kosovo.

Cansa-me ouvir esses comentadores de gravata e suas estatísticas entediantes. Sempre a mesma ladainha. Mil e trezentos refugiados foram aceites para "instalação" na Noruega em 2007. E de quem é a culpa? Nossa! Nós, os polícias, é que os deixamos entrar. A ação afirmativa moderada para os imigrantes que se candidatam a cargos de administração pública será testada num projeto-piloto de dois anos, a partir de 2008. Isto significa que, se os candidatos têm qualificações iguais ou próximas, um candidato imigrante deve ser prioritário. E de quem é a culpa? Da polícia que os deixa entrar. Um total de duzentos e vinte e três candidatos imigrantes foram eleitos para cargos municipais. Entre eles, cento e quarenta têm origem na Ásia, África e América Latina. Oitocentos e vinte e cinco milhões e setecentos mil de coroas norueguesas serão destinados ao programa de apoio e integração dos imigrantes e das suas famílias. E para quem apontam os dedos suaves e delicados, arranjados por manicures asiáticas? Para a polícia. Todas as sociedades, mesmo a mais civilizada ou a mais próspera, abrigam todo o tipo de sujeitos e todo o tipo de dogmas. Existem santos e canalhas, hereges e beatos, honra e perversão, compaixão e cinismo. Todo o tipo de caráter, incluindo aquele sujeito que todo o primeiro-mundista se recusa a admitir que existe: o racista alfabetizado. Uma figura inconveniente que se esconde nas saias da tradição, sempre que lhe faltam argumentos para justificar a sua idiotice. Querem mais restrição, leis mais duras e uma mão mais pesada para as aplicar. As notícias cansam-me. Depois de duas ou mais voltas a saltitar de canal em canal, lá voltava para a janela, para encontrar tudo no mesmo lugar. Ao fim de uma semana disto, e quando finalmente esgotei os assuntos para manter um tête-à-tête saudável com os meus próprios botões, saí de casa.

Peguei no carro e rolei pela cidade sem nenhum destino específico. Quando dei por mim estava em frente da porta dos meus pais. Sabia que eles não estavam em casa. Nessa altura do ano gostam de ir molhar os pés no mar morno que banha as praias de Palma de Maiorca. Mas, como mantenho comigo a chave de casa, saí do carro e fui visitar o meu antigo quarto. Estava vazio, havia muito tempo que a minha mãe o tinha esvaziado para fazer lá as suas aulas de pilates. Fui até à garagem e encontrei o meu quarto dentro de meia dúzia de caixotes de cartão. Abri o que estava mais próximo, cheio de livros do tempo em que estudava para o exame de detetive. Pus-me a vasculhar, procurando dentro daquelas páginas a resposta para o porquê de sentir que tinha desistido de perseguir aquele sonho. Fechei-o. No fundo, sabia a resposta, além de que não estava ali para visitar frustrações antigas. Abri uma segunda caixa e lá estavam os meus CDs antigos. A minha coleção de hip-hop, *The Main Ingredient* do Pete Rock & CL Smooth, *Lyricist Lounge, Volume One*, *People's Instinctive Travels and the Paths of Rhythm* dos A Tribe Called Quest, o meu *Reasonable Doubt*. Todos ali intactos como os tinha deixado quando saí de casa, ou melhor, quando bati com a porta depois de gritar ao meu pai que não queria ser como ele. Que não precisava de ser detetive para ser um bom polícia como ele, e depois dele o meu irmão. Estava cansado que me dissessem o que tinha que ser. Já tinha passado a academia, ele que se desse por satisfeito. Naquela altura pensei que nunca iria vestir um uniforme. Rebeldia de juventude? Com certeza. A minha mãe ainda me perguntou o que fazer com as minhas coisas quando me falou dos planos de requalificar o meu quarto. Disse-lhe que as queimasse. Quando penso nisso não sei se choro ou rio. No primeiro ano fora de casa viajei, fui para a Ásia de mochila às costas. Primeiro para a Tailândia, onde vivi seis meses de calções, chinelos e sem camisa. Depois segui um grupo de australianos, estudantes de final de curso em busca de uma última aventura antes da inevitabilidade de terem que virar adultos. Segui-os pela Malásia fora. Visitámos o Laos e o Vietname. Quando eles se cansaram e voltaram para casa, segui-lhes o exemplo e voltei para Oslo, mas não para casa dos meus pais. Fui primeiro parar ao sofá do meu irmão, e depois para casa de uma namorada. Como ela era *bartender* arranjou-me trabalho como segurança na discoteca onde trabalhava. A relação não durou muito tempo. Vivíamos como dois vampiros, dormíamos o dia todo e de noite trabalhávamos. Não demorou que nos fartássemos um do outro. Aprendi a lição: não dormir com colegas de trabalho. Voltei para o sofá do meu irmão e um dia acordei e tinha os papéis para me alistar na polícia de imigração. Não precisei de muito tempo. Depois de um café e duas voltas a correr pelo parque, rotina que tentei adotar para desintoxicar-me dos meses de vida noturna, assinei os papéis e meti-os no correio. E em breve era chamado para dentro daquele aquário e passei a sentar o meu rabo naquela mesma cadeira a ouvir histórias do inspetor no tempo em que era *rookie* na academia, no último ano de curso do meu pai. Aparentemente o meu pai fora uma espécie de mentor para ele e agora ele fazia questão de me acolher e retribuir o favor. Só pensava para mim, "eu não pedi esta merda", mas precisava de endireitar a minha vida. Talvez seja mesmo como dizem, a maçã não cai muito longe da árvore. É claro que não disse nada ao inspetor.

Uma semana depois estava na rua com uma pistola e um crachá ao pescoço. Na minha mente os versos do Jay-Z em "D'evils":

Nine to five is how you survive,
I ain't trying to survive,
I'm tryna live it to the limit and love it a lot.

15h23

O meu primeiro dia de trabalho foi um sábado. Era ainda praticamente noite quando descemos para o Holmlia, um bairro de imigrantes em Oslo. O meu chefe de patrulha disse que os fins de semana são os melhores dias para os apanharmos desprevenidos, e não precisamos de nos preocupar com os advogados deles, pois estes só trabalham de segunda a sexta. Não teremos nenhum a ligar-nos para a esquadra a pedir que os soltemos alegando esta ou aquela resolução das Nações Unidas. E as primeiras horas da manhã são melhores ainda porque podemos surpreendê-los ainda no sono. Espalhamo-nos pelo bairro e vamos batendo de porta em porta. Duas batidas violentas, seguido-se anúncio "polícia de imigração". Esperamos um segundo. Se não ouvimos uma única palavra arrombamos a porta a pontapé e arrancamo-los da cama. Algemamos os que se encontram em situação ilegal e atiramo-los para dentro do carro. Naquele primeiro dia apanhámos trinta deles, na maioria iraquianos e turcos. A ação fez os meus níveis de adrenalina subirem aos píncaros. Nunca imaginei que me fosse sentir tão bem. Senti-me útil, talvez pela primeira vez. Não consegui conter a sensação e partilhei-a com o chefe de patrulha quando regressávamos à esquadra. Ele limitou-se a sorrir e não me disse uma única palavra durante aquele trajeto. Estava a avaliar o meu comportamento. Sei disso porque o inspetor, quando me apanhou na semana seguinte, fez referência ao meu empenho em campo e repetiu o que eu dissera ao chefe de patrulha. Primeiro estranhei, o norueguês típico não é de dar conversa de chacha. Ao longo dos séculos, durante os meses rigorosos de inverno, os noruegueses desenvolveram o hábito de passar pelo outro na rua sem uma única troca de olhares. Para os não-noruegueses isso pode parecer rude, mas na verdade é o nosso sentido prático a falar mais alto. Quando os termómetros atingem temperaturas negativas, a tolerância para conversas de circunstância desaparece. Rude e inconveniente é sermos obrigados a apertar as mãos com luvas térmicas e limitar a comunicação a um acenar da cabeça, já que o sorriso com que brindamos quem nos cumprimenta se esconde por trás de um cachecol de lã. Desta forma todos os súbditos do rei Haroldo V concordaram coletivamente que a melhor maneira de lidar com a situação seria restringir saudações desnecessárias para depois do degelo.

Enquanto outros povos têm o hábito de se saudarem efusivamente sempre que se encontram na rua, a nossa interação se limita a um "Hei! Foi bom ver-te ontem, obrigado!". Curto, simples e direto ao ponto. Os noruegueses são um povo de poucas palavras que significam muito. Levou-me cerca de quatro semanas até ter algo que se pudesse chamar de diálogo com o meu chefe de patrulha, e o assunto, como seria de esperar, estava relacionado com o trabalho. Aconteceu certa vez, quando regressávamos de mais uma ronda de fim de semana. Alguma coisa o perturbava. Até que desabafou dizendo que cerca de quarenta por cento daqueles imigrantes que apanhámos iam ter asilo ou autorizações de residência por motivos humanitários, e não escondeu quanto isso o incomodava.

"De todos os crimes cometidos na Noruega em que são recolhidas impressões digitais, dez por cento foram cometidos por requerentes de asilo. Um número surpreendente, uma vez que os requerentes de asilo representam apenas 0,3 por cento da população. Dos mil e trinta e nove novos inscritos no registo criminal em janeiro, cento e treze eram requerentes de asilo, nove dos quais tinham dado uma identidade diferente da utilizada para pedir asilo quando detidos. Este ano, tudo indica que vai crescer o número de requerentes. Em 2007 foram cerca de oito mil e este ano vamos chegar aos catorze mil. E não é que podemos livrar-nos deles imediatamente? Dos cerca de três mil que deportamos, sabes quantos saíram voluntariamente?" Respondi-lhe que não. "Menos de dois por cento", disse.

"Para que o seu país de origem aceite o regresso as autoridades norueguesas devem ser capazes de produzir a identidade correta do repatriado, e, se ele ou ela se recusar a cooperar, é quase impossível conseguir isso. Além disso, mesmo se a identidade correta é estabelecida, essa identidade deve ser confirmada pelo país de origem, algo que é muitas vezes difícil e leva sempre muito tempo. Os números estão ali para que todos os vejam, acrescentou. Mais de noventa e cinco por cento não dispõem de documentos adequados quando se apresentam à polícia. Os números estão a crescer a uma velocidade assustadora. Por isso fizemos acordos para termos acesso ao Eurodac, a base de dados que regista as impressões digitais de todos os requerentes de asilo que entram no espaço Schengen. Eles apareciam com os dedos em ferida. Usam abrasivos para arruinar as impressões digitais, mas não caímos nessa. Prendíamos todos e esperávamos que as feridas sarassem, o que levava cerca de cinco a seis semanas. Mas tinha que ser, porque não é só o problema de crimes relacionados com drogas. O número de crimes sexuais está a aumentar. Temos que os vigiar. O regulamento de Dublin diz que devemos tirar as impressões apenas dos maiores de catorze anos, mas por mim devíamos começar mais cedo."

15h31

A primeira vez que tive que lidar com a morte foi há cerca de dois anos, quando o meu avô paterno faleceu. Estava a preparar-me para começar o serviço na porta do bar quando recebi um telefonema do meu irmão. Como é hábito, não disse nenhuma palavra de saudação e foi direto ao assunto: "O avô morreu". Bem típico dele. Só que desta vez a sua voz era pausada. Aquelas três palavras curtas pareceram-me bem mais longas, tal a forma arrastada com que ele mas entregou. O meu avô vivia sozinho, a minha avó morreu quando eu tinha sete anos, guardo uma vaga lembrança desse dia. O meu avô, igual a si mesmo, não verteu uma única lágrima, desabafou a minha mãe com as cunhadas na cozinha. E elas acompanhavam os seus movimentos à espera do momento em que este iria quebrar, mas ele nunca quebrou. Recebeu as condolências hirto como numa receção a um chefe de Estado. Não fui ao cemitério, a minha mãe disse que não era lugar para crianças, talvez temesse que ao ver o caixão da minha avó a descer para a terra o meu avô fizesse um escândalo. Não fez. Ele amava a mulher, mas estava familiarizado demais com a morte para ser afetado por ela. Mais de quarenta anos de carreira de detetive fez-lhe isso. Secou-lhe as lágrimas e a capacidade de se emocionar diante da morte. Não chorou, mas também não voltou a sorrir. Foram raras as vezes que o vi a sorrir, a dar uma gargalhada solta e feliz, como aquelas que a minha mãe dizia que ele dava quando a minha avó era viva.

O meu irmão apanhou-me no dia seguinte àquele telefonema e fomos até Kristiansund para o funeral. Saímos de Oslo cedo. Por volta das seis da manhã já estávamos na autoestrada. Os meus pais tinham ido imediatamente depois de receberem a notícia. O meu irmão, que adora conduzir, escolhera sair àquelas horas da madrugada porque sabia que teríamos a estrada praticamente só para nós. Escolheu o disco *People's Instinctive Travels and the Paths of Rhythm*, dos A Tribe Called Quest (banda favorita dele), e viajámos via Atlanterhavsveien. "Não há como viajar para o norte e não cruzarmos a ponte Storseisundbrua", costumava dizer ele. E tinha razão. Não há caminho mais bonito do que aquele ziguezague de estrada através de oito pontes baixas que quase roçam o mar, viadutos e causeways que ligam o conjunto de escolhos e ilhas entre Molde e a costa oeste de Nordmøre. Quando atravessamos Hustadvika, não há como não sentir um arrepio na espinha. É o trecho de oceano que carrega o título de uma das passagens marítimas mais perigosas do mundo. Nos dias de tempestade os carros são sacudidos pelas ondas violentas que rebentam sobre a estrada. Quando éramos miúdos, nas férias de escola, implorávamos para que o nosso avô nos levasse a ver as ondas. Ele também gostava de sentir o carro a abanar por todo o lado com aquelas chapadas de água. Era aqui que ele nos surprendia com os seus lábios rasgarem-se para um sorriso, leve, tímido, mas ainda assim um sorriso. Quando tínhamos sorte, nos dias mais calmos conseguíamos ver baleias e focas naquelas águas. Aquelas lembranças humedeceram-me os olhos, que, pela hora e a noite anterior muito mal dormida, estavam ocultados pelas lentes escuras dos meus Ray-Ban. Senti saudade do meu avô.

"Não quero deixar-te sem companhia, vou tentar a todo o custo manter-me acordado", disse ao meu irmão, que me respondeu, mais bem-disposto do que no telefonema do dia anterior, que não me preocupasse, pois tinha o Q-tip, o Ali Shaheed e o Phife Dawg. Rematei com uma súplica: "Ok, acorda-me antes de chegarmos a Hustadvika por amor de Deus".

O corpo do meu avô já estava no caixão de carvalho, vestido com o seu velho uniforme. Os olhos fechados, as mãos juntas, sobre elas a mão do meu pai, silenciosa como o resto do corpo. Não lhe notei nenhum movimento, nem sequer o pulsar do corpo inspirando e expirando. Voltei a olhar para aquelas mãos. Como elas se pareciam com as minhas, dedos longos e ossudos e o pulso fino, destacando-se do punho da camisa! Vi o meu pai naquela posição, vestindo um preto fúnebre, os ombros curvados e o rosto pálido, quase de mármore. Os olhos, ainda secos, traziam as pupilas dilatadas, tal qual duas boias azuis, flutuando à deriva sobre uma esclera de águas avermelhadas. Se lhes escorressem as lágrimas, é possível que lhe saíssem tão salgadas quanto as águas do lago Natron, na Tanzânia. Nunca vi o meu pai chorar, ocorreu-me. O mais estranho é que aqueles olhos avermelhados não eram sequer a prova de que tivesse chorado antes de ter ali chegado. Podia muito bem ser o resultado de uma ou mais noites passadas em claro. Custou-me vê-lo ali frágil, bem mais velho do que me lembrava que ele era. Vi-me no seu rosto, e o rosto dele no rosto daquele corpo sem vida, pai dele, meu avô. Nunca como naquele instante me senti tão perto daqueles dois homens.

Estava em silêncio. Quando nos aproximámos, ele voltou-se para nós e abraçou o meu irmão por alguns segundos. Depois virou-se para mim. Tinha a fronte franzida, as sobrancelhas erguidas como duas partes de uma ponte que se abre para a passagem de um navio. As rugas e a palidez tornavam ainda mais grave a melancolia que tomara conta do seu rosto. Não trocámos uma palavra. Abraçámo-nos por um longo minuto, talvez mais, até que a minha mãe entrou na sala sem que tivéssemos dado por ela. Tinha a cara afogada no ombro do meu pai, lugar que há muito eu não visitava. Tanto que não me lembrava de quando tinha sido a última vez que nos abraçámos daquela forma.

Da minha mãe ouvi a voz primeiro, depois senti a sua mão sobre as minhas costas. "Eles agora estão juntos", disse, juntando-se ao meu irmão, que tinha o rosto coberto de lágrimas mas não emitia nenhum som de choro. "Queres dizer algumas palavras na igreja?", perguntou-me, e eu disse que sim. Ela sempre elogiou o meu talento para as palavras, e o meu pai e o meu irmão também preferiam que fosse eu a subir ao púlpito da Kirkelandet Church. Sempre me consideraram o mais eloquente da família. A cidade viria toda em peso dizer o último adeus ao meu avô, que serviu a cidade de Kristiansund de forma dedicada, primeiro como inspetor de polícia e, depois de reformado, nas diversas atividades culturais da cidade. Não perdia uma ida à ópera. Curiosamente, quando a minha avó estava viva, ele arranjava sempre uma desculpa para não ter que ir. A minha avó dizia, "temos que manter a tradição. Aquela é a ópera mais antiga do país".

O serviço fúnebre foi um carrossel de emoções. Depois de o padre ter lido algumas passagens da Bíblia e o coro entoado um dos cânticos, subi ao púlpito. Tirei do bolso a folha com algumas notas registadas à pressa, apenas para me servirem de guia. Dei um toque no microfone, limpei a garganta e olhei para aquela multidão que lotava a casa de Deus que Odd Østbye desenhou em 1964 – um dos edifícios mais ousados da nossa arquitetura e que rompe completamente com o que conhecemos das igrejas tradicionais, um autêntico poema de betão que se inspirou no quartzo rosa, e cuja metáfora aponta para a ideia de uma igreja brilhando como uma pedra cintilante entre as rosas. Novecentas pessoas, e todas em silêncio absoluto, à espera. Pessoas que conheciam o meu avô melhor do que eu. Colegas, amigos, vizinhos, família, e aqueles que não o conheciam mas cujas vidas devem ter sido de alguma forma afetadas por ele. De outra forma, por que razão sairiam de suas casas, se vestiriam de negro e se sentariam numa igreja?

"Para os que conheciam Sigurd, meu avô", comecei, "perdoem-me, mas não é a vocês que me dirijo. Eu queria falar aos que nunca tiveram a oportunidade de o conhecer intimamente. Era para os que o conheciam e lamentaram que o sorriso dele tenha sido enterrado com a minha avó. Queria que soubessem que o avistámos variadíssimas vezes ao longo da nossa adolescência quando implorávamos que nos levasse para ver o mar na estrada do Atlântico." Aquelas notas não me serviram de nada. De início a língua pesava-me, mas, depois de partilhar uma das piadas favoritas do meu avô e conseguir arrancar o riso nos presentes, tudo fluiu.

Depois de termos voltado para casa serviram vinho. Optei por café. Se bebesse álcool corria sérios riscos de desmaiar no meio da sala. O meu pai puxou-me para um canto e agradeceu-me. Era a primeira vez que conversávamos a sós depois de eu ter saído de casa. Foi a primeira vez que reconhecemos que sentíamos falta um do outro, e que aquilo que tinha sido dito já não era relevante. Eu não me esqueci daquilo que o meu pai me disse, mas fizemos as pazes e soube-me muito bem. A minha mãe, que muito sofreu nestes últimos dois anos em que não nos falámos, estava feliz por nos ver a fumar o cachimbo da paz. Ela, teimosa, sempre fez questão de que nos sentássemos à mesa uma vez por mês, mesmo que a conversa entre mim e o meu pai não fosse nunca mais do que um "passa-me o sal", na maioria das vezes sem remetente claro.

O sabor do café na minha língua acordou o desejo de um cigarro, hábito que tentava há muito cortar, mas que por causa da noite mal dormida estava a ser mais difícil do que imaginei. A minha estratégia foi não fumar durante o dia e, para me manter na linha, deixava os maços de cigarros no cacifo do bar.

Saí para o quintal na esperança de ver alguém com um cigarro aceso, o mesmo quintal onde comecei a dar as primeiras baforadas às escondidas, eu, o meu irmão e a filha dos vizinhos, um casal de imigrantes libaneses chegados ali nos anos 1960. Ela, que durante boa parte da minha infância foi a minha parceira na maior parte das primeiras descobertas da puerícia. Na cerca que separa os dois quintais estava um grupo de homens de terceira idade, antigos colegas do meu avô, agora na reforma, já sem vícios, pelo menos daqueles que lhes diminuíam os anos de vida. Ainda estão lá os nossos nomes inscritos. Igor, Eyvind e Ava, assim por essa ordem, a nossa sequência de idades, sobre a frase "verão de 1986". E foi aí que senti o cheiro do tabaco. Virei-me e lá estava ela, Ava, a vizinha, a minha primeira paixão de infância. O meu primeiro beijo, dado naquele mesmo quintal, naqueles lábios de que pendia a ponta do cigarro que eu procurava. Os lábios da descoberta da minha sexualidade, do amor, embora naquela altura não soubesse nada sobre o assunto e tivesse demorado anos a perceber que Ava Hajjar foi o meu primeiro amor.

Não foi muito longe daqui que perdemos as nossas virgindades, dois verões depois de termos imortalizado os nossos nomes naquela cerca. Foi no outro lado, no quarto com um póster da capa do Idlewild dos Everything But the Girl. Tracey Thorn e Ben Watt, que segurava um ramo de flores, apareciam a sorrir para nós, com um olhar de aprovação em relação ao que estávamos prestes a fazer. A cama dela, lembro-me, estava cheia de almofadas. Eu nunca vira uma cama com tantas almofadas. O meu irmão, os meus avós e os pais dela tinham ido ver o jogo do Kristiansund FK contra o Clausenengen FK, antes de os dois clubes se fundirem e criarem o Kristiansund BK, em 2003. Eu tinha ficado para trás porque tinha feito uma asneira qualquer, já não me recordo, e os meus avós puseram-me de castigo. Também não me lembro por que razão ela tinha ficado em casa sozinha. Ouvi-a chamar por mim da janela do seu quarto, que dava para o meu, com a mesma voz que agora me felicitava pelo elogio fúnebre.

"Não sabia que estarias aqui, de volta a Kristiansund", disse-lhe.

"Estás igual. Quando foi a última vez que nos vimos?", perguntou-me.

"Há quinze anos." Ficámos os dois a refletir no significado daquele número, como se aqueles fossem os quinze anos de outras pessoas, admirados com tudo o que cada um viveu sem partilhar nada com o outro. Como o tempo lhe caía bem. Estava tão bonita. Guardou da miúda de quinze anos a mesma figura esguia, de pele oliva, cuja tez dourada sempre associei à areia que encontramos nas praias do Mediterrâneo. Não conheço a costa do Líbano, mas acredito que não difere muito das praias gregas ou do sul de Itália. O cabelo era o mesmo, profundamente negro e longo. A única diferença é que, ao invés de o amarrar no velho rabo-de-cavalo, agora deixava-o tombar solto sobre os ombros. Os olhos, talvez pelo contorno do lápis preto a demarcar a linha d'água e os longos cílios que coavam a luz, deixavam um rendilhado de sombras sobre as pálpebras. Aquelas duas íris eram bem mais avelã do que as que me visitavam em sonhos. Como chegámos até aqui? Como passou tanto tempo sem que nenhum de nós se apercebesse?

Pedi-lhe um cigarro e ela passou-me o que tinha na boca, encolhendo os ombros, indicando que aquele era o último. Lembro-me da última vez que nos vimos. Foi no mesmo ano em que Jay-Z lançou o *Vol. 2... Hard Knock Life*. Lembro-me desse disco não porque tenha servido de banda sonora do nosso verão. A Ava nunca gostou muito de rap, e lembro-me que passávamos tardes inteiras a tentar evangelizar-nos, eu com a palavra de Hova e ela a tentar impingir-me o *System of a Down*, disco homónimo da banda de origem arménia que no início daquele ano de 1998 tinha sido produzido pelo icónico Rick Rubin. Só por isso os tolerei. Rock nunca foi a minha praia. Mas outra coisa me chamou a atenção naquele quarto, a mão sépia sobre um fundo negro que compunha o design da capa que substitui o poster dos Everything But the Girl na parede. O olhar e sorriso complacente da dupla EBTG estavam agora em falta, e no lugar deles uma mão com os dedos espaçados, que tanto podia estar a querer agarrar ou a desistir de algo. Em qualquer das opções parecia uma mão desesperada, pedindo que parássemos o que estávamos prestes a fazer naquela cama. Não parámos.

"Os teus pais?", perguntei-lhe, e ela contou-me que se tinham reformado há cinco anos e decidiram mudar-se para Beirute. A decisão surpreendeu-me e rapidamente lhe perguntei por quê. Ava limitou-se a olhar para mim, tirou o cigarro dos meus dedos, levou-o à boca, puxou o fumo e devolveu-mo. Eu repeti o mesmo movimento e, enquanto dava baforadas com aquela ponta de cigarro, tentava perceber por que não demos certo, e, não indo tão longe, por que não mantivemos contacto. As nossas despedidas nunca eram verbais, tínhamos um código. Na última noite das férias de verão, quando os pais dela estavam a dormir, ela apagava e acendia a luz do quarto três vezes e deixava a janela aberta. Quando do meu lado a costa estivesse desimpedida, lá ia eu passo a passo, tentando não fazer barulho. Num impulso só pulava para a janela e aterrava nos braços dela. Foi assim até ela começar a namorar, algo que eu não esperava, confesso. Durante o ano era um *radio silence* sem nenhuma promessa de espera e, mesmo que a houvesse, como iriam dois adolescentes manter um romance à distância? No primeiro verão ainda fiquei atento à janela dela, na esperança de ver aquela luz piscar três vezes. Não piscou. No verão seguinte a mesma coisa, com a diferença de que era outro o rapaz com quem ela se passeava de mãos dadas pelo Forte de Kvalvik, o nosso lugar favorito, palco de jogos e brincadeiras sem fim. As minhas memórias favoritas têm aquele monte como cenário, primeiro pelos artefactos da Segunda Guerra Mundial que lá continuam praticamente intactos, pelos túneis e *bunkers* escuros que explorávamos com as nossas lanternas de bolso, completamente alheios ao peso histórico que aquele lugar representava. Só anos mais tarde, quando eu já tinha deixado de passar os meus verões em Kristiansund, é que vim a saber que o forte foi construído por prisioneiros de guerra russos em 1943, durante a ocupação alemã da região. Escolheram aquele lugar como ponto estratégico para acompanhar os movimentos marítimos na zona. E, em segundo lugar, quando nos tornámos demasiado cool para brincar aos salteadores da arca perdida, aquele forte continuou a ser o nosso lugar favorito para fumar umas ganzas e contemplar os fiordes.

Durante aqueles dois verões em que ela se tornou namorada de outros, a nossa amizade oscilava como o tempo em Kristiansund. No mesmo dia tanto podia estar trinta graus como de repente baixar para dez. Era impossível prever fosse o que fosse. E não era só ela. Deixámos de ter paciência um para o outro, e, para evitar a desilusão de a ver com outro, passei a recusar sair de Kristiansund no verão. Os meus pais não desconfiaram e culparam suingues hormonais típicos do final da adolescência e deixaram-me em paz. Talvez se eles tivessem insistido, mesmo a contragosto, eu iria. Quem sabe ao ver a Ava com um desses parvos que não sabem nada de nada eu ganharia coragem para pegar num daqueles canhões do exército de Hitler, abrir a culatra, depositar lá dentro o meu coração, apontar para ela e disparar. E que tudo se fodesse. Não aconteceu. Pelo menos não esse tipo de explosão. O que veio a acontecer anos depois, no verão, antes de entrar para a faculdade, foi que me vi mais uma vez de regresso a Kristiansund para a celebração dos oitenta anos do meu avô, uma festa surpresa. O meu avô continuou a esconder os dentes, mas os olhos mostravam que estava feliz. Não pelos oitenta anos (ele fez questão de lembrar a toda gente que a última vez que tinha celebrado um aniversário fora no ano em que diagnosticaram o cancro da sua esposa. Deixou de celebrar porque não queria contar os anos que viveria sem ela). Se nos tivesse visto chegar teria corrido connosco a tiro. Mas, como não teve escolha, e provavelmente aquela seria a última vez que veria muitas daquelas pessoas que viajaram de longe para estarem presentes, não iria mandar ninguém de volta sem pelo menos molhar a garganta. Não foi bem festejar. Foi mais estar "estar", bem-estar. E como se bebeu naquela noite! O primeiro a abandonar o quintal foi o próprio aniversariante e a multidão sénior. Depois os meus pais, os pais da Ava, seguindo-se os mais jovens, incluindo o meu irmão. Ficámos apenas os dois, como sempre os mais resistentes lá do bairro. Tínhamos essa fama. Quanto todos cediam ao cansaço, nós os dois ficávamos sempre até mais tarde a jogar conversa fora. E mais uma vez ali estávamos. Em silêncio. Um silêncio que se prolongou até à sua casa, entrou connosco no quarto, descalçou os sapatos, sentou-se na cama, olhou para o teto, pousou sobre as nossas mãos que se tocaram, encostou-se aos nossos lábios, que se beijaram enquanto tirávamos a roupa, primeiro a dela e depois a minha, com a lentidão e a fluidez de um mestre de tai-chi, tudo para que ninguém nos ouvisse.

Era quase dia quando aquele nosso silêncio foi quebrado. "A rapidez com que tudo aconteceu a noite passada não deixa de surpreender-me", disse ela, enquanto se recostava, dobrando a almofada em dois à procura da forma mais confortável para estar e se expressar. Eu queria levantar-me, evitar ser surpreendido pela família dela. Pensei em sugerir sairmos da cama para enfrentarmos o dia, que me parecia bonito, olhando para a luz que espreitava da ranhura deixada entre as cortinas mal fechadas. Mas algo me dizia para estar calado. Evitei qualquer movimento mais brusco e deixei-me estar. Não consegui evitar sentir-me patético, mas não queria parecer insensível, mesmo que nada me garantisse que viveríamos outro amanhecer como aquele.

Estava ali porque queria, é verdade. Mas o constante duelo entre o nosso ser masculino e o que há de feminino em nós condiciona em muito a forma como lidamos com factos concretos.

A rapariga gostou do rapaz, e vice-versa. A rapariga afirma que o que se passou naquela noite foi um momento de fraqueza. E o rapaz afunda-se na almofada com a sensação de estar a ler novamente o único livro que conseguiu salvar quando naufragou numa ilha deserta.

Eu não sabia como, mas sempre ouvi dizer que temos de aprender a mostrar as nossas emoções, ainda que isto não se traduza em nada mais do que nos deixarmos ficar em estado semi-imóvel, mas alerta (não vá alguma palavra escapar-se-nos e pôr em perigo tudo aquilo que nos levou tempo a conquistar). O modo como lidamos com sentimentos depois de uma noite de sexo pode ter o efeito contrário ao desejado. Sabia que a forma como me expressei durante aqueles anos carregava uma certa ambiguidade que permitia que fossem tiradas múltiplas conclusões e suposições que depois me colocavam em situações delicadas. Podemos sempre reconhecer que foi um erro, afastando-nos e deixando que o tempo se encarregue de apagar essa memória indesejada. O pior é fazê-lo. Pensava sobre isso e só me apetecia soltar uma gargalhada, mas sabia que seria pouco prudente. Até hoje continuo a não perceber por que sou atropelado por ataques de riso nestas situações delicadas em que uso a razão como muleta. Contenho-me e sobrevivo, afinal também sei ser defensivo, e não deixo de ter uma opinião sobre o assunto, aliás duas, o ponto de vista e a sua crítica, cuja objetividade pode variar. Tento ver o mundo segundo esse prisma, juntando a isso um número infinito de teorias. Tudo para traçar um retrato, o teu.

Levantei-me da cama e ainda olhei para o sorriso dos Everything But The Girl, um sorriso de pena, pensei, um olhar apreensivo que no seu silêncio me diz: "Pensa bem no que vais fazer". Decidi não acender o candeeiro que estava à cabeceira da cama para que aquele suspiro silencioso não se transformasse num grito. As cortinas estavam corridas, mas escapava entre elas alguma luz, a suficiente para me permitir circular pelo quarto sem atropelar nenhum objeto, recolhendo a roupa espalhada pelo chão. A minha camisa teimava em não aparecer, mas fui-me vestindo com relativa calma, o que se deixava descobrir. Não queria passar a ideia de que estava a fugir, embora o meu silêncio pudesse indicá-lo. Lancei um último olhar para o lugar em que julguei que a camisa aterrara quando nos despimos. Sorri, coloquei o casaco sobre o tronco nu e saí do quarto, rezando para que a minha camisa não fosse descoberta pela mãe dela e esta me obrigasse a explicar o que nem eu conseguia entender. E, quando pulava a cerca fronteiriça que separa as duas casas, ainda com uma perna em território libanês, ouvi o "bom-dia" na voz do meu avô. Aparentemente acordara cedo para limpar o quintal, e a forma como me olhou foi tão natural como se soubesse desde a primeira hora que aquela era a forma como eu vivia um romance secreto. Fez um pequeno sinal de continência, desci da cerca e juntei-me a ele na recolha das garrafas vazias espalhadas pelo quintal. Nunca voltámos a conversar sobre aquele episódio. Tenho pena, queria ter partilhado, por exemplo, o que me passara pela cabeça naquele momento. Estranhamente o meu pensamento não estava na humilhação de ter sido apanhado a pular a cerca àquela hora da manhã, nem no facto de se descobrir que éramos amantes. A minha cabeça estava naquele mar de almofadas. Será que a que me serviu de aconchego foi acarinhada ou jogada para fora da cama, como inseto repugnante, no momento em que pulei aquela janela sem lhe dizer nada?

Quando o nosso cigarro finalmente terminou, disse-lhe exatamente isso e mais, disse-lhe que o meu avô me vira naquela manhã.

"Eu sei, ele contou-me", disse-me Ava. Conhecemo-nos demasiado bem para eu deixar uma revelação daquelas passar em branco, ela sabe-o. Era visível que escolhia as palavras. "Ele procurou-me no dia em que disseste que te alistarias na academia de polícia." Continuei à espera, sem a interromper. "Pediu-me que fosse ter contigo a Oslo e tentar convencer-te a não te tornares polícia." Custou-me perceber à primeira, naquele momento senti-me como se ela estivesse a falar de outra pessoa, alguém que não o meu avô. "Ele não queria que seguisses o mesmo destino dos homens da tua família, tinha esperança que fosses o primeiro a fazer algo diferente da sua vida."

"Ele nunca me disse isso, Ava", respondi. "Não sei, não lhe perguntei. Não te via fazia anos, estava a lidar com os meus próprios fantasmas, mas ele disse que precisavas de mim. Mais do que tu próprio imaginavas", confessou, também ela sentindo que narrava sobre personagens de uma outra história que não a nossa, embora lhes reconhecesse as características. Éramos nós, mas noutra vida. Continuou, como se tentasse enfiar a linha no buraco da agulha, e com ela fechar o nó: "Sabes qual foi a minha resposta?". Respondi-lhe que não, mas que achava muito evidente qual teria sido. Passaram-se quinze anos e eu tenho agora um crachá e uma arma. É claro que, seja lá o que ela tivesse respondido ao meu avô, não tinha ido de encontro aos desejos dele. "Disse-lhe que se me amasses terias tido a coragem de mo dizer naquela manhã em que fugiste pela janela como um ladrão", acrescentou com um sorriso.

Naquela noite voltei a entrar na casa dela. Desta vez pela porta principal. Não me lembrava de alguma vez o ter feito. Aquela era definitivamente a primeira vez que entrava noutras divisões da casa e sentia-me a visitar o interior de um país, depois de anos a frequentar apenas a capital, o seu quarto. Talvez uma ilha seja o termo apropriado, tal era o contraste do seu quarto com o resto da casa. O sofá maior com as costas coladas à parede, à sua volta duas poltronas siamesas, uma pequena mesa de vidro e sobre ela um objeto igualmente de vidro, demasiado ornamentado para ser uma travessa de fruta, embora não estranhasse se lá estivessem colocadas algumas laranjas. Ao lado, três controles remotos de diferentes tamanhos, mas alinhados pela borda da mesa. Do ângulo em que me encontrava, pareciam três arranha-céus refletidos sobre o rio Hudson. Nas paredes, tapeçarias emolduradas, paisagens que acredito serem do Líbano, homens de bigode e mulheres de olhar enigmático, espiando-nos do alto de seus retratos. Ava, concentrada no café, tinha as costas voltadas para mim, na urgência típica de quem recebe visitas. Foi assim que me senti, uma visita, embora tudo me fosse familiar, os cheiros, o silêncio. Olhando para ela naquela cozinha, através daquela porta na outra extremidade da sala, senti que éramos outras pessoas, numa vida que poderia muito bem ter sido a nossa. Numa casa que, embora eu nunca tivesse posto o pé fora de uma das suas divisões, era igual à da minha infância, ali ao lado, assim como todas as outras que havia visitado naquela cidade. Sei quantos metros quadrados cada divisão tem, sei que o chão é de bétula, e que por trás das portas há casacos pendurados. Ali, com o cheiro do café a invadir todos os recantos da casa que ainda não me aventurei a explorar, pergunto-me o que teria acontecido se ela tivesse seguido os conselhos do meu avô e tivesse ido ao meu encontro em Oslo, se me tivesse convencido a não me alistar na polícia. O que teria mudado? Teríamos os dois ficado em Oslo? Teria eu seguido Ava até Beirute?

15h48

Nunca matei ninguém. Nem eu nem ninguém dos que trabalham para este departamento. Nunca sequer disparei com a P30, a semiautomática da Heckler & Koch que levamos sempre no carro. Não conheço ninguém que tenha alguma vez matado alguém. Em 2007 não se disparou um único tiro. No ano anterior foram três os disparos e um único ferido. Não digo isso com orgulho, não há porque o sentir. As armas não nos fazem sentir mais justos ou mais homens, são apenas mais uma ferramenta. Fomos treinados para o combate frente a frente e para contar com a nossa arma só como último recurso, quando se esgotassem todas as outras opções. O meu avô dizia que a arma mais poderosa que o polícia carrega é a massa cinzenta dentro do crânio e partia de seguida para a metáfora "à distância, um parafuso e um prego parecem iguais, a diferença é que um precisa de uma chave de fendas e o outro de um martelo".

"Nunca matei ninguém." Essas eram as palavras que eu repetia para mim, sempre que o canto da jovem eritreia me visitava. Primeiro em sonhos, ao ponto de acordar completamente encharcado em suor a meio da noite e ser obrigado a mudar de lençóis ou acabar por ir parar ao sofá. Uma má ideia, já que, com receio de adormecer e voltar ao mesmo pesadelo, acabava sempre por dormir de olho aberto, com medo de enlouquecer. Foi naquele momento que começaram as insónias. Nunca matei ninguém, mas a morte daquela jovem apertava-me o peito, tinha um nó na garganta, uma sensação de claustrofobia tão angustiante que ao fim da primeira semana liguei para pedir uma licença do trabalho. Não me lembro da desculpa que dei ao inspetor, mas ele pareceu compreender e prometeu ligar para conversarmos no espaço de dois ou três dias. Cumpriu a palavra. Ligou uma, duas, três vezes, e eu deixava o telefone tocar até ir para o voicemail. Nunca consegui ganhar coragem para o atender. Naquela semana atendi apenas a chamada do meu irmão, expliquei-lhe que tirara uns dias, sem muito detalhe, apenas para o sossegar e não o ver a arrombar-me a porta e a arrancar-me do meu sofá para o de um psicólogo qualquer. O inspetor ainda voltou a ligar mais um par de vezes, até que acabei por desligar o telefone. O que havia de lhe dizer? Que a culpa é minha. Se tivesse acreditado na história que aquela miúda me contou ela não tinha tido aquele fim. As minhas mãos tremem só de pensar que foi delas que saiu a sentença. No momento em que entrei naquele aquário, pousei o relatório na secretária do chefe e ele assinou a ordem de detenção enquanto eu olhava os aviões levantarem voo, tal como a Mari, instantes antes de se sentar e ser questionada sobre o conteúdo do nosso relatório, que o chefe bem sabia ter sido todo redigido por mim. Leu cinco relatórios até se virar para mim e perguntar se tinha a certeza de ter escolhido a profissão certa. À primeira não sabia o que lhe responder, pensei que tinha cometido uma gafe qualquer e estava a ser repreendido. "Devias escrever romances policiais e não relatórios de polícia", disse, passando-me para as mãos as folhas assinadas.

Durante aquelas noites passadas em claro, as palavras do inspetor voltaram a surgir-me no pensamento. Talvez tivesse escolhido a profissão errada, talvez ser polícia não estivesse no meu sangue como no de todos os homens da minha família. Dizia aquilo sem acreditar nas minhas próprias palavras. Passava horas a amontoá-las para, no instante a seguir, desconstruir as ideias que entretanto se formaram. Talvez fosse aquela a gota de água, o sinal de que estava à espera durante os três anos passados na Politihøgskolen. Talvez fosse altura de despir a farda, as minhas noites em claro eram passadas à volta disso. "Só preciso de voltar a recuperar o sono", dizia para mim, "tudo se vai encarrilar, tudo vai voltar a ser como antes." Vagueava pela imaginação através desse antes, onde tinha começado, se na moça da Eritreia ou se antes. Se começou com as expedições dos vikings que entre os espólios do saque traziam também mulheres. Tecnicamente não lhes chamariam imigrantes, não chegaram aqui por vontade própria, eram escravas. Ponto. Imigrantes também não chamaria aos estrangeiros que atravessaram as nossas fronteiras para desposar os nossos aristocratas, os casamentos reais não são emblema de pró-migração, servem para promover laços com outras monarquias, fortalecer alianças. Talvez, então, deva canalizar a minha raiva e procurar bodes expiatórios na Revolução Industrial do século XIX, quando a Noruega precisou de mão de obra estrangeira para dar conta do recado. Somos o maior produtor de energia hidroelétrica da Europa e as barragens não se constroem sozinhas. Esse antes nem se consegue ver, passa despercebido, ou simplesmente já ninguém lhe presta atenção, ao contrário da vaga de imigrantes que nos chegaram aqui fugindo a guerras. Primeiro os judeus da Europa Oriental, os refugiados da Hungria na década de 1950 os do Chile e do Vietname nos anos 1970. E depois, em meados dos anos 1980, já eu via com os meus próprios olhos os do Médio Oriente, do Irão, do Sri Lanka e do Líbano dos Hajjar. Lembro-me que foi mais ou menos na altura em que o "Hard Knock Life (Ghetto Anthem)", do Jay-Z, era praticamente a única canção da minha vida. Ouvia-a dia e noite. Desembarcavam em Oslo centenas de refugiados do Kosovo. Depois vieram os do Iraque, da Somália e do Afeganistão. Sei agora que eles já foram chegando há mais tempo, mas foi naquela altura que se tornaram reais para mim. Talvez porque passava mais tempo em frente da televisão, a absorver tudo o que a Eden Harel e o Trevor Nelson diziam. O MTV Select, o The Dance Chart, o the Lick e o MTV Base eram o meu pão de cada dia. Só interrompia quando o meu pai mudava para o Dagsrevyen para ouvir as notícias do mundo, com a farda vestida, descalço e com uma cerveja na mão, hábito que mantém até hoje, substituindo a farda pelo pijama, e a Dagsrevyen pela TV 2 Nyhetskanalen. Hoje, a sua dose diária de notícias é-lhe servida pela dupla Terje Svabø e Mah-Rukh Ali, "a bela e o careca", como costumava dizer-lhe em provocação, quando o apanhava com os olhos grudados na televisão, descalço e com a cerveja Nøgne Ø Imperial

Stout morna na mão. Ele não fazia caso, dava um gole na cerveja, olhava para a garrafa e acrescentava: "Esta cerveja passou um ano em barris de carvalho que foram anteriormente utilizados para o envelhecimento de conhaque". Dizia isso com tanto prazer como se aquele líquido negro de sabor malte torrado, ligeiramente amargo, com acentos de fruta seca, passas de uva, figos e tragos de chocolate, tivesse sido embalado pela Château Courvoisier e entregue pela mão de Busta Rhymes, P. Diddy e Jamie Foxx, vestidos de robe branco e chinelos de SPA.

No auge das minhas alucinações ainda liguei o noticiário para ouvir a Mah-Rukh Ali, filha de imigrantes paquistaneses que me lembrava a Ava. Foi Ava que me falou do livro que ela tinha escrito aos catorze anos de idade: *Den Sure Virkeligheten* (*The Sour Reality*), lançado em 1996. Não li o livro, era o ano do *Reasonable Doubt*, do Hova, estava mais interessado em ouvir o "Can't Knock the Hustle" e o "Dead Presidents" do que saber histórias da infância de uma menina muçulmana nascida e criada na parte ocidental de Oslo. Ava ainda tentou, brincou que aquele livro poderia ser uma janela para o mundo dela. Na altura, racismo era uma coisa tão abstrata para mim, era algo que conhecia das canções de rap, logo, um produto americano. Estava longe de imaginar que tanto a Ava como a Mah-Rukh Ali, que baseou o seu livro nessa experiência, sofriam discriminação pela mão dos noruegueses que se parecem como eu, brancos. "Como é que um livro sobre busca de identidade pode causar tanta indignação?", perguntou-me Ava quando comentava, com os olhos quase a transbordar de lágrimas, as várias cartas ameaçadoras e de teor racista que a autora recebeu na altura. Aquela Noruega a que elas se referiam, aparece-me agora por não lhe ter prestado atenção, mais violenta, mais mesquinha e vil que a maioria dos meus compatriotas alguma vez imaginaria.

Quando olho para Ava vejo uma mulher norueguesa, mas ela não se vê assim, mesmo que quisesse. Vai sempre aparecer alguém que fará questão de lhe lembrar que ela não é – de facto – daqui. Nem sequer a reconhecem como católica. E tudo por causa da pele. Epiderme e melanócitos como determinantes da moral de cada indivíduo, como se ditassem quem mente mais ou menos. Não consigo deixar de questionar que se a adolescente eritreia tivesse os meus graus de melanina na pele, a mesma íris azul, teria sido enviada para o mesmo lugar? E no meio daquela agonia a canção talvez fosse uma oração, pensei, uma oração de despedida. Porventura ela tenha depositado em mim aqueles versos para que o seu nome não fosse esquecido. Depois de uma semana sem pôr os pés na rua lá saí. Não por muito tempo, precisava de mantimentos da mercearia. Mas a meio do caminho as alucinações voltaram. De repente passei a ver o rosto da eritreia no rosto de todas as adolescentes negras com quem me cruzava na rua e que cobriam a cabeça com o hijab. Pensei que estava a enlouquecer, que talvez fosse aquele o meu fim. Como poderia voltar ao serviço? A minha carreira na polícia tinha terminado, pensei. Mas estranhamente senti a mesma calma que sentira quando fui ao funeral do meu avô. Aquela era a segunda vez em que lidava com a morte. Mas, ao contrário da primeira, esta pareceu-me bem mais próxima.

Quando voltei para casa, com a cabeça à roda, encontrei a Mari à espera na porta do meu prédio. Vestia umas jeans e um velho casaco de cabedal. Pareceu-me que estava ali à espera há algum tempo. Quando me aproximei, cumprimentámo-nos com um abraço. "Desculpa incomodar-te na tua casa, mas precisava ver-te", disse-me. Ainda pensei em convidá-la a subir, mas lembrei-me do caos em que estava o meu apartamento, e não queria que ela tirasse conclusões precipitadas sobre o meu estado de espírito. Convidei-a para uma caminhada. Ela aceitou sem fazer qualquer reparo ao facto de estarmos à porta da minha casa e ainda assim levar os sacos de compras comigo, quando podia muito bem ter subido e deixá-los no apartamento.

Descemos a Ullevålsveien e atravessámos a Vår Frelsers Gravlund, com as suas árvores centenárias e túmulos modestos, atendendo a que sete palmos debaixo daquelas placas, algumas de mármore e outras, a maioria, de pedra comum, repousam os mais ilustres filhos de cidade, como o escritor Henrik Ibsen e o artista plástico Edvard Munch. Este lugar é para mim o espelho da sociedade norueguesa, devemos demonstrar contenção e humildade até na hora da nossa morte. Pensei em partilhar isso com Mari, mas sei que ela iria acabar por concordar, mesmo que tivesse outra opinião. Outra das nossas características enquanto povo, o consenso, mesmo quando somos de opinião contrária.

Chegámos ao edifício mais velho de Oslo, a igreja medieval de Aker, contornámos a Telthusbakken e descemos aquela ladeira estreita com as suas casas de madeira brilhantemente coloridas que já foram o cartão-postal de Oslo, antes de descobrirmos petróleo nos anos 1960. Hoje são poucas as que sobrevivem. Pensei que se a levasse para um bar cheio de gente, talvez a minha colega, pela sua timidez, me poupasse a uma conversa demasiado profunda. Entramos no Blå, que àquela hora do dia estava à pinha. Pedimos duas Nøgne Ø india pale ale e sentámo-nos no terraço virado para o rio Akerselva.

"Desculpa não ter atendido as tuas chamadas", disse-lhe. Ela limitou-se a sorrir, fez uma pausa e acrescentou: "Ontem, a meio das minhas limpezas de domingo, durante a semana é-me totalmente impossível cuidar da casa, fui surpreendida por um telefonema. Ninguém me liga para o telefone fixo. Cheguei a pensar que fosses tu", e fez outra pausa, continuando com olhos postos no curso da água. Fiquei à espera que ela retomasse o fio da conversa. "Atendi. A voz do outro lado era-me familiar, como uma antiga lembrança que julgava esquecida. Era grave, trazia a excitação de alguém que guarda um segredo mas está prestes a revelá-lo. Por isso, as palavras atropelavam-se, sem fazerem muito sentido. Não resisti a perguntar duas vezes com quem estava a falar." Outra pausa. " Era o meu pai."

Mari Gunnhild, era tal como eu, filha de polícia, com a diferença de que o meu pai esteve sempre presente e o dela nunca. Era filha do amor de uma noite só. Disse-mo nas nossas longas horas de carro a patrulhar a fronteira, em conversa sobre o que nos levou a escolher uma carreira na polícia. Confessou que nasceu em Oslo mas que tinha sido concebida em Gothenburg, cidade natal do pai quase desconhecido. Foi lá também que os pais se conheceram. A mãe era atriz, estava na cidade com uma peça de teatro, e ele era polícia em dia de folga. Segundo a minha colega, ouviu a mãe contar que o pai nunca a viu num palco. O único dia em que a viu atuar foi em cima da mesa de um bar, onde o elenco da peça celebrava o fim da temporada. Foi ali que os dois se conheceram. Aparentemente ele ficou impressionado com o monólogo com que a mãe da Mari Gunnhild brindou a multidão altamente alcoolizada que se encontrava naquele sítio. Naquela mesma noite acompanhou-a até ao quarto de hotel que ficava nas costas do Stadsteater e passaram a madrugada numa cena de amor. A segunda vez que se viram, nove meses depois, era de dia, no passeio oposto à porta da esquadra. Ele esfregando as mãos de nervosismo, ela com a bebé Mari Gunnhild nos braços, mordendo o lábio para que não lhe escapasse um grito ou uma lágrima. E agora o senhor seu pai ressurge na vida dela. "Era tudo o que sempre quis ouvir alguém dizer", disse-me. Não sabendo o que responder, deixei-me estar quieto a ouvir.

"Não que ainda necessite disso, mas agonia-me viver sem que ninguém alguma vez me tenha dado o prazer de me dizer 'filha, eu sou o teu pai'." A mãe não voltou a casar. Voltou a apaixonar-se, sim, mas desta vez por um homem mais velho do que ela e o romance não durou, ele era casado. Tiveram uma filha – irmã que não conheço mas que, segundo Mari, se adoram.

"O meu pai nunca me veio visitar, ao contrário da minha irmã. A minha mãe vinha buscá-la e trazê-la da escola quase todos os dias. Nos verões, levava-nos às duas à praia, juntamente com os outros filhos." O dela, não. Veio a descobrir mais tarde – estava ela a sair da Politihøgskolen – que ele tinha voltado a casar e que tinha agora mais filhos (nunca os conheceu). Escrevera isso numa longa carta à mãe dela, explicando as razões que o fizeram nunca assumir as suas responsabilidades. Mari lembra-se de que ao chegar a casa encontrou a mãe na cozinha, com as mãos trémulas, e à medida que lhe ia lendo aquelas palavras desfazia-se em lágrimas. Ela não se conteve, choraram juntas. "Naquele dia, larguei tudo aquilo que me prendia a essa figura misteriosa que era o meu progenitor, e do qual só partilho um código genético, mais nada", disse-o com a voz prestes a quebrar-se. Deu um longo gole na cerveja para impedir que as lágrimas transbordassem.

Mari confessou que aquele telefonema, embora não apagasse toda a dor provocada pela ausência, a fizera feliz. E eu não deixei de sentir-me aliviado, pensei que era por causa da minha ausência que ela me visitava. Pelo seguro, insisti sobre aquele reencontro, quis saber mais. Ela encolheu os ombros e falámos horas sobre tudo e sobre nada, sendo que a conversa ficou mais centrada nela do que no pai. Ainda assim foi reconfortante, foi como se lhe tivessem tirado um peso dos ombros. Estranhamente, partilhou comigo assuntos íntimos que nunca tinha contado a ninguém, nem mesmo à sua mãe ou irmã. Aparentemente, comigo tudo fluiu naturalmente. Falou-me dos seus amores e desamores, do jeito leve e solto como se conversa com a melhor amiga. Será que ela me tem como melhor amigo? Nunca a vi com mais ninguém a não ser um par de vezes com a mãe a conduzi-la até à nossa esquadra. Talvez eu seja o mais próximo que ela tem como amigo.

"Ligou-me porque era o seu aniversário. Revelou-me coisas que não estavam na tal carta que a mãe lhe leu na cozinha, o que foi um pouco assustador", disse, acreditava que não estava preparada para mergulhar tão fundo na sua vida. Começou por contar-me, passo a passo, cada erro cometido desde que saiu, ou melhor, desde o momento em que não entrou na sua vida. As relações que tivera e que entretanto falharam. A relação conflituosa com os outros filhos, os irmãos que não conheceu ainda mas que ainda assim, ao ouvir dizer os nomes deles, fez com que sentisse ciúme. Relatou-lhe as situações que o levaram a deixar a polícia e cometer os crimes que o fizeram estar na prisão durante cinco anos. Finalizou dizendo que tinha reencontrado a felicidade junto de uma mulher de vinte e um anos, que ele salvou da prostituição mas que temia que o trocasse por alguém mais jovem. Pediu-lhe conselhos. "Imagina o meu estado de choque. Tenho um pai ex-presidiário e uma madrasta de vinte e um anos." Comentei que parecia um romance policial. Rimo-nos.

Aquela era a primeira vez que nos encontrávamos fora do ambiente de trabalho. Em circunstâncias normais seria quase impossível sermos amigos, não porque não gostamos da companhia um do outro, mas porque ela não gosta de música. Foi a primeira coisa que perguntei quando entrámos no carro-patrulha: "Que tipo de música gostas?". "Não oiço música, para mim o que toca na rádio é suficiente." Naquele momento soube logo que os nossos destinos dificilmente se cruzariam fora dos limites das nossas obrigações profissionais, e acredito que, pelo meu ar de espanto, ela sentiu o mesmo. No entanto, ali estávamos nós, num bar, a beber cerveja e a falar de coisas íntimas como só os bons amigos fazem. Soube, ao revisitar aquele dia, que ele marcou o início da nossa bela e longa amizade. Não passaram muitos anos depois daquele final de tarde na hipster Grünerløkka, a nossa pequena Brooklyn que tenta a todo custo preservar o espírito anarquista que lentamente tem vindo a desvanecer-se – até os anarquistas têm contas para pagar, todos temos que comer, e, se os meninos da classe média alta gostam de sair para jantar, beber um coquetel ou até morar nos bairros que até bem pouco tempo atrás eram considerados zonas proibidas, quem somos nós para os que tenta a todo custo preservar o espírito anarquista que nunca se fixou realmente, diga-se a verdade, não como em outras capitais. Mas tal como Brooklyn, não resistiu à gentrificação, e os antigos residentes, os mais pobres e idosos, têm vindo a ser afastados. Sinais dos tempos, se os meninos da classe média-alta gostam de sair para jantar, beber um coquetel ou até morar nos bairros que até bem pouco tempo atrás eram considerados zonas pouco recomendáveis, quem somos nós para os impedir? Eu, particularmente, até agradeço, é menos a sujeira com que temos que preocupar. Só lamento que a música, infelizmente, acompanhando a gentrificação, também ela esteja a mudar, tirando o Blå, o The Villa e o Barongsai, poucos são os lugares em que se pode ainda ouvir música de verdade. Aquela nossa primeira noite evoluiu para jantar, quis levá-la ao New Anarkali, o meu restaurante indiano favorito, mas, ao passarmos à porta do Markveien Mat og Vinhus, fiz referência ao *cheesecake* com molho de framboesa, uma receita secreta que o restaurante serve há vinte e cinco anos e que se tornou uma lenda local. Ela nunca tinha provado antes. Sobre a falta de gosto musical eu não podia fazer nada, mas no que tocava a comida era minha responsabilidade educá-la sobre a instituição que é o Markveien Mat og Vinhus. O meu pai levava-nos àquele restaurante sempre que havia algo a comemorar. E comemorámos, Mari e eu, bebemos vinho, falámos mais sobre a família, tirei do armário alguns dos meus esqueletos de estimação e, quando saltámos para o assunto trabalho, hesitei, mas acabei por falar do quanto a morte da jovem eritreia me afetou, o medo que provocou em mim.

16h11

Depois da morte de Eugene Ejike Obiora em Trondheim, os meus nervos continuavam em franja. "Este é o tipo de merdas que fazem cabeças rolar", disse-me o inspetor. Estamos a trabalhar para melhorar os métodos, todos os graduados antes de 2006 estão debaixo de olho. A vossa inexperiência poderá custar-nos caro. A última coisa que queremos é mais um escândalo que envolva um imigrante. Achei que os dois casos não estavam relacionados, mas ouvi e engoli calado. Para o inspetor a nossa formação é apenas parte do problema, a própria experiência tem um efeito limitado. "Em média, um agente da polícia faz uma detenção por mês. Lançarmo-vos na rua e contarmos que o serviço faça o resto não só é uma forma de treino ineficaz como é também irresponsável", desabafou o inspetor.

Ela ouvia calada, porque, tal como eu, está na linha da frente, e se um de nós é acusado de comportamento racista, todo o departamento será visto como racista. Para os liberais da nossa sociedade, o caso Ejike Obiora manchou a nossa reputação, veio levantar o véu que cobre a podridão que fermenta dentro das nossas forças policiais. Primeiro porque temos dois pesos e duas medidas para lidar com sujeitos que apresentam distúrbios mentais. O coitado do sr. Obiara não estava no seu juízo normal, não devia exaltar-se dentro de uma repartição pública, é certo, não devia resistir à prisão. Mas daí a acabar por morrer estrangulado por agentes que sabem bem que colocar um sujeito de barriga para baixo e pressionar com o joelho nas costas enquanto lhe colocam as algemas, aumenta as chances de este acabar asfixiado, é demais. Foi exatamente isso que os examinadores forenses concluíram. Testes realizados com indivíduos saudáveis mostram que a capacidade pulmonar de uma pessoa se reduz em quarenta por cento quando colocada naquela posição. A coisa já tinha ficado feia quando o relatório ficou concluído. O inspetor fez questão de que todos o lêssemos, já que na nossa unidade as probabilidades de termos que recorrer à força para neutralizar um suspeito é bem maior de que na da patrulha de segurança pública. Além do que já circulava nos *media* sobre a causa de morte por asfixia, acrescentou-se hemorragia interna dos músculos do pescoço, bem como fratura da cartilagem. Tudo em resultado do estrangulamento. Numa passagem um tanto dúbia, os ferimentos teriam causado a falta de ar, mas por si só não provocariam a asfixia e a morte, que poderia ter sido evitada se os agentes soubessem como efetuar a detenção sem recorrer à tática de atirar o suspeito ao chão.

A situação ainda piorou quando se descobriu que o oficial que tinha o joelho sobre as costas de Obiora já tinha estado envolvido num outro incidente datado de 1999, com uma mulher ganesa, Sophia Baidoo, e alguns sentiram haver semelhanças entre os dois casos, existiam provas. O incidente foi filmado por uma câmara de segurança bancária, e o agente foi posteriormente ilibado de todas as acusações. Se me perguntassem, antes de eu próprio me ver envolvido num caso relacionado com a morte de uma imigrante ilegal, diria que aqueles agentes deveriam ter sido condenados, para mostrar a imparcialidade do nosso sistema judicial. Ninguém está acima da lei, nem mesmo nós, os polícias. Essa seria a melhor forma de resolver a situação e teria evitado o que aconteceu *a posteriori*. A banda Samvirkelaget (projeto que une a banda de ska Hopalong Knut de Trondheim, que se tornaram populares por produzirem canções no dialeto Trønder, e o grupo de hip-hop Gatas Parlament) lançou a canção "Stopp Volden" (Pare a Violência) na qual um dos oficiais envolvidos no caso Obiora foi nomeado. A nossa federação deu um tiro no próprio pé e processou a banda tentando desesperadamente que o lançamento do CD fosse proibido. O tribunal não encontrou fundamento para abrir o processo. No entanto, considerou difamatória a divulgação do nome do agente na canção. O caso poderia ter ficado resolvido ali, mas, ao invés de baixar a guarda e salvar o que restava da nossa dignidade, a nossa Federação de Polícia da Noruega foi em frente e tentou processar os Samvirkelaget por difamação. O caso acabou por ser resolvido a favor do coletivo.

É possível que o meu caso vá parar aos jornais, e o inspetor recomendou que me mantivesse longe. "Não precisamos de uma nova canção", afirmou quando me mandou descansar em casa.

"Já devia ter voltado", disse ao inspetor, assim que soube que a rapariga foi enterrada e os resultados da autópsia chegaram à secretária do inspetor, aquele móvel imponente e aterrorizador. Todos temos receio de nos sentarmos diante daquele conjunto de carimbos, dossiers de casos em aberto, o telefone preto que mais parece uma extensão do ouvido do inspetor. "A autópsia aponta para suicídio", deixou-me em mensagem no voicemail. Assim, cinco palavras que serviriam para me tirar do purgatório, cinco palavras que me permitiriam voltar a respirar. Sem o receio de ter um blog a farejar, a tentar expor as nossas práticas de interrogatório, deveria sentir-me melhor. Mas a verdade é que não sentia.

"Pela primeira vez ocorreu-me desistir, sabes, largar tudo isto, ser outra pessoa", disse eu a Mari, que me interrompeu de imediato. "Outro quem?" Expliquei-lhe que alguém que não fosse apenas um número num crachá. Ela pareceu-me confusa. Entendia que a morte da jovem eritreia me tinha posto em baixo, entendia que eu precisava de descansar, viajar, tirar umas férias. Mas desistir? Soava-lhe absurdo. Não tentei explicar-me. Ao invés de aprofundar, falámos sobre o que nos motivava ou sobre o sentido da vida. Revelei-lhe os meus planos de visitar o lugar onde a enterraram, levar flores, acender uma vela, chamar alguém para ler algumas passagens do Corão, já que é bem possível que ninguém se tenha dado ao trabalho de lhe ler uma oração de despedida. Pensei que ela fosse achar a ideia disparatada, rir da minha cara, ou pior, dar com a língua nos dentes e denunciar-me junto dos assuntos internos. A resposta dela quase me fez engasgar com o *cheesecake*. Ofereceu-se para me acompanhar ao cemitério. "Não conheço nenhum padre muçulmano, mas podemos levar-lhe um arranjo de flores", disse com a calma de quem já estivera no mesmo lugar. "Como se chamam os padres muçulmanos?", insistiu. Tanto quando sei, no islão não existe autoridade hierárquica como padres, pastores e rabinos, existe a figura do iman, respondi-lhe, mas daí até irmos a Tøyenbekken e batermos à porta do Centro Islâmico seria pedir demasiado.

No dia anterior, Mari apareceu-me à porta com um ramo de lírios brancos e conduziu-me até ao Nordre Gravlund. Ficava mesmo ao lado do Hospital Universitário de Ullevål, sítio que frequentávamos com alguma regularidade nos nossos primeiros anos na Politihøgskolen, para nos familiarizarmos com os segredos da medicina forense. Ali, entre a estátua da mulher de luto acolhendo no colo o corpo do filho sem vida que Gustav Lærum esculpiu, e outra do homem nu de cócoras que o escultor Odd Hilt desenhou para homenagear os vinte e três membros do partido comunista assassinados naquele lugar pela mão de soldados nazis durante a Segunda Guerra Mundial, ali na sombra das árvores centenárias, numa lápide sem graça, estava escrito o nome, Kedijah, a jovem eritreia que ainda vive nos meus sonhos. Mari passou-me as flores para a mão. Não sei o que os muçulmanos oferecem aos seus mortos, mas os cristãos acham que os lírios simbolizam a pureza, o renascimento e o brilho da alma. Acredita-se que o túmulo da Virgem Maria estava coberto por essa flor, o lírio da paz, que simboliza a inocência. Depositei as flores junto à lápide, tentando encontrar sentido para aquele momento, o que significava estar ali diante daquele túmulo. Não sabia se me ajoelhava e pedia perdão a ela, a Deus, se orava ou chorava. Optei pelo silêncio.

"Por que não me disseste?", perguntei à Kedijah. Pensei que aquelas palavras me tinham saído em voz alta, mas não, a minha colega não se manifestou. Voltei a perguntar. "Por que não me disseste? Disseste, eu sei, simplesmente não acreditei. Encolhi os ombros, e escrevi o relatório que justificava enviarmos-te para aquele lugar. É isso que eu faço, encolher os ombros. Quando sei que o meu país está em vigésimo lugar na lista dos maiores exportadores de armamento. É certo que este número representa algo como 0,1 por cento do total, e que nos regemos por um código de conduta moral que diz que a Noruega não permitirá a venda de armas ou de munições para áreas onde exista uma guerra ou a sua ameaça, ou a países onde exista uma guerra civil. Palavras bonitas, mas facto é que os nossos maiores clientes, Nato, Estados Unidos, Arábia Saudita, usam equipamento nosso em conflitos a que os nossos políticos dizem opor-se. A Noruega adotou voluntariamente o Código de Conduta da União Europeia sobre as exportações de armas, que exige que os direitos humanos sejam tidos em consideração. Mas o facto de estares enterrada em solo norueguês é a prova de que alguém não exigiu o suficiente, e alguém ganhou dinheiro. Nós aqui, no ano passado, faturámos 3,6 bilhões de coroas. Assim sendo, ninguém vai abrandar, vamos continuar a exportar, preferencialmente para lugares quentes, com gentes de pele escura, cuja fé em diferentes profetas e messias é razão de discórdia, ou então em cujas terras repousam minerais valiosos ou aquela mistura complexa de hidrocarbonetos que faz o mundo girar. Tudo em nome da evolução e do progresso, ainda que os efeitos destes nos lugares de onde vocês vêm sejam difíceis de identificar por baixo dos escombros, do rasto de destruição que deixamos para trás. Ao contrário daqui, tu deves ter visto, quando te levávamos para o lugar onde te despediste da vida, deves ter visto o contraste, como o nosso mundo é diferente. Do teu só conheço imagens, narradas pela Mah-Rukh Ali sempre que precisamos de ouvir uma justificação para o disparate que os nossos aliados estão a fazer no lugar a que chamaste casa. E repetem as mesmas imagens, as mesmas tragédias, ao ponto de ficarmos anestesiados, incapazes de sentir pena ou dor, indiferentes ao número de vidas que se perdem. Depois espantamo-nos com a quantidade de pessoas despojadas de tudo – família, terra, humanidade – que nos vêm bater à porta.

"E depois ficamos com raiva, não dos que produzem armas, mas de vocês. E escrevem-se artigos, pressionam-se os nossos políticos para endurecerem posições. 'Não vos queremos aqui', dizem os mais agressivos. Mas espanta-me que não haja, em todo o debate sobre a imigração, uma única referência ao lucro gerado pelos conflitos armados em África. Aí está um lapso romanesco indesculpável. Porque omitir-se que o modelo de sociedade vigente no Ocidente só é sustentável à custa de outras sociedades? Os comentadores de plantão apontam o dedo aos conflitos étnicos, às guerras civis, aos déspotas no poder cuja ganância é infinita. Mas nenhuma palavra sobre os lucros gerados pelas empresas ou países que alimentam esses conflitos. Por que é que todos nós, que vivemos no Ocidente e beneficiamos da instabilidade na tua casa, Kedijah, e também a nossa opinião pública e seus analistas que de burros não têm nada, nos fingimos de cegos?", disse-lhe em silêncio.

Mari voltou a insistir no simbolismo do lírio. Um dos significados atribuídos à palavra lírio é Amor Eterno. Quem o batizou assim foram os chineses. Continuei sem lhe responder até que me ocorreu: "Mari, sabes alguma oração?". A minha colega respondeu-me que não, e eu também não sabia.

"A única de que me lembro é a Ezequiel 25,17 na voz de Jules Winnfield", disse-lhe. Mari olhou para mim com ar de espanto, como se perguntasse quem raio é esse Jules Winnfield.

"O caminho do justo é acometido de todos os lados pelas iniquidades dos egoístas e pela tirania dos homens maus. Bem-aventurado aquele que, em nome da caridade e da boa vontade, pastoreia os fracos pelo vale das trevas", Samuel L. Jackson, *Pulp Fiction*.

16h27

Encontrei-a fora do carro com os olhos fixos na E6, a autoestrada que liga Gotemburgo a Oslo. Ela estava na berma, encostada ao carro, o braço sobre o capô, punho apoiando o queixo, os olhos e a mente virados em direção à Suécia. A estrada estava pouco movimentada, passavam vinte minutos das sete numa manhã de sábado. Era a nossa primeira missão do dia, inspecionar todos os veículos de passageiros que atravessassem a fronteira. Como ainda faltavam alguns minutos para que o primeiro autocarro passasse a ponte Svinesund para o nosso lado da fronteira, tive tempo para ir até aos arbustos e aliviar a bexiga.

Ao voltar, não quis perturbar-lhe os pensamentos. Preparava-me para voltar a entrar no carro quando ela se virou para mim e reparou que eu trazia comigo um ramo de ervas do campo, hábito que adquiri do meu avô, nas nossas viagens para ver o mar na Atlanterhavsveien. Sempre que parávamos na beira da estrada para mijar, ele voltava para o carro com um ramo daquela vegetação de beira de estrada. Aprendi a esfregar as mãos com saponárias, sabão natural. Outras plantas ele colhia-as para admirar e perfumar o interior do carro, como as Bergfrue e as Blåveis. É o cheiro que associo a memórias felizes, quando o mundo se revelava para mim cheio de possibilidades.

"Foste apanhar as sete ervas e flores diferentes para colocares debaixo da almofada?", perguntou-me Mari. "Achas que ligo a essas tradições?" "O que há de errado com a celebração da natureza, da renovação da vida, da fertilidade? Vejo-te constantemente a contemplar o vazio. Talvez estejas a precisar que St. Hans apareça nos teus sonhos e te diga quem será a tua futura esposa", disse-me ela já em tom de brincadeira. "Primeiro, já estamos em agosto, tarde para invocar o santo, e segundo, olha quem fala", respondi-lhe.

O relatório sobre o qual ela está a ser interrogada dentro do aquário pelo nosso inspetor não começa desta forma nem contém nenhuma referência às flores. É um hábito que mantenho desde que fui destacado para a fronteira. Como não gosto do cheiro que se sente dentro dos carros-patrulha, colho ervas da berma da estrada e coloco-as nas bolsas das portas para aliviar o cheiro carregado do medo que sempre transpira alguém que se senta no banco de trás. Esse detalhe foi obviamente omitido. Abri o relatório com informações sobre a hora, o local, a matrícula do autocarro, os dados do detido, a interação que mantivemos durante as quatro horas que esteve na esquadra antes de o enviarmos para o centro de detenção.

O nosso trabalho ao entrevistar alguém é o de obter informação que possa ser verificada, procurando, recolhendo e garantindo pistas que possam estabelecer a probabilidade da culpa ou da inocência do detido. Kalaf Epalanga Alfredo Ângelo era o nome do sujeito que recolhemos do autocarro, cidadão angolano, com passaporte caducado e um cartão de residência válido, emitido pelo Serviço de Estrangeiros e Fronteiras de Portugal. Comunicava em inglês claro e dizia ser músico a caminho do festival OYA, em Oslo. Perdeu o passaporte, por isso viajava sozinho, mas não foi essa a primeira versão que nos apresentou. Quando o abordei, mostrando-lhe primeiro o meu crachá, e, pedindo-lhe depois os documentos, ele, muito seguro, entregou-me o cartão de residência. Quando lhe pedi o passaporte, ele respondeu, também na ponta da língua, que o tinha dentro da mala, no porão do autocarro. Nos dois anos que passei a patrulhar a fronteira, sempre que encontrei um africano que me disse que tinha o passaporte na mala, soube que havia gato. Não sei se eles pensam que me podem ofender a inteligência com uma mentira esfarrapada como essa, ou se julgam que somos preguiçosos. Será que quando dizem que têm o passaporte no fundo da mala pensam que vamos responder: "Oh que chatice, não vamos agora descer para verificar se têm ou não o passaporte guardado na mala"?. Mas lá fomos, e, como eu suspeitava, havia gato. O passaporte tinha caducado em 2002 e a fotografia estava completamente rasurada. Mari, que não sabe nada de música, achou que a história de ser músico era falsa, o sujeito não trazia nenhum instrumento. Ainda pensei em dizer-lhe que hoje não precisamos de um instrumento para sermos músicos, mas iria gastar-me demasiada energia ter que explicar-lhe a evolução histórica da música. Conheço o festival que ele referiu. Por isso aquele indivíduo sem passaporte, viajando de autocarro desde Portugal, ou estava a dizer a verdade ou a transportar narcóticos para comercializar no OYA. Não havia como deixá-lo seguir viagem sem tirar essa história a limpo. Pedi-lhe para recolher a bagagem e nos acompanhar.

A Mari não acreditava em nenhuma palavra dele. Eu, não sei se por ter ainda fresca a visita ao túmulo da Kedijah, tinha as minhas dúvidas. A última coisa que queria era ter mais um músico a visitar-me os sonhos. Por isso começámos por vasculhar a bagagem. Um computador Mac, iPod, headphones e umas poucas mudas de roupa. Os nossos cães farejaram mas não declararam nada de drogas ou materiais explosivos. Concentrámo-nos nos documentos apresentados. O nome não constava na lista dos requerentes de asilo que tivessem dado entrada em Portugal, não podíamos apurar se cometera algum crime, os delitos domésticos não constam da base de dados internacional. Tentámos a Interpol e os resultados foram negativos. O indivíduo tinha uma ficha mais limpa que um padre. Ou estamos diante de um criminoso em início de atividade que teve o azar de cruzar o nosso caminho ou esse Kalaf Epalanga não é quem diz que é.

Expor um mentiroso é difícil, mesmo para detetives treinados. Um mentiroso pode aprender a dizer as coisas certas de uma maneira convincente. E, ao contrário das crenças populares, ler a linguagem corporal é de pouca ajuda para julgar entre veracidade e mentira, ainda que existam alguns truques. Um deles é ver como o grupo de suspeitos se recorda de determinada ocorrência. Mentir em grupo é completamente diferente do que mentir quando estamos a ser interrogados sozinhos. Como o nosso suspeito viajava sozinho, o grau de dificuldade para lhe arrancar a verdade era exponencialmente maior. Interrogatórios em grupo, para mim, são mais interessantes porque nos permitem observar muito do comportamento humano. Juntar os suspeitos e esperar pacientemente acaba sempre com eles a exporem-se inadvertidamente uns aos outros. E, mesmo quando não dizem nada de contraditório ou apresentam apenas algumas incongruências no discurso, acabamos sempre por colher mais dos grupos do que de um sujeito sozinho. Por exemplo, no caso de grupos de contrabandistas, assaltantes ou terroristas, se eles estiverem todos afinadinhos a cantar a mesma ladainha de forma convincente é porque ensaiaram até à exaustão as respostas que dariam se fossem apanhados. Quando ouvimos algo com demasiados pormenores e detalhes idênticos é para desconfiar. A conformidade não soa convincente. É disso que os criminosos amadores não se apercebem. Nós suspeitamos sempre de todos, mas mais ainda quando o grupo todo se lembra da mesma coisa. A memória é geralmente muito atabalhoada.

Esse Kalaf poderá muito bem estar a puxar um Keyser Soze no filme *The Usual Suspects* e a inventar que é membro de uma banda que vai atuar no OYA. Talvez ele tenha lido sobre o festival num jornal comprado antes de embarcar. Tal como o personagem do Kevin Spacey inventara toda uma trama enquanto era interrogado pelo agente Kujan e Jack Baer do FBI. É um dos meus filmes favoritos, vi-o dezenas de vezes, e passei a gostar mais ainda quando o Jay-Z, no vídeo do "The City is Mine", recria *The Usual Suspects* interpretando o mesmo papel ao lado do Michael Rapaport no papel de detetive. "The City is Mine" foi o terceiro single do *In My Lifetime, Vol. 1*, o disco que todos acham ser muito fraquinho. Eu não sinto que seja, mas os críticos acham que ele não conseguiu superar o sucesso artístico alcançado pelo *Reasonable Doubt*, nem cumpriu o objetivo de tomar de assalto as rádios e transformá-lo no legítimo herdeiro do trono do hip-hop, deixado vazio por Notorious B.I.G., morto um ano antes. E há quem acredite que uma das razões do fracasso foram três temas medíocres, entre os quais o tal "The City is Mine (feat. Blackstreet)". Foi produzido por Teddy Riley e contou com participação de Chad Hugo dos Neptunes, que seis meses depois viria a revolucionar a produção do rap com o "Superthug" do rapper N.O.R.E., ao lado do seu colega de liceu e parceiro musical Pharrel Williams.

Uma das coisas que me ocorreram na altura, talvez devido à frustração de não estarmos a encontrar nada na ficha do indivíduo que tínhamos sob nossa custódia, foi a frase mais icónica do filme: "O maior truque que o diabo já criou foi convencer o homem de que ele não existe", que parafraseia um verso de Charles Baudelaire, que nunca associei ao poeta francês até Ava mo dizer anos depois, quando se apercebeu da minha fixação pelo filme. Inconscientemente, sempre que abria a porta daquela cela para confrontar o sujeito com alguns factos ficava à espera que ele se saísse com a frase do café, a mesma com que Jay-Z abre o vídeo de "The City is Mine", onde cita o temido criminoso húngaro fazendo-se passar por Verbal Kint, dizendo ao detetive que quando fica desidratado a urina se torna gelatinosa e cheia de grumos. Ele não só não a disse como nunca pediu nada. Comportava-se de forma muito semelhante à jovem Kedijah, aceitava o que lhe oferecíamos e não pedia nada. A única diferença é que, quando o deixávamos sozinho, não cantava, manteve-se sempre em silêncio. Pareceu-nos que não estava preocupado, como se soubesse o que o esperava. Não pediu para fazer um telefonema, não mencionou advogado. Insistia na história da banda e do festival OYA. Falou que tocavam um género de música de dança originário de Angola, uma espécie de techno africano denominado kuduro. Mari, que nunca foi a nenhuma edição do OYA, estranhou. "Techno angolano em Oslo?", perguntou desconfiada quando voltávamos para as nossas secretárias.

"O que tem?"

"Não achas estranho Angola produzir techno? Sempre pensei que a música africana era feita com instrumentos, guitarras, congas e maracas, o oposto de música feita com computadores." Mari achava que a história não fazia sentido. Não encontrámos nada na bagagem que o incriminasse, tirando os documentos caducados, é claro. Mas para ela existia algo que não batia certo, tinha que haver alguma outra razão para um homem sair de Lisboa e cruzar a Europa toda de autocarro.

Enquanto ela traçava teorias para tentar encontrar razão que justificasse a ação do músico, eu colocava-me outras questões. O que é kuduro? Como apareceu? Quando? Quem o inventou? Como terá o techno chegado até Angola? Será que também foram expostos a Kraftwerk, Giorgio Moroder e Yellow Magic Orchestra, um trio composto por Haruomi Hosono, Yukihiro Takahashi e Ryuichi Sakamoto, que, segundo o incontornável Afrika Bambaataa, tiveram influência junto de artistas provenientes do Bronx, e mereciam também parte dos créditos pela invenção do hip-hop. O mesmo se poderá dizer da música que germinou nos finais dos anos 1980, no coração da praticamente abandonada cidade de Detroit, depois da queda da indústria automóvel. Na Noruega, o género não encontrou terreno fértil na capital, Oslo, teve que viajar para norte, até Tromsø. A nossa cidade mais a norte, além de carregar o título da cidade com a maior quantidade de neve durante o inverno, é também famosa por ser a cidade da insónia. Devido à alta latitude, o crepúsculo é longo, o que significa que não há escuridão real entre o final de abril e meados de agosto, altura em que não se consegue vislumbrar a maior atração da cidade, a aurora boreal. Tromsø está a meio da zona das "luzes do norte", o que faz daquela região um dos melhores lugares do mundo para as observar. Por causa da rotação da terra, Tromsø move-se na zona da aurora em torno das dezoito horas, e move-se para fora outra vez por volta da meia-noite. Talvez tenham sido estas condições que inspiraram os Tromsøværinger como Röyksopp, Biosphere e Bel Canto, e a malta da Beatservice Records e do Festival Insomnia, a criarem a Tromsø Techno Scene. Como é que essa música foi parar a África? Qual foi o tema que despertou as mentes dos artistas que fazem kuduro? Estas eram as questões que me apetecia colocar e não perguntar quem emitiu o cartão de residência do sujeito que tinha na minha cela. Será que foi o "Riot in Lagos" dos Yellow Magic Orchestra. Terá sido o "Autobahn" dos Kraftwerk? Terá o nosso *TOS.CD – Tromsø Techno 1994* lá chegado? Ou terão mergulhado de cabeça naquilo que os três de Belleville, Juan Atkins, Kevin Saunderson e Derrick May, as figuras que estiveram diretamente envolvidas no nascimento do techno de Detroit, fizeram com temas como "Good Life", dos Inner City, "Strings of Life", dos Rhythim Is Rhythm, ou terão ido beber inspiração aos Underground Resistance de Jeff Mills ou ao meu favorito deles todos, Carl Craig?

Já não me lembro da última vez que saí à noite com o meu irmão, mas foi ele que me levou e me batizou na vida dos clubes, numa altura em que a maioria ainda era ilegal. Assim foi até à abertura do Blå e dos já extintos Jazid Club e Skansen, mais ou menos em 1995, lugares lendários que me ensinaram tudo o que sei sobre música, pela mão de DJs como Prins Thomas e Strangefruit. Tivemos um início tímido, mas quando nos aproximámos do final da década a cultura de clubes em Oslo estava a fervilhar. Cada pequeno bar tinha um sistema de som decente e um DJ a passar bom house. Era cool, mas ao mesmo tempo era o início da ditadura do house, que castrou o desenvolvimento de outros géneros. Gostaria de saber se a cena em Angola também enfrentou os mesmos problemas. Será que o kuduro toca na rádio? Aqui tivemos a sorte de ter o DJ Strangefruit na rádio nacional em 1997. Todos os sábados à noite tinha duas horas durante as quais lhe era dada a liberdade de tocar tudo o que lhe desse na real gana, drum n' bass, techno, reggae, disco. Ele foi responsável pela educação musical de muita gente da minha geração. Ele e o parceiro, DJ Olle Abstract, que pegava no leme e nos levava para águas mais profundas, passando os temas de dança mais pesados até à meia-noite. Eles eram os "reis da Noruega", uma espécie de *The Hot Mix 5* à nossa medida. As nossas saídas de sábado à noite começavam sempre com um encontro na casa de um amigo qualquer, umas cervejas, uns shots e o rádio ligado. Mas a entrada para o novo milénio não representou grande crescimento dentro da cena. Muito pelo contrário, estagnou, com o encerramento de clubes importantes como o Jazid Club e o Skansen, o que levou a que os nossos artistas locais se fechassem dentro dos seus quartos e se focassem na produção musical. E foi nessa altura que o mundo se virou para Bergen com a chegada de *Melody A.M.*, dos Röyksopp, em 2001. Introduziu a Bergensbølgen, uma onda musical que aceitava e que enaltecia a nossa melancolia nórdica, que já vinha sendo criada desde os finais de 1990, e que no momento em que o mundo se apercebeu da existência de projetos como os Kings of Convenience e da música que a Tellé Records editava, nada mais voltou a ser como antes. De repente, tínhamos música para exportar, e isso deu um novo alento aos produtores em Oslo, que aproveitaram o facto de já não serem o centro das atenções para criarem música nova. Se me perguntarem por que virei segurança, também foi porque sempre quis estar perto da cena, e, como não tenho talento para passar discos nem paciência para ser *bartender*, zelar pela segurança das pessoas e do espaço foi algo que senti que poderia fazer sem muito esforço. A noite na cidade vai até às três da manhã, o que não é sinónimo de uma noite tranquila. Muito pelo contrário, as pessoas ficam mais ansiosas, estão constantemente a olhar para o relógio, a tentar consumir, no espaço de duas ou três horas, a maior quantidade de álcool possível, socializar, namorar, engatar, fumar, dançar. Só de pensar nisso já fico com as axilas suadas. O meu irmão costumava dizer que essa é a razão pela qual o techno nunca conseguiu crescer em Oslo. Ninguém tinha tempo para esperar que uma canção com uma intro de cinco minutos atingisse o pico. As pessoas queriam dar tudo, viver ao máximo antes que as luzes de aviário do clube se acendessem e a vergonha ficasse às claras. Daí também a nossa relação com as drogas, como MDMA e a cetamina, ser praticamente inexistente. As nossas drogas de eleição são o álcool ou a cocaína, e, para algumas pessoas, as duas. As nossas bebedeiras atingem níveis olímpicos e, pelos anos de convívio com os foliões da cidade, diria que as pessoas não são violentas por natureza, é a combinação de sangue viking, álcool e cocaína que faz com que no final da noite as praças de táxi se transformem em ringues de combate. Ao contrário de cidades que não têm obrigatoriedade de fechar à noite tão cedo, fazendo com que o escoamento seja mais fluido, as nossas leis fazem com que os clubes expulsem um mar de gente alcoolizada para a rua ao mesmo tempo. E não precisamos de ser génios para perceber que quando se juntam cerca de seiscentos machos sexualmente frustrados numa fila de táxi, todos marados e pedrados, não é de surpreender que escaramuças ocorram.

Como é que o kuduro convive com a questão das drogas? Qual é a droga associada ao kuduro? Será que a sociedade angolana é tão conservadora como a nossa? Para nós, drogas é uma questão sensível. São ilegais e temos muito pouca tolerância para com os traficantes. Se descobrirmos que o infeliz do Kalaf Epalanga tem algum caso relacionado com estupefacientes ligados ao seu nome, estará completamente lixado. As nossas penas contra a imigração ilegal são leves se as compararmos com o tratamento que damos aos traficantes de droga. Tem vindo a alargar-se o debate sobre a descriminalização de alguns estupefacientes, mas estamos longe de ter um consenso sobre a matéria, e para nós o consenso é o que alimenta esta sociedade. Duvido, por isso, que estas sejam descriminalizadas. A imprensa tende a pôr pressão contra e a demonizar a cultura de clubes, como se esta fosse a única culpada pelo título de capital europeia das mortes por overdose, que nos foi atribuído em 2002. A situação é grave, principalmente na parte oriental de Oslo. As estatísticas apontam que as drogas são a origem dos crimes no país, e uma das principais razões pelas quais o número de mortes é mais elevado na Noruega do que em outras partes da Europa. Tudo porque existem mais pessoas a injetar heroína do que a fumar. Não que fumando não acabe igualmente por te foder.

Tenho muito respeito pelos que trabalham na divisão de narcóticos. Eu trabalhei na noite, sei que a cultura de combinar cocaína, heroína e rohypnol com muito álcool está a destruir muitas vidas. Sei que os mais velhos devem estar a coçar a cabeça e a perguntar-se como é que uma sociedade com tanto dinheiro como a nossa se vê a braços com um problema de consumo de drogas. Parece-me que é, em parte, por causa do tédio. Se pensarmos bem, nós não temos propriamente problemas. Digo isso sem pestanejar porque estou na linha da frente, a mim chegam-me todo o tipo de histórias, autênticos pesadelos, cada um pior que o outro. E quando as comparo com os nossos problemas dá-me vontade de rir. Quando se tem dinheiro e poucos problemas, a tendência é para ficarmos paranoicos, metendo o nariz na vida de toda a gente à nossa volta, a querer gerir a vontade dos outros, implicando com a quantidade de cigarros que estes fumam, com o número de cervejas que aqueles consomem. Sei que consumimos muito álcool, mas o ponto que eu quero realçar é que, às vezes, a sensação que me dá é que viver se tornou tão perigoso que nos acobardamos de o fazer. E quanto mais o tempo passa, mais cobardes nos vamos tornando, discutindo ninharias e futilidades. Limitando o nosso direito individual de cometermos os nossos próprios erros e aprendermos com eles. Se tudo o que aprendermos é porque alguém nos disse, quando é que teremos as nossas próprias experiências de vida? Vivamos um pouco, por amor de Deus. Não precisam de consumir nada, mas, pelo menos uma vez na vida, entrem numa cave escura e ouçam o "Who's Afraid of Detroit?", de Claude VonStroke, a sair de um sistema Funktion-One.

Pena que não posso partilhar isso com a Mari. Nem com ela nem com ninguém nesta esquadra. Talvez só o nosso detido conheça e me entenda. O clássico de VanStroke chegou-me pela mão do meu irmão via email. Como de costume, não tinha muito lero-lero, apenas o cabeçalho que dizia: "Larga tudo e ouve esse tema". Cliquei no link e logo desde o início, quando aqueles pads atmosféricos entraram, senti um arrepio na espinha. Depois aquele sintetizador bleepy, a linha de baixo profundo e o beat preciso a sustentar um refrão surpreendentemente cativante. Eu que nem oiço música de dança fora do clube. A minha cena para ouvir em casa sempre foi e continua a ser rap, mas de quando em quando, principalmente quando me é recomendado pelo meu irmão, abro uma exceção. Ele sabe do que gosto, tanto que o tenho no meu top 5, ao lado do "Starlight (Moritz Mix)", dos Model 500, o "The Tunnel", do Richie Hawtin, e o "Angel", do Carl Craig, a que cheguei relativamente tarde, se pensarmos que ele é um dos gurus da cena de Detroit. Antes disso estava completamente viciado no "Welcome 2 Detroit", do J Dilla, até que a minha mãe, certo dia, se virou para mim e para o meu irmão e disse que iria até Bergen ver o concerto de uma cantora cabo-verdiana que canta com os pés descalços, Cesária Évora. Ela tinha pedido ao meu pai que a levasse, mas este recusou e, como ela sabe que somos filhos dele, sabia que faríamos o mesmo. Limitou-se a pedir-nos que a levássemos ao aeroporto. No caminho, e brincando com a minha mãe, o meu irmão colocou no rádio um tema e perguntou se ela conhecia aquela versão. Era o remix do Carl Craig para o tema "Angola", da diva cabo-verdiana. Não entendi nenhuma palavra, nem sei que língua ela falava, apenas consegui identificar a palavra "Angola" no refrão. Não sei se foi por associar a música dela à imagem da minha mãe a abanar a cabeça, mas a verdade é que a partir daquela data pus-me a consumir tudo o que ele tinha produzido e fui parar ao Planet E, onde, além do Moodyman, fui descobrir "Bug in the Bass Bin", dos Innerzone Orchestra. E a minha vida mudou para sempre. De repente, tudo fez sentido. Toda a música de dança que ouvira até então, principalmente os *broken beats* que me chegavam de Inglaterra, faziam muito mais sentido. E do que ouvi nessa breve busca na internet posso dizer, sem medo de errar, que o "Bug in the Bass Bin" está também no DNA da música que o angolano que ocupa a nossa cela diz ser a razão que o fez atravessar a nossa fronteira.

Por volta da uma da tarde Mari tocou-me no ombro e perguntou-me se não queria fazer uma pausa para mordermos uma sanduíche lá fora. Tirei os auscultadores dos ouvidos para lhe responder que fosse andando sozinha, não tinha fome. Se entretanto tivesse, iria comer mesmo ali na secretária. Reparando no som que saía dos auscultadores, perguntou-me o que estava a ouvir. Passei-lhe os auscultadores e ela puxou de uma cadeira e sentou-se ao meu lado, talvez pensando que lhe apresentaria uma prova que incriminasse o nosso recluso. Com as mãos cobriu os ouvidos para que não lhe escapasse nenhum detalhe importante, mas, ao fim de cerca de três minutos daquela mistura de calipso e beats eletrónicos, voltou-se para mim, exibindo no rosto um ar de deceção. "É só música", disse, sublinhando o óbvio. "É a música que ele faz", e o seu ar de deceção agravou-se ainda mais. Pedi-lhe que voltasse a colocar os auscultadores nos ouvidos e mostrei um vídeo no YouTube de um rapaz mutilado numa perna a dançar de forma frenética em cima do tejadilho de um carro abandonado. O vídeo tem dois milhões e meio de visualizações. "É daqui que ele vem", e ela pareceu mais interessada. "É incrível, não é?", desabafei. Ela não me ouviu, continuava com as mãos cobrindo os auscultadores que tinha nos ouvidos. "O rapaz do vídeo chama-se Costeleta e chamam a esse estilo de música kuduro", disse-lhe quando me devolveu os auscultadores. "As músicas são produzidas de forma rudimentar nos estúdios caseiros, nos bairros da periferia de Luanda, a partir de computadores baratos e software pirateado. Dizem que evoluiu a partir das trincheiras da guerra civil, que devastou o país durante vinte e sete anos. Sobreviveu ao fogo cruzado da segunda guerra fria, entre a América de Ronald Reagan e a União Soviética de Gorbachev. Esta música representa o pulsar de toda uma nova geração de sonhos amputados, como o jovem do vídeo. Cresceu até se transformar numa bandeira, num símbolo cultural contra a interferência e a ingerência de russos, sul-africanos, cubanos, portugueses, americanos e uma mão-cheia de europeus e asiáticos bem ou mal-intencionados, que sempre puseram os seus interesses acima dos dos donos da terra. Kuduro é para eles o antídoto ao luto, um sussurro alegre, uma dança absurda, que pretende ser como o ouro negro que brota dos seus poços, o produto mais exportável que Angola já produziu", disse-lhe entusiasmado, depois de muito tempo de pesquisa.

"E o que é que isso diz sobre o nosso detido?" A pergunta da Mari era pertinente, mas não lhe respondi de imediato. Ao invés disso, insisti.

"Sabes que kuduro se traduz literalmente por rabo duro?" Ela voltou-se para mim visivelmente irritada. E para a tirar ainda mais do sério brindei-a com mais uma trivialidade que colhi da internet. "O estilo de dança do kuduro foi inspirado por um dos teus atores favoritos, o Jean-Claude Van Damme. Quem diria!", disse-lhe. Ela dobrou o punho direito, como se preparasse para o arremessar na direção do meu nariz. E quando eu me preparava para proteger o rosto, ela mostrou-me o dedo médio, levantou-se e partiu em direção à porta.

"Aparentemente ele dança como tu, Mari, e aquela falta de jeito e o rabo teso como uma vassoura deu origem a todo um género musical", disse-lhe antes de a ver desaparecer atrás da porta.

16h54

A frase "*They say if you love it, you should let it out its cage*", contida no tema "Dear Summer", atravessou-me o pensamento há pouco tempo. Foi no dia em que, para celebrar o fim dos nossos dois invernos, visitei o Frognerparken, que, como acontecia todos os anos, tinha nessa altura aquele cheiro distinto de carvalho e hot dogs assados em engangsgrill pairando no ar. Tinha também o relvado cheio de gente semidespida, rimando com a nudez que Gustav Vigeland esculpiu nas mais de duzentas esculturas que se encontram naquele espaço. Não sei se pelas figuras ou se pelo tema que o pai da nossa escultura escolheu para representar, a verdade é que sempre fiquei horas a olhar para as cento e vinte e uma figuras cravadas umas em cima das outras naquele bloco único de granito apontando para o céu, invocando o anseio que temos pelo espiritual e o divino. E mais estranho ainda é que com aquela imagem me surgiram aqueles versos e a urgência de voltar a ver Ava. Primeiro pensei em ligar-lhe, mas, como já se passaram anos desde o nosso último encontro no funeral do meu avô, pensei que talvez fosse mais adequado começar com um email, ou talvez uma carta onde expusesse as razões por que temos vindo a adiar um reencontro desde os verões da nossa adolescência até hoje, talvez não tão atrás, talvez desde a nossa última conversa, e por que não lhe pedi que ficasse por Oslo. Começaria exatamente com essa linha do "Dear Summer", um dos temas que o Hova aproveitou para sair da autoimposta aposentadoria e em que, para nosso deleite, nos brindou com aquelas barras de puro rap. Calma e graciosamente, despediu-se da sua época favorita do ano debitando estrofes em cima de uma batida vintage produzida por Just Blaze, mas que poderia muito bem ter sido produzida por Madlib, pela forma como o sample jazz soul do tema "Morning Sunrise" de Weldon Irvine foi cortado. Não iria melgá-la com a minha obsessão pelas rimas do Jay-Z, mas, como logo a seguir àquela linha, ele disse: "*And fuck it, if it comes back you know it's there to stay*", iria perguntar-lhe se não sentira que o nosso lugar era ali em Kristiansund, talvez não literalmente em Kristiansund, mas ali, olhando nos olhos um do outro, sentados nos bancos partilhando histórias, tal como fizemos naquela cozinha a beber café à moda do Líbano, Kahweh, como me ensinara a pronunciar em árabe enquanto revelava a importância daquela bebida na cultura libanesa, explicando-me, com toda a calma do mundo, a forma como este era preparado nas velhas aldeias, onde as famílias costumavam torrar e moer os grãos à mão. Ela colocou o pote de café de mão longa, o Rakweh, no bico do fogão, e adicionou uma colher de chá de café para cada chávena de água. Com o lume baixo e uma colher de madeira, mexeu o líquido com gestos suaves até ao ponto em que levantou fervura, mas não o suficiente para que o líquido transbordasse. Desligou o fogo e serviu. No momento em que me preparava para o levar à boca aconselhou-me a esperar mais alguns segundos até que a borra do café assentasse no fundo da chávena. É a bebida que acompanha todas as ocasiões sociais, sejam elas informais ou de negócio, explicou-me. O café é a bebida dos momentos de tristeza e de alegria, sucesso e fracasso, o café é a bebida de eleição das longas reuniões familiares sempre que é preciso discutir com vizinhos ou decidir com que clãs se deve formar alianças através do casamento.

Embora similar ao café em países vizinhos, e às vezes referido como café turco, o café libanês é ligeiramente diferente pela forma como os grãos são torrados e moídos. "O gosto do café é definido por esse processo inicial", disse-me sorrindo com os lábios e os olhos. Enquanto em países como a Síria usam água de flor de laranjeira ou almíscar para enriquecer o sabor do café, no Líbano é comum adicionar-se cardamomo. Sempre que passo pela nossa máquina de café aqui na esquadra sonho com o café que bebemos naquela noite passada em claro. "As pessoas no Líbano bebem muito café. A minha mãe dizia que aqueles que não bebem café vão perder a nacionalidade. O café bebido no Líbano é principalmente de estilo árabe (turco)", dizia ela, enquanto colocava algumas colheres de açúcar na chávena. A diferença entre o da mãe e o que ela me servira é que o da sra. Hajjar era tão doce que os dentes te caíam se bebesses mais do que duas chávenas. Aquela noite acabou por ser mais especial ainda porque não cedemos à tentação de saltarmos para cima um do outro. E, meu Deus, acho que nunca me sentira tão sóbrio e ao mesmo tempo tão *high*, como se tivesse fumado algo. É claro que o guardei para mim, e deixei-me levar. Repescámos velhos assuntos, falámos da família, de música. Ela tornou-se muito mais sofisticada do que eu, que continuava essencialmente a ouvir rap. Eu estava fascinado por aqueles olhos, como se os visse mais nitidamente, o movimento dos seus lábios, o seu batom, rosado com ligeiros tons de pérola, a mastigar lentamente as palavras, com um ligeiro sotaque de que já me havia esquecido de quanto tornava o norueguês bem mais musical. E os olhos riscados a negro, uma moldura para as duas avelãs sobre um fundo branco que tanto se fixavam nos meus como fugiam quando me calava e o silêncio se tornava palpável. Um olhar familiar, que volta agora a reacender um desejo que julgava adormecido. Pela minha expressão de espanto, tive a certeza que de ela também o identificara.

Ava estava em Kristiansund para vender a propriedade dos pais, dois engenheiros químicos que migraram para aquela cidade no início dos anos 1980. Mas aquele não foi o primeiro poiso da família em terras do norte. Primeiro viveram em Stavanger, como todos os que desejam trabalhar na indústria petrolífera. O sr. e a sra Hajjar, antes de trocarem a Paris do médio Oriente pela capital do petróleo norueguês, ainda ponderaram emigrar para o Brasil ou para os Estados Unidos. A decisão foi tomada, segundo a Ava me contava, na sequência dos massacres que ficaram conhecidos como Sábados Negros. No final de 1975, quatro membros do partido de direita cristão, Kataeb (Falange), foram encontrados mortos, e as milícias afetas ao partido passaram-se completamente e retaliaram, atacando indiscriminadamente a população muçulmana que habitava a parte leste da cidade, a zona dominada pelos cristãos. Os que não foram mortos, foram usados para resgates. Beirute, que sempre foi uma cidade dividida, uma panela de pressão à beira da explosão, com cristãos a confrontarem-se entre si pelo controlo de pontos estratégicos da cidade (como o bairro dos hotéis), e, claro, o confronto clássico entre muçulmanos e cristãos que teve como gota de água, pelo menos para os pais da Ava, o massacre de Karantina. Uma milícia cristã atacou um dos bairros pobres do nordeste de Beirute, habitado por muçulmanos, curdos, arménios, sírios e palestinos, lugar carregado de simbolismo histórico. Como sempre, os homens que fazem guerras dizem lutar para preservar a nossa história, mas acabam inevitavelmente por destruí-la. O bairro da La Quarantaine ganhou esse nome porque no século XIX fora ali edificado um lazareto para viajantes a pedido de Ibrahim Pasha, filho de Muhammad Ali Pasha, o governador do Egito, que controlou a Síria e o Líbano naquela época.

A decisão de optarem por Rogaland veio de forma quase inusitada. Na semana em que os pais dela se preparavam para pedir um visto para o Brasil deparam-se, numa revista científica, com uma entrevista de um tal de Farouk al-Kasim, o geólogo iraquiano que teve um papel importante na forma exemplar como a nossa indústria petrolífera acabou por ser montada. O artigo apresentava a história fantástica deste homem, que se despedira do emprego, um posto bem remunerado na companhia petrolífera estatal do Iraque, deixando para trás uma vida confortável de classe média-alta na sua cidade natal de Basra, para se mudar para o país da esposa norueguesa, em busca dos melhores tratamentos para o filho mais novo, nascido com paralisia cerebral. Na manhã de 28 de maio de 1968 o sr. Al-Kasim aterrou em Oslo, desempregado e com a cabeça cheia de incertezas. Sabia que seria difícil encontrar um emprego tão bom como aquele que deixara para trás. Nem tinha sequer noção de que a exploração do petróleo no Mar do Norte já se tinha iniciado. Mesmo que o soubesse, de nada lhe valeria essa informação, já que ao fim de cinco anos de exploração ainda não havia sido encontrada uma gota de petróleo. Ava perguntou-me se sabia da existência daquela figura, se tinha ideia de que o sucesso da exploração do nosso petróleo se deve, em grande parte, ao contributo de um iraquiano, um imigrante. É claro que não fazia ideia. Para muitos da minha geração não existe memória de como era a Noruega sem os seus poços de petróleo, mas Ava fez questão de me esclarecer. Tudo se deu naquela manhã de 28 de maio, quando o sr. Al-Kasim, ao invés de esperar pelo comboio que o levaria até à cidade natal da esposa, decidiu bater à porta do Ministério da Indústria, com o intuito de recolher uma lista de empresas ligadas ao ramo do petróleo, para mais tarde lhes enviar o seu *curriculum*. O funcionário que o recebeu ficou visivelmente desconcertado, mas não lhe negou a lista de empresas, pedindo apenas que voltasse naquela tarde. Quando voltou ao ministério para recolher a lista, espantou-se ao verificar que à sua espera estavam vários homens do ministério e todos eles curiosos com o tipo de educação e experiência de trabalho que possuía. O desespero daqueles homens era visível, e aquilo que seria uma troca de informação banal acabou por se transformar numa entrevista de trabalho. Antes daquela manhã, o departamento incumbido de administrar os petróleos da Noruega contava apenas com três funcionários, todos com menos de quarenta anos, bem-intencionados mas verdes. Iam aprendendo o essencial da profissão à medida que iam avançando. Os relatórios com os resultados da exploração do Mar do Norte que lhes iam chegando às secretárias requeriam uma análise cuidada e o sr. Al-Kasim, um homem com conhecimentos académicos, com experiência de campo e desempregado, ter-lhes caído de paraquedas naquele belo dia de verão. Pareceu-lhes uma dádiva de Odin.

O sr. Hajjar acreditava nessas coisas, e também ele sentiu que aquele era um sinal de Deus. E, inspirado pela história daquele homem, naquele mesmo dia saiu de casa com a revista debaixo do braço e foi bater à porta da Embaixada da Noruega. Imaginou este país como a terra das oportunidades. Se um iraquiano que veio aqui parar com uma mão à frente e outra atrás conseguiu singrar na sua profissão, então era aqui que ele imaginou viver, prosperar e criar os seus filhos. É claro que a distância que separa o sonho da realidade é tão vasta quanto os quatro mil seiscentos e setenta e seis quilómetros que separam Oslo de Beirute. Esse facto ele aprendeu mal pôs os pés em Stavanger. Espantou-se primeiro ao saber que o sr. Al-Kasim não tinha um posto dentro do Ministério da Indústria. O cargo que lhe foi atribuído foi o de "consultor". O governo precisava dele, mas colocá-lo numa posição de poder seria uma afronta ao sistema político, que não estava preparado para tanta emancipação. O plano foi revelar a sua presença aos poucos, em doses homeopáticas, para não chocar o conservadorismo que ainda hoje perdura. A maioria das pessoas que hoje usufruem da história de sucesso que era a nossa experiência com o petróleo mal faz ideia de que tal se deve a um iraquiano. Nem os noruegueses nem o mundo lá fora. A narrativa vigente é que as coisas aconteceram como aconteceram devido às características excecionais das instituições da Noruega, ao rigor e ao caráter nacional. Dentro desse tipo de narrativa escandinava, não há espaço para a inclusão de um herói árabe chamado Farouk al-Kasim, um messias vindo da Mesopotâmia para entregar os dez mandamentos do petróleo, que foram aprovados pelo nosso Parlamento sem grande debate e seguidos à risca por todos os governos posteriores. Ava contava isto com um leve sorriso nos lábios, que sublinhava a óbvia ironia de tudo. "Não achas incrível que tenha sido um iraquiano quem organizou a indústria mais importante do país? Sem ele, provavelmente teriam deixado as companhias americanas decidir que tipo de modelo seria aplicado à exploração do petróleo", disse-me. Eu fui mais longe, e disse-lhe que, se os pais dela não tivessem tido contacto com a história desse homem, os nossos destinos provavelmente nunca se cruzariam. Ela preferia não pensar dessa forma, porque seria obrigada a recuar mais ainda e a reconhecer que, se a guerra civil do Líbano não tivesse acontecido, as chances de nos cruzarmos seriam perto de zero. Ela sempre achou um disparate esse tipo de suposição. A vida acontece porque tem que acontecer, é inútil procurarmos mais porquês. Entendo, mas que posso eu fazer. O "se" sempre foi o meu maior problema. Mesmo agora, relembrando aquela conversa, não consigo evitar perguntar-me "se" as explorações nos mares da Noruega e de Barents não se tivessem iniciado, a família Hajjar provavelmente não teria ido para Kristiansund. E se o pai agora, depois desses anos todos, não tivesse pedido que ela voltasse à Noruega para vender a propriedade da família, não nos teríamos cruzado no funeral do meu avô.

Apetecia-me tomar um café. Talvez devesse ter aproveitado a pausa para a sanduíche e ter seguido a Mari lá para fora. O café mais decente aqui ao pé era só mesmo o do aeroporto. Devia ter prestado atenção à forma como a Ava fez aquele café libanês. Talvez encontre a receita na internet, talvez lhe escreva, ela vai achar estranho, depois desse silêncio todo, receber um email a pedir-lhe a receita daquele café. Talvez faça isso mesmo, quando sair daqui passo no Fuglen, aquele lugar hipster, cafetaria de dia, bar e loja de design vintage à noite. Nunca cheguei a confirmar, mas penso que se pode sair à noite para beber um gin tónico e voltar para casa com um candeeiro ou cadeira debaixo do braço. É o lugar do momento para os amantes de café. Abriu as portas em 1963, o meu pai chegou a levar-me lá algumas vezes. Na época eu não bebia café, e perguntava-me como era possível alguém gostar de bebida tão amarga. Mas este ano o estabelecimento renasceu com novo fulgor. A nova gerência, talvez também eles filhos de antigos clientes, decidiu manter o interior praticamente intacto.

Visitá-lo é como entrar dentro de uma cápsula do tempo, e o facto de ter acrescentado uma seleção de objetos vintage e mobiliário, a maioria dos anos 1950 e 1960, que, de acordo com os especialistas, é a época de ouro do design nórdico, confere ao lugar esse toque de museu vivo. O meu conhecimento da história do design é limitado, mas tenho a certeza de que a Ava iria vibrar com o lugar. Todos os cantos respiram o otimismo e a crença no futuro que marcou a década de 1960 neste país. Talvez lhe escreva a dizer isso mesmo, que encontrei a essência do café norueguês aqui mesmo em Oslo, uma variedade de grãos provenientes de lugares exóticos e confecionados a partir de métodos que nunca soube que existiam: aeropress, prensagem à francesa, filtrado, *pour over* e até *cold brewed*. E diz-se que os noruegueses estão em segundo lugar, depois dos finlandeses, no consumo mundial de café per capita. Muitos dos meus compatriotas não conseguem passar vinte e quatro horas sem ser sacudidos por um shot de java. É comum, e vejo por eles, beber-se expressos atrás de expressos, mesmo antes de ir para a cama.

"*It's tugging at my heart, but this time apart is needed.*" Mais uma vez o tema "Dear Summer" volta a soar dentro do meu cérebro. Jay-Z usou esse tema para explicar por que se tinha afastado do microfone, e eu não consigo encontrar a razão para explicar o porquê desta distância. Será que podemos dizer que o amor por alguém pode assumir características de um território, um país, e viver longe dele poderá significar o mesmo que viver exilado? No meu caso, exílio autoimposto. Existe uma forma de lhe pôr fim, basta que ela me queira de volta ou simplesmente que me queira, já que não poderei dizer que alguma vez estivemos juntos, salvo, claro, as noites que me esgueirei pela janela e depois as vivemos juntos naquela cama minúscula. Quando me dirigi à casa de banho naquela noite que passámos a beber café, ainda cheguei a espreitar-lhe o quarto. Só sobrava mesmo aquela cama silenciosa junto à parede de um quarto vazio, a única verdadeira testemunha dos nossos queridos verões. Nessas noites que passámos a cochichar no ouvido um do outro os discos que nos tinham marcado, falámos de canções, arranjos, compositores, de tudo, menos de nós. Até hoje não consigo acreditar como os pais dela nunca nos apanharam. O pai talvez fosse mais difícil, já que ele passava a maior parte do tempo nas plataformas de petróleo. Mas a mãe, que dormia a duas portas daquele quarto, nunca surpreendeu os nossos corpos nus, as minhas mãos acariciando as suas coxas, percorrendo o vale que era a sua barriga quando deitada de costas, os meus dedos coando os seus cabelos. Ficávamos horas naquilo, conversando sobre cidades que gostaríamos de visitar, festivais e concertos que gostaríamos de ver, sem nos apercebermos, como aliás todos os jovens amantes nunca se apercebem, de que revelar desejos não significa o mesmo que definir projetos. Ava falava tanto de viajar que sempre pensei que ela fosse acabar por trabalhar para a SAS ou virar *tour manager* de uma banda de sucesso internacional. Na voz dela, mesmo quando sussurrando baixinho, sempre deu para ler que não queria desperdiçar nenhum minuto da sua juventude. Perguntava-me se eu queria morrer na Noruega. Tínhamos quinze anos, a última coisa que me passava no pensamento era onde gostaria eu de morrer. Encolhia os ombros e ela insistia, "não queres ver como é o mundo lá fora?", perguntava-me ela com aquele sorriso rasgado. É claro que queria, mas, mais do que querer ver o mundo, que tal irmos os dois? Pensava-o, mas nunca tive coragem de perguntar. Preferia, ao invés, perguntar-lhe como era a sua vida em Beirute. "Sinto que pertenço. Toda a minha vida andei à procura do significado disso, mas nem tudo são rosas. Apesar de encontrar pessoas adoráveis e de ter amigos de todos os estratos sociais e religiões, eu, tal como a maioria dos libaneses, continuava a viver com medo dos vizinhos. As guerras civis fazem isso às pessoas. Como prosperar tendo como sombra constante o fantasma da guerra, a ameaça de assassinatos, a tensão entre Israel e o Hezbollah, atentados suicidas, corrupção?", perguntava ela. Mas não esperava que eu respondesse, porque, no mesmo fôlego, dizia que tinha conhecido muitas pessoas da sua idade praticamente de malas aviadas, querendo sair, sendo o desemprego o motivo desta vez, mas é claro que é mais do que isso. "Quem os pode culpar? A esperança num futuro melhor está presa por um fio. O Líbano é uma das regiões mais perigosas da Terra. É assim que o mundo vê o Médio Oriente, e é assim que eles próprios se veem. O futuro do Líbano está ligado aos problemas mais complexos do mundo. O conflito árabe-israelita, o equilíbrio de poder entre a Rússia, a China, o Irão, a Coreia do Norte *vs* Estados Unidos mais o Ocidente. O ódio perene entre maronitas, xiitas e sunitas. Quem os pode culpar? Eles testemunharam mais guerras, confrontos armados e tragédias do que qualquer europeu alguma vez imaginou. Eles vivem numa cidade cheia de adrenalina e de gente esquizofrénica. E só se apercebem do quão perigosa é a vida quando recebem a visita de familiares vindos do Ocidente, quando os vêm nervosos, com medo de sair à rua. Aí apercebem-se de quão serenos estão diante desta amálgama de perfeita aleatoriedade, a que muitos chamariam caos mas que, em Beirute, é apenas a vida."

"Um ambiente assim deve proporcionar boa música", disse eu, e perguntei-lhe como era a cena musical em Beirute. Ela encolheu os ombros e resumiu. "Ao que consta, por volta de 2000, após quinze anos de guerra civil e de uma década de reabilitação pós-guerra, a situação da arte alternativa, e especialmente da música, era muito pobre. Tanto no rock como na pop, passando pela nova vaga de música eletrónica, tudo o que podias ouvir em Beirute era provavelmente uma cópia 'arabizada' de antigas ou novas cenas que se ouviam na Europa e nos Estados Unidos. A cena do jazz, por exemplo, estava mais interessada em reproduzir os padrões bebop do que inovar sobre o folclore local, tal como Mulatu Astatke fizera com o jazz etíope. Entretanto, as coisas começaram a mudar com o novo milénio, com a chegada de uma nova geração de músicos, nascidos no início e durante a guerra, mais interessados em formas de arte experimental do que na fama imediata." Fez uma pausa e puxou do iPod, passando-me uma das pontas do seus auscultadores e aproximando-se de mim. Fiz o mesmo, inclinando-me na sua direção, os nossos rostos frente a frente, a um palmo de distância. A canção chamava-se "Ya Habibi Taala Lhaeni" (Amor, Vem Perseguir-me) e era da banda Soap Kills, do autointitulado jardineiro do undergound, Zeid Hamdan, e da bela Yasmine Hamdan, que, apesar de terem o mesmo sobrenome, não tinham nenhum grau de parentesco. A banda foi formada no início dos anos 1990, quando Zeid voltou da guerra, com a cabeça a latejar com sons de bandas ocidentais, como os Pixies, e se cruzou com a vocalista Yasmine. Pode dizer-se que eles foram seminais na criação da cena eletroárabe, buscando influências tanto nos Massive Attack como nos Portishead. E consagraram Yasmine Hamdan como a voz de uma geração inteira. Para aquela juventude do pós-guerra civil em Beirute, era como a nossa Beth Gibbons. A forma ousada como respigou canções árabes clássicas como o "Ya Habibi Taala Lhaeni" provou que a dupla Soap Kills conseguia tirar melhor proveito do repertório clássico da geração dos seus pais do que as bandas de gosto duvidoso que dominavam a cena rock libanesa dos anos 1990 e início de 2000.

Os Soap Kills entretanto terminaram. Mas, durante um breve período, ainda se pensou que a cena ia finalmente extravasar o Mediterrâneo e partir à conquista de novas fronteiras, quando Zeid Hamdan e o compositor Khaled Mouzzanar fundaram a editora independente Mooz Records, a casa para tudo o que se queria de alternativo no Líbano de meados de 2000. Em maio de 2006 a Mooz realizou o Beirut Luna Park Music Festival. Foi o maior festival do género, mas que acabou por ser visto mais como um símbolo da pretensão de Beirute de oferecer promessas, que se revelariam falsas. A maior parte da elite cultural que constituía o cenário alternativo e, certamente, a maioria dos cerca de mil e quinhentos que participaram do festival, olhava de forma despreocupada para o futuro, ignorando as fragilidades do país e os atores políticos externos. Os artigos publicados na época sobre o festival refletiam o otimismo do país. Mas a 12 de julho Israel lançou a Operação Justa Recompensa e atacou o Líbano, procurando vingar os soldados mortos na fronteira pela mão do Hezbollah. Os trinta e três dias de bombardeamentos que se seguiram deixaram um rasto de destruição em Beirute e no sul do país. Do lado israelita, o número de vítimas mortais atingiu as cento e cinquenta e sete pessoas. No Líbano, entre as mil e duzentas pessoas que perderam a vida, na sua maioria civis, também morreu a cena musical alternativa de Beirute. "As coisas esfriaram depois disso", disse Ava, nos intervalos das canções. Quando me pôs a ouvir os Scrambled Eggs, uma banda de rock experimental, das poucas bandas com expressão além-fronteiras, fez uma pausa a meio da canção "It's All About Lost Expectations", do álbum *No Special Date Nor a Deity to Venerate*. "Adoro os títulos que eles dão aos seus projetos, parece que guardam uma mensagem secreta." Agora que visito novamente aquela noite, tenho a certeza de que aquelas canções não foram escolhidas de forma aleatória. Uma das coisas que mais me marcaram foi Ava citar um texto qualquer de Charbel Haber, membro do Scrambled Eggs. Ela não se lembrava muito bem mas, em linhas gerais, dizia que eles faziam tudo como se o mundo fosse acabar amanhã. Os sírios poderiam voltar, Israel poderia atacar, o Hezbollah poderia começar outra guerra. Viver nesse tipo de situação obrigava a que se fizesse muita coisa de forma autodestrutiva. Para eles, dizia a Ava, sexo, drogas e rock 'n' roll significam, acima de tudo, liberdade.

Perguntei-lhe sobre a cena do rap, quais eram os rappers que se destacavam, e ela respondeu-me que continuava sem saber muito do género, sentia que a cena de hip-hop árabe estava presente mas, tirando um outro nome como os Aks'ser, os Kita3 Beirut e um tal DJ Lethal Skillz, pouco mais poderia acrescentar. O que ela ouvia, uns cuspindo melhor do que outros, eram rimas sobre a realidade da vida urbana em Beirute, sobre a desigualdade social, a instabilidade política e a vida nos campos de refugiados palestinos. Contudo, em viagens pelo Líbano profundo, tomou contacto com a tradição oral do país. Disse-me que eu iria gostar de conhecer o zajal, uma forma de competição poética no dialeto libanês, que até hoje continua vivo nas aldeias do interior. Debitou alguns versos a título de exemplo. Era a primeira vez que a ouvia falar árabe, com os pais sempre comunicou em francês. É curioso como uma língua dá uma bandeira, um território a uma pessoa. Até àquela noite ela era Ava, vizinha dos meus pais, minha namoradinha de verão. Ouvi-la falar sobre o seu outro país, na sua outra língua, contando histórias de luta, imigrações forçadas e o quão frágil é a paz – essa coisa abstrata que não sabemos bem o que significa até a balança se desequilibrar e, no caso dela, até muçulmanos e cristãos deixarem de se entender e de respeitar o poder oriundo da representatividade –, aquelas histórias de mortes contranatura, de gente desterrada, de vergonha e orgulho cego, fez-me senti-la mais viva do que nunca. Quando ela fez uma pausa para beber um gole de café lancei-lhe a pergunta. "Se o teu pai descobrisse o nosso romance, o que nos aconteceria?" Aquela pergunta dizia mais sobre o presente do que sobre o passado, e ela sabia que eu perguntava sobre o agora, de como os pais, minto, de como ela nos vê hoje. Pousou a chávena e sorriu. A conduta imprópria em relação a uma menina solteira prejudica a honra da sua linhagem. O seu pai e irmãos buscariam reparação, que poderia tomar a forma de matar a menina e o homem envolvido, matar o homem ou expulsá-lo da aldeia, ou um acordo entre os clãs envolvidos. Se a compensação não for obtida, um conflito aberto entre as duas famílias poderia ocorrer.

17h13

Mari voltou a tocar-me no ombro. Puxou da cadeira e sentou-se ao meu lado. Vinha com um ar mais animado da rua. Deve ter tomado um bom café, pensei para mim. "Então já descobriste se o nosso angolano está a falar a verdade? Já desvendaste o segredo? Diz lá quem inventou o kuduro?", riu-se, apontando para o écran do computador. "É a banda do nosso recluso, chamam-se Buraka Som Sistema. O tema chama-se 'Sound of Kuduro' ", disse-lhe recuando o vídeo para o frame de abertura, uma vista aérea de uma rua movimentada, junto a uma baía com a legenda "Angola 2007". A câmara corta então para dentro de um carro onde vemos o nosso angolano proclamando em inglês e, suponho, em português, "*we made it, we here*". Várias imagens de ruas de Luanda se intercalam com close-ups de um homem e crianças. O som de um sintetizador frenético e de uma corneta de uma locomotiva anunciando a partida, e a voz de M.I.A. a convidar todos para subirem a bordo, antes de debitar as palavras de ordem: "*Sound of kuduro knocking at your door*!". E começa a festa, vários outros homens aparecem rastejando pelo chão, cercados por uma multidão de curiosos. Vemos o torso nu de outra pessoa enquanto caminha dolorosamente pelo chão sobre um quadril. A batida parece tornar-se mais rápida, mas é só a impressão que nos dá quando vemos um homem cair no chão, outros a rodopiarem no ar, desafiam a gravidade e a dor da queda. Começamos a perceber que aqueles movimentos não são aleatórios, trata-se de dança, a dança que, tal como no vídeo do dançarino mutilado, não apenas usa mas também desafia a forma como o corpo ocupa o tecido urbano. Imagens de estúdios caseiros, MCs debitando as suas rimas diante do microfone, intercalam com algumas das sequências de dança mais interessantes, excitantes e criativas que eu já vi. Jovens cujos pés giram na poeira, à beira da estrada, entre carros e debaixo de um sol abrasador. Somos transportados, através de cortes rápidos, por cenas de rua que apresentam uma cidade africana sem os clichês da praia ou de palmeiras de cartão-postal. Vemos bairros que se parecem com as favelas do Rio de Janeiro, vemos trânsito, muito trânsito, vemos uma mulher andando com uma carga na cabeça balançando os quadris ao ritmo da batida. Vemos um jovem, num passo de dança acrobático, lançar-se para cima de uma cadeira, destruindo-a e levantando-se sem sair do ritmo, continuando a dançar de forma alucinada.

"Eu não entendo nada de música, mas não achas estranho que o membro de uma banda de aparente sucesso seja apanhado sem documentos a bordo de um autocarro tentando atravessar a fronteira? Está na cara que ele veio à procura de asilo, se não pior", disse Mari, desconfiando que o nosso angolano estivesse a esconder algo mais sinistro. "Não foi há muito tempo que a nossa ministra da Imigração e Integração, Sylvi Listhaug, disse que as autoridades norueguesas devem enviar ao mundo o sinal de que a procura de asilo na Noruega é difícil", continuou. Seria bom que essa mensagem passasse, tornaria o nosso trabalho mais simples, mas eles, antes de ouvirem a nossa ministra, recolhem informações junto de pessoas igualmente desesperadas e mal informadas, ou pagam a alguém que os ajude a chegar mais perto do sonho da Europa. Existe um mercado próspero que alimenta e explora as vulnerabilidades desses pobres coitados. Não adianta tapar o sol com a peneira. Uma vez interroguei uma imigrante ilegal, uma mulher nigeriana de vinte e poucos anos que sonhava com uma vida na Europa. Ela tentou deixar a Nigéria várias vezes. A primeira vez que ela pagou cinquenta mil nairas (cerca de duzentos e cinquenta dólares) para documentos de viagem falsificados foi parada ainda no aeroporto, na Nigéria. Quando a interroguei, perguntei como imaginava ela ganhar dinheiro para se sustentar. Ela reclinou-se para trás, ergueu os ombros como se se preparasse para dizer o discurso motivacional que as participantes dos concursos de beleza dizem para conquistar o júri, e eu vi a confiança subir-lhe pelo pescoço e pelo rosto graciosos. Tinha uma pele preta muito escura, quase irreal, uma espécie de chocolate negro, lisa e tesa, as bochechas carnudas brilhantes de suor e os olhos sem expressão. Não consegui distinguir se estava assim por causa da tristeza ou se se estava pouco lixando para aquilo que o nosso sistema judicial lhe fizesse. Encarcerar, deportar, ela já tinha um plano B. Só isso explica por que me respondeu, sem pestanejar, desafiando-me com a sua sinceridade, quando lhe coloquei a questão de como imaginava sustentar-se na Europa: "Sexo!". A voz não lhe saiu neutra como se anunciasse a morte de um soldado aos pais deste, mas sim como se me educasse, transmitindo os desígnios secretos desta relação entre polícias e prostitutas, atores de uma mesma peça que é a miséria humana. "Se não estiver disposta a prostituir-se, não se disponha a vir para a Europa", dissera-lhe uma mulher que se prostituía na Itália. Depois de muito ponderar, concluiu que aquela seria a única hipótese que tinha de melhorar a vida. As mulheres e homens que sabia que se prostituíam na Europa, quando regressavam à Nigéria viviam como reis. Fez a sua segunda tentativa de atravessar as fronteiras externas da Europa em 2007. As despesas de viagem foram pagas por uma proxeneta de Itália. Juntamente com um grupo de outros migrantes, atravessou o Sara em direção à Líbia. Depois de alguns meses à espera em Tripoli, conseguiu atravessar o Mediterrâneo em direção a Itália, o ponto de entrada de muitos dos emigrantes que chegam às nossas fronteiras. Por isso, recebermos hoje um angolano foi uma surpresa e, provavelmente, também a razão que o condena. Sabemos qual é a história dos que vêm do Médio Oriente, da Nigéria, do Senegal. Agora de Angola, não sabemos nada, e não saber deixa-nos nervosos. Será que vêm aí mais? Será que vem aí uma nova vaga de imigrantes angolanos e este Kalaf Epalanga foi o mais rápido a chegar? Essas são as perguntas de Mari. Ela foi averiguar o que se passa em Angola, eu preferi tirar a limpo a história do rapaz e até agora tudo se confirma, a banda está de facto escalada para tocar às seis da tarde no palco do OYA. No entanto, Mari decidiu seguir o seu instinto. Quando o teu parceiro tem uma pulga atrás da orelha, é melhor prevenir do que remediar. Antes de o despacharmos para o centro de detenção ainda pensei que, para a história do músico colar melhor, seria preferível que ele estivesse a viajar com mais um elemento da banda. Alguém menos suspeito, com os documentos em ordem. Mari riu-se quando lhe expus esse ângulo. "Do que adiantaria, ele apresentaria os mesmos documentos." É certo, respondi-lhe. "Mas não irias olhar com outros olhos se os dois estivessem a contar a mesma história e com o mesmo objetivo?" Os polícias têm aversão a interrogar um grupo, mas, para se descobrir se alguém conta a verdade ou não, basta colocá-los na mesma sala e um deles vai descair-se. Se o inspetor nos chamasse para aquele aquário e nos perguntasse sobre a nossa noite em Grünerløkka estaríamos constantemente nos interrompendo e dizendo: "Não, não foi assim. Primeiro fomos a Blå e depois fomos provar o *cheesecake* com molho de framboesa, mas antes passamos pelo

Vår Frelsers gravlund". Mas essa técnica de investigação para detetar a mentira não é adotada pela grande maioria dos nossos investigadores. A tendência é optarmos pela história mais consistente. Como dizia o meu professor de criminologia, "a consistência supera todos os outros critérios". O nosso sistema judicial não sabe realmente como as pessoas que dizem a verdade se comportam. Eles esquecem-se de que há uma variação natural. Na verdade, muitos investigadores policiais experientes estão conscientes de que as memórias podem ser confusas. Uma vantagem especial das entrevistas em grupo é que os detetives têm acesso ao processo onde as pessoas envolvidas se ajudam mutuamente a lembrar. Mesmo que eles tenham ensaiado as respostas, podem sempre estar a dizer a verdade. Mas se lhe lançarmos perguntas inesperadas, terão que usar suas próprias memórias imediatas, ou a imaginação, e desta forma consegue-se detetar uma história falsa.

"Imagina que um de nós estivesse a usar o outro como álibi", perguntei-lhe. "Imagina que estivesses a cobrir-me. Irias memorizar o nome do restaurante e a hora que te indicasse mas provavelmente irias esquecer de dizer a lista de pratos descritos no menu. Mas suponhamos que te tivesses esquecido e para te encurralar o inspetor te pedisse para desenhares um esboço da planta do restaurante, a localização da nossa mesa em relação ao WC, por exemplo." Ela interrompeu-me para esclarecer que estas técnicas são usadas nos interrogatórios individuais. Concordei, saltando para outro cenário onde as entrevistas em grupo podem dar mais frutos. "Quando paramos um carro suspeito temos que estar cientes do desacordo que há normalmente entre os passageiros. As pessoas quando descrevem uma viagem geralmente têm opiniões e pontos de vista diferentes sobre quantas paragens se fizeram ao longo da estrada ou a hora exata da última. O mesmo se aplica às entrevistas a pessoas que procuram asilo." Ela interrompeu-me, acrescentando que esta era a razão pela qual não concordava que deixássemos o angolano sair livre. "Os imigrantes sabem que somos mais compreensivos quando o assunto implica viagens longas. Perder os documentos no meio da estrada é das desculpas que mais se ouvem e tu sabes bem disso", disse-me irritada, diante da minha insistência em investigar o passado musical de Kalaf Epalanga Alfredo Ângelo.

17h36

O telefone tocou novamente. Deviam ser umas nove da noite, já estava na cama. Do outro lado da linha, o meu pai. O inspetor deve ter-lhe dito que estava de baixa por causa da jovem eritreia. Senti-lhe a respiração do outro lado da rua e ouvi novamente as palavras com que me brindou no dia da minha formatura. "Para sermos bons agentes precisamos de aprender a ser bons comunicadores, sempre afáveis e capazes de trabalhar de forma autónoma. Temos que saber negociar, saber solucionar problemas e estar em excelente forma física", acrescentando: "A culpa não é tua". Não lhe respondi, limitei-me a ouvi-lo dissertar sobre a primeira vez que um detido seu se suicidara, há muito tempo atrás, ainda antes de se tornar detetive. Foi chamado por causa de uns distúrbios ocorridos num bar, e quando chegaram lá prenderam o indivíduo. Era um homem nos seus trintas, sem antecedentes, apenas com uns copos a mais. Soltaram-no no dia seguinte depois de pagar uma multa. Dois dias depois, o mesmo homem foi encontrado no Oslofjorden, afogado. Aquela morte atormentou-o durante algum tempo. Se o tivesse deixado ficar na cadeia mais uma noite, se tivesse conversado com o homem… "E quando é que deixou de o atormentar?", perguntei-lhe, depois de todo o telefonema em silêncio. "Não deixa, transformou-se em mais um dos fantasmas com que temos que aprender a lidar. Não te quero dizer que o tempo cura tudo, mas alivia tudo." Naquele momento, não sei bem vindo de onde, perguntei se o meu pai já tinha matado alguém durante o serviço. A pergunta deve tê-lo apanhado de surpresa, porque ficou durante uns minutos sem dizer nada. Ficámos os dois em silêncio, ouvindo a respiração um do outro, e surgiu-me: "*This is the number one rule for your set – In order to survive, got to learn to live with regrets*". Pedi-lhe desculpa, não tinha o direito de fazer aquela pergunta, e pela primeira vez senti-o vulnerável. Respondeu-me que sim. Não me recordo se dissemos mais alguma coisa depois disso, creio que não. Desligamos o telefone com a promessa de que nos veríamos em breve, o que não chegámos a cumprir.

O sol da meia-noite furava as cortinas, deixando o quarto na penumbra. Cobri a cabeça com o edredon em busca da escuridão absoluta. Precisava desesperadamente de uma noite completa de sono. A voz de Jay-Z voltou a encontrar-me, ainda que com os olhos fechados, oscilava ainda entre o sono e o desperto. Aquela voz aguda e anasalada sacode-me para o dia; as palavras ecoavam secas, sem a cama instrumental, apenas um sotaque nova-iorquino mastigando cada sílaba lentamente, sem esforço, como o mantra de um monge budista. Depois um som sobe lentamente, difícil de identificar à primeira, envolve as palavras, um som que não se parece com os ritmos jazzy que compõem o tema. O sample "It's So Easy Loving You", de Earl Klugh and Hubert Laws, é a cama para as rimas do MC de Brooklyn, "*This is the number one rule for your set – In order to survive, got to learn to live with regrets*", e, antes que aqueles versos se dissipassem, uma outra melodia, um som humano, uma melodia que se arrasta sem tentar encontrar palavras ou imitar um instrumento. Apenas um choro contido, o choro da miúda Eritreia entoando aquela canção triste tal como a cidade que me acolhe. Oslo amanhecera sombria, silenciosa. Chovia.

As ruas estavam tomadas pelo silêncio. Aproximei-me da janela e não avistei nenhuma alma, nenhum guarda-chuva atravessa a paisagem. A cidade alagada parece ter decidido postergar aquela quarta-feira, e adiar tudo para o dia seguinte, de tão triste que a manhã se apresenta. Naquele momento senti que era hora de voltar ao serviço, se adiasse mais um dia, talvez nunca mais voltasse. Voltei.

17h57

A primeira coisa que o inspetor me obrigou a fazer quando pus os pés na esquadra foi submeter-me àqueles testes que, volta e meia, os psicólogos dos assuntos internos nos chamam para fazer. "É obrigatório", disse-me ele, quando me chamou para dentro daquele aquário. Talvez isso explique por que tenha chamado a Mari e não a mim para lhe apresentar o relatório do angolano. "Aqueles que têm maior pontuação nos testes de resolução de problemas são tendencialmente os menos felizes no trabalho", confessou-me um colega à saída. Enquanto outros países apresentam resultados que sugerem que os testes de inteligência são um dos melhores métodos para identificar os bons agentes, há um grupo de psicólogos por cá que veio com a teoria de que os mais brilhantes podem sentir que recebem muito pouco estímulo no trabalho. "É apenas uma teoria", disse-me ele, "não te preocupes, eles também não querem atrasados mentais, se assim fosse, não teríamos cerca de oitenta por cento dos candidatos a este trabalho a reprovarem logo na primeira rodada de admissões."

Talvez fosse altura de desfazer o trato que tinha com a Mari, deixar de parecer esperto e parar de escrever os nossos relatórios de ocorrências. Ainda me lembro do dia em que lho propus. Tínhamos os dois acabado de chegar ao departamento e veio parar-nos às mãos uma vítima de violência doméstica que viemos a descobrir, mais tarde, que tinha sido forçada a casar-se com o agressor. Poucos empregos no mundo oferecem o mesmo tipo de desafio e contrastes que a profissão de agente de polícia. Um dia podemos estar a perseguir pistas para desmantelar uma rede de tráfico humano, no outro estamos sentados a uma secretária, a enfrentar uma montanha de papéis, trinta por cento do nosso tempo é passado a escrever relatórios. Por ser mulher, achei que a vítima falaria melhor se fosse entrevistada pela Mari, o que acabou por acontecer. Os agentes de segurança pública recolheram-na da rua, estava praticamente sem roupa e com o rosto ensanguentado. Foi bastante maltratada. Como não tinha documentos e dizia ser curda, os agentes trouxeram-na até nós. Quando a vi, estava pálida como a cal. As suas pernas fraquejavam. Sentou-se. As suas mãos tremiam e no seu rosto podíamos ler o medo que sentia mas também o pasmo por se ver numa esquadra de polícia. As palavras saíam-lhe custosas, como se não reconhecesse o tom da sua própria voz. Os lábios secos tremiam à medida que descrevia novamente os acontecimentos que a tinham deixado naquele estado. Era de noite e não havia muito movimento àquela hora. O seu olhar assustado varreu a sala, pareceu-me surpresa, talvez porque não encontrou nada que casasse com a imagem que tinha das esquadras de polícia, tudo devia parecer-lhe saído de um filme de ficção, era a única vítima a prestar depoimento. Mari ofereceu-lhe uma chávena do nosso café. Ela segurava a chávena com as duas mãos com cuidado, para que o calor não lhe fugisse dos dedos. Ainda em estado de choque, pela agressão e pela descrição da mesma, não conseguiu proferir mais uma palavra ou deitar uma lágrima que fosse. Limitou-se a acenar afirmativamente com a cabeça, agoniada e tomada por um misto de negação e tentativa desesperada de encontrar a razão, estado emocional que a Mari parecia compreender, afinal, tratava-se de alguém que acabara de ser agredido pelo amor da sua vida. Fazia poucas perguntas, conhecia o que lhe ia no pensamento: a vontade de fugir, fugir para bem longe até esquecer o homem em cujos braços era suposto sentir-se protegida e de cujas mãos só era suposto receber carícias e apoio. Durante anos, temerá aquela situação, estar numa esquadra de polícia. O homem que a agredira tão cobardemente, vezes sem conta, sempre a ameaçou que se o denunciasse ela acabaria por ser enviada de volta para o seu país de origem. Estar ali era o seu maior pesadelo. Só quando levou a mão ao rosto e sentiu a dor pelos ferimentos que ele lhe havia deixado no corpo é que as lágrimas começaram a descer-lhe a cara, mostrando-lhe a natureza real do que havia acontecido. Sim, era tudo real, demasiado real. A raiva e a vergonha apoderaram-se dela. Já nada podia apagar a imagem que ela retinha dos olhos cegos de raiva do marido, do desejo de sangue, da pulsão de morte. Chegou a temer o pior diante de tanta violência, e nem se lembra de como a polícia a encontrou na rua. Quando Mari lhe perguntou se se lembrava do número de vezes que foi agredida, baixou o rosto, e curvou-se para dentro. Era medo o que sentia, mesmo agora naquela esquadra de polícia, diante da agente, sentia medo, medo do casamento que perdera, medo de como as pessoas do seu mundo iriam olhar para ela, medo de Deus e de si mesma. E, num gesto tantas vezes repetido, levou uma das mãos ao pescoço, procurando o lenço que lhe servia para tapar a cabeça sempre que se sentia desamparada, como naquela noite. Deve tê-lo perdido enquanto lutava pela sua vida. Pousou a chávena e subiu a manta que a protegia do frio e cobriu a cabeça. Começou a chorar convulsivamente.

Por instantes, ao caminhar para o metro depois do teste, quando as palavras daquele colega voltaram a visitar-me, pensei na possibilidade de reprovar. Seria a primeira vez que tal aconteceria a um Nygård. Já oiço o meu pai a gritar ao telefone, "uma vergonha, o teu avô deve estar a dar voltas no túmulo, ser polícia está no teu sangue". Está no vosso sangue, pai, não no meu, responder-lhe-ia. Seria um favor que me fariam, reprovar-me e mandar-me de volta para casa. O meu avô, pelo menos segundo o que a Ava me disse no dia do funeral, ficaria feliz em saber que tinha assim uma oportunidade de mudar de vida, feliz por saber que posso fazer ou ser qualquer outra coisa. Viajar, conhecer a América Latina, visitar o Rio de Janeiro, subir e saltar de asa-delta do alto da Pedra Bonita, ou então África, sempre quis subir o Kilimanjaro, esse era um dos desejos do meu avô, sempre que subimos uma montanha ele puxava o assunto. Por não ser uma escalada técnica, em teoria, qualquer pessoa em boa forma física pode subir aqueles cinco mil oitocentos e noventa e cinco metros. As montanhas sempre exerceram em nós um fascínio e, para nossa alegria, não precisávamos de descer até à Tanzânia, o nosso país está cheio delas, de todos os tamanhos e feitios. Algumas delas gostávamos de escalar, como o Mount Skåla ou Trolltunga, e outras gostávamos de atravessar. "Em poucos lugares no mundo se pode encontrar túneis como os nossos, com curvas, voltas em 'u', rotundas, parques de estacionamento e pontos de viragem especificamente para camiões!", dizia ele, escolhendo muitas vezes o caminho mais longo só para pudermos visitar um túnel específico. Os da cidade de Tromsø, por exemplo, com a sua rede subterrânea que alcança todos os cantos da ilha, eram dos que mais o fascinavam. Nunca vi ninguém vibrar tanto com uma rotunda subterrânea ou trechos debaixo de água como aquele velho. Se for para nos orgulharmos de alguma coisa, sem dúvida que os nossos túneis merecem aclamação. Não só detemos vários recordes mundiais como andamos pelo mundo a espalhar conhecimento sobre o que diz respeito a lidar com pedra. Outro dos nossos favoritos, e que obrigava o meu pai a atravessá-lo sempre que viajávamos para Kristiansund, é o Lærdalstunnelen, em Sogn og Fjordane, o túnel de estrada mais longo do mundo, com uma extensão de 24,5 quilómetros, projetado com três salas separadas que são especialmente iluminadas para dar ao motorista a ilusão de luz do dia, para impedi-los de cair no sono. Há uma calma estranha quando se viaja através da barriga de uma montanha, a sensação de voltar para vida no outro lado da linha, depois de mergulhar nas entranhas da terra. Um dos que atravessei com menos frequência, mas que ainda trago fresco na memória, foi na viagem que fizemos com o meu avô até ao Nordkapp, ainda ouço a risada dele, descrevendo a forma equivocada como as pessoas chamam àquele penhasco de trezentos e sete metros de altura, o ponto mais setentrional da Europa, quando na realidade é uma ilha, ligada pelo Nordkapptunnelen, o túnel submarino mais longo do mundo, estendendo-se por 6,8 quilómetros de estrada e alcançando uma profundidade de duzentos e doze metros abaixo do nível do mar, construído para substituir a velha conexão de barco de Magerøya. O verdadeiro ponto mais setentrional do continente, dizia ele, com aquela voz grave e brincalhona, é o cabo Nordkinn. Vou sentir falta daquelas aulas práticas de geografia, só ele tinha a paciência de pegar no carro e nos levar a ver cada um daqueles lugares. Quase todos, pois alguns ficavam muito longe, dizia, explicando que se o ponto mais setentrional da Europa se localizasse numa ilha, certamente não seria em Nordkapp. O cabo Fligely, na Ilha Prince Rudolf, nas terras de Franz Josef, Rússia, é que merecia esse título. Na altura, com as nossas certezas de quarta classe, respondiamos "a Rússia não é Europa, avô". Ele sorria e acrescentava: "Se as terras de Franz Josef não pertencem à Europa, então deveríamos navegar e entregar o prémio do ponto mais setentrional da Europa ao gelado e ermo ilhéu no arquipélago de Svalbard, a norte de Spitsbergen".

As aventuras com o avô Nygård eram como estar dentro do programa Halvsju, que no tempo do sinal único de televisão nos colava em frente ao ecrã, em muitos finais de tarde. Quando chegava o verão, tudo mudava. Não me lembro de uma única vez termos ligado o televisor. Ele era o nosso Ivar Dyrhaug e Erik Halfdan Meyn privado, e nós os Brødrene Dal. As coisas que nos dizia só vieram a fazer-me sentido anos mais tarde, quando passamos a caminhar nos mesmos trilhos que ele. Foi ele que sempre disse, por exemplo, que se não quiséssemos imigrantes, então teríamos que deixar de os fazer. "Se não os queremos, então não lhes vendamos armas, então não deixemos que as suas crianças asiáticas nos cosam as roupas, que os seus polacos nos apanhem os morangos e nem que as suas mulheres tailandesas limpem a merda que fazemos." Nunca o vi defender nenhum partido ou político, dizia sempre que os polícias estão aqui para servir as pessoas. "Entre mim e um funcionário que recolhe o lixo das nossas ruas não existe diferença, ambos queremos a mesma coisa: viver de forma civilizada em comunidade", dizia. A única vez que o vi atento aos acontecimentos políticos foi na altura do ultimato dos 36,9 por cento de 1997. O então primeiro-ministro trabalhista, Thorbjørn Jagland, anunciou que o seu governo renunciaria se o seu partido tivesse menos de 36,9 por cento dos votos. O meu avô chamou-o de egoísta e estúpido, quando se demitiu, após uma vitória com trinta e cinco por cento, que lhe permitiria formar governo. Ao ouvi-lo falar daquela forma, pensei que fosse um vermelho, desapontado com o líder do seu partido, porventura por se ter esquecido das linhas "*everyone shall take part*" que cosem a ideologia da esquerda norueguesa. Mas não, o velho Nygård não tinha mesmo cor política, se tivesse, dizia, seria verde, "alguém tem que defender as montanhas e os nossos fiordes". Já eu, que ao contrário do meu irmão nunca ganhei gosto pela política, sou mais pró-Noruega, mas não como os tons de azul dos Høyre conservadores ou dos progressistas do FrP. Sou pró-diversidade, mas não me sinto alinhado com as ideias do socialismo de origem paquistanesa de Akhtar Chaudhry, que em resposta aos comentários de outro descendente de paquistaneses, o liberal Abid Q. Raja, que afirmou "uma vez que não é mais um crime queimar a bandeira norueguesa, por que devemos nós, muçulmanos, ter que fazer um juramento a ela?", reagiu de imediato, "todos os que querem se tornar cidadãos da Noruega, devem fazer um juramento à bandeira e à Constituição norueguesas". Isto, vindo de um muçulmano, que sabe que a nossa bandeira carrega uma cruz cristã ao centro e a nossa Constituição afirma claramente que somos um reino cristão luterano, deve ter causado muita comichão na nossa comunidade muçulmana.

Não os censuro, mas não será melhor, para ganhar a lealdade dos nossos imigrantes naturalizados, ensiná-los a amar este país não começando por um pedaço de pano e folhas de papel, mas antes com algo mais profundo, como o koselig por exemplo? Mais do que qualquer outra coisa, koselig é um sentimento, difícil de traduzir, já que reúne numa só palavra a ideia de conforto, intimidade, calor, felicidade e contentamento. E, para alcançar a sensação de koselig, precisamos de coisas koselig. Meias e camisolas de lã, velas, mantas quentes, hot dogs, cognac, bom café e boas histórias para partilhar com os amigos. Com um arsenal de contos populares, como o livro das *Mil e uma noites*, estou certo de que os muçulmanos não iriam demorar a aprender a amar os nossos longos meses de inverno, quem sabe até se o nosso próximo campeão não seria alguém de origem muçulmana.

Se quiséssemos realmente que estes asilados tivessem a oportunidade de se tornarem noruegueses, estaríamos a formar assistentes sociais no mesmo número que formamos agentes de polícia. Quando os vejo chegar com o desespero de quem escapou do inferno, não consigo deixar de me perguntar do que nos serve sermos tão prósperos se o mundo à nossa volta está a ruir. Podemos endurecer as leis, até fechar todas as fronteiras, mas já é tarde de mais. A Europa, tal como a conhecemos, morreu, e a culpa não é dos imigrantes. Não existem bebés suficientes para contrariar os vinte e cinco por cento que constituem a população muçulmana em Marselha e Roterdã, vinte por cento em Malmo, quinze por cento em Bruxelas e Birmingham e dez por cento em Londres, Paris e Copenhague e em Oslo. Existem agora 101.649 imigrantes não-ocidentais, 18,9 por cento da população total da capital. Dear white Europe, se querem "salvar" o velho continente, façam sexo, muito sexo, reproduzam-se, deem ouvidos ao Aloisius Ratzinger, ao Papa Bento, esqueçam os contracetivos. Ele sabe que as chances de sobrevivência da fé cristã está nos números. Faltam-nos bebés para reverter a balança e saber que este início do fim deve causar pesadelos ao nosso clero. Fala-se muito de tolerância, mas, quando existe o medo da extinção, como evitar que a corrente islamófoba se instale? É claro que os imigrantes, eles próprios, não têm ajudado. A maioria das violações contra as mulheres norueguesas são cometidas por imigrantes de origem africana, a maioria, somalis; se o número de casamentos forçados passa a ser notícia, não há como evitar que o slogan "Expulsem-nos a todos" se faça ouvir. Expulsem-nos a todos antes que destruam a nossa civilização. Números, não há como refutá-los. Nem os liberais, defensores dos oprimidos, têm base para contra-argumentar. Eu até me inclino para o lado liberal da sociedade, mas, diante dos números, até os que entre nós têm as mentes mais abertas estão de mãos atadas. A comunidade muçulmana precisa responder a que tipo de integração procuram. Principalmente os mais jovens, os de segunda geração, precisam urgentemente de começar a refletir mais criticamente sobre as tradições dos seus pais. Um dia serão chamados a fazer uma escolha entre um Médio Oriente que lhes é distante e a terra do sol da meia-noite que lhes serve de berço.

Liberais, queridos liberais, aqui estamos nós, na encruzilhada, com medo das nossas próprias certezas. Dispostos a ceder à ignorância em nome do nosso rico sossego e da nossa paz de espírito. Dispostos a pôr em causa convicções, e abdicar de algo tão elementar como o direito de escolher. Sim, escolher dá trabalho, e aqueles que pouco ou nada sabem parecem tão mais felizes, tão mais patriotas, tão mais devotos, que se nos perguntassem hoje quais os valores que nos regem, iríamos gaguejar, construindo uma resposta insípida de tão politicamente correta. Nem a uma criança seríamos capazes de convencer. A nossa maior fraqueza será provavelmente o ceticismo com que sempre brindamos alguém que sugere a utopia do impossível, ainda que baseada em séculos de experiência, nos dados concretos deixados pelos nossos antepassados, que identificam de forma clara e objetiva o que provocou o declínio das civilizações que nos antecederam. Temos dados recentes que provam que caminhamos para a autodestruição e a oportunidade para revertemos o curso deste barco é agora. É possível fazer (e merecemos) algo melhor, estou convencido de que a dignidade não é um valor utópico. "Paz no mundo" soa gasto, parece fazer parte do refrão de uma velha canção, algo que a geração dos 1960 entoava pelas ruas das capitais do mundo livre, reclamando o fim dos conflitos armados em zonas remotas do planeta. Hoje já ninguém canta a velha canção. As que resistiram ao tempo viraram música de elevador, de sala de espera ou, pior, música para anúncios de televisão. Ninguém acredita ser possível alcançar paz no mundo, nem com poemas nem com sátiras, nem com rezas e muito menos com granadas. Se uns são levados à cegueira pelo fundamentalismo, não são poucos aqueles cujo ceticismo não lhes permite enxergar um boi à sua frente. Andamos à deriva, certos de que estamos todos dependentes um dos outros, mas desconfiados das intenções dos nossos vizinhos, dos nossos irmãos. Tudo porque continuamos convencidos de que a nossa prosperidade enquanto grupo só poderá materializar-se se for à custa dos sacrifícios e privações do outro. Não existem soluções milagrosas a partir do momento em que existem lugares neste planeta onde uma bala é mais barata do que um livro, não importa em que hemisfério ou latitude nos encontremos, os valores liberais que defendemos estão condenados a morrer.

18h16

Jay-Z disse: "*I know I'm guilty of it too, but not like them; you lost one*". Tinha acabado de regressar da reforma, tal qual Michael Jordan quando voltou a vestir a camisola dos Chicago Bulls, só que com o número 45. "Um novo começo", disse ele, acrescentando que não queria jogar com o último número que o pai (assassinado em 1993) o tinha visto usar em campo. O "Lost One" do Jay-Z, produzido por dr. Dre, é um dos meus temas favoritos do mal-amado *Kingdom Come*.

Mari continua dentro do aquário do inspetor. Pela forma como tem os ombros caídos, arrisco em dizer que não é só por causa do relatório. O inspetor deve ter detetado algo em mim, e talvez aquelas folhas que ele tem nas mãos não sejam o relatório sobre o angolano mas sim o resultado do meu teste de avaliação. Ele pode ter reparado que existe algo de muito errado e que tem que ser imediatamente corrigido, antes que mais um imigrante em desespero acabe por suicidar-se diante das nossas barbas. Eles não estão preparados para lidar com uma vaga de suicídios em massa, um pode até passar despercebido, mas um segundo pode bem disparar os alarmes, iniciando uma caça de bodes expiatórios. E quem melhor para esse papel do que o indivíduo que o prendeu, interrogou e mandou para a cadeia?

Podia aproveitar o momento e pirar-me daqui, evitando ser chamado para aquele aquário. Talvez devesse largar esta merda de uma vez por todas e ir para casa, mesmo ir até à casa dos meus pais, não que vá lá encontrar sossego, mas julgo que chegou a hora de deixar de evitar aquele lugar quando eles lá estão. Muito provavelmente chegou a altura de dizer que me sinto no fim da linha, que não fui feito para isso. O meu pai vai gritar, eu vou gritar, a minha mãe vai chorar, o meu pai vai culpar-me, eu vou correr para consolar a minha mãe, quando tudo o que queria era que ela me consolasse a mim. Entre soluços, vai enxugar as lágrimas nas meias de crochê que todos anos cose na esperança de ter todos os seus rapazes koselig à volta da lareira quando o inverno chegar, e eu vou sentir-me pior filho do que já me sinto, vou sorrir-lhe, desta vez com os dentes todos, o mesmo sorriso com que a brindo sempre que ela me telefona, respondendo o que toda mãe gostaria de ouvir. "Não te preocupes, estou a safar-me bem." É sempre a mesma resposta, não sei se ela alguma vez acreditou naquela frase. Se não, nunca lhe dei a oportunidade de contrainterrogar, evito alongar a conversa e remato com um "amo-te" e a promessa de que no próximo inverno teremos mais tempo para trocarmos mimos. Sei que não é o suficiente, mas tem sido assim, já não me lembro a última vez que tivemos uma conversa longa. Com o meu irmão é diferente, nunca nos alongamos muito de qualquer forma, não precisamos de muita conversa, pois sabemos sempre qual é o estado de cada um, apesar de nunca chegarmos a dizer como nos sentimos verdadeiramente. Independentemente de quem liga primeiro, trocamos sempre a mesma combinação de cinco palavras de saudação "Como é, cool?", seguido de um lacónico "Ya, cool..." em forma de resposta. E antes de partirmos diretos para a razão que nos fez ligar, perguntamos sempre: "Falaste com a mãe?", sendo a resposta, invariavelmente, e no mesmo tom do "Ya cool" de saudação, "sim falei, está tudo bem...".

Custa ter a rotina como uma obrigação, um dever ao qual temos que nos acostumar. Há dias que nos apetece ser outra coisa, porque nem sempre a rotina se revela prazerosa. Quando o tédio acossa, que fazer: inscrever-me num ginásio? Arranjar um hobby? Aprender a praticar budismo, ioga ou outros métodos de meditação que ajudem a alcançar a paz interior e aceitar a rotina do dever com graça? Escrever uns haikus e abraçar o destino, por mais duro que este seja? Nos dias em que perseguir imigrantes ilegais se torna insuportável, continuo a preferir fechar-me em casa e criar *mixtapes* para os meus amigos, que se resumem ao meu irmão, que já não as escuta, e a Ava, que está no raio do Líbano. Só eles, como eu, que cresceram nos anos 1980, no tempo em que o digital era ainda uma utopia para nós, comuns mortais, é que as entenderiam. Até hoje, a minha forma preferida de partilhar música com alguém é através de cassetes. Ainda guardo as que a Ava me oferecia no fim de cada verão que passávamos juntos. Eu ouvia e enviava-lhe pelo correio uma outra compilação em resposta. Como disse Rob Fleming que o Nick Hornby ficcionou, "é necessário talento, planeamento e tempo até apanhar o jeito à coisa". Faço parte do grupo daqueles que consideram uma boa *mixtape* nada menos do que uma obra de arte. Não subestimo o seu poder, elas podem salvar ou condenar a vida amorosa dos envolvidos, logo, podem muito bem transformar-se num caso de vida ou de morte. Numa *mixtape,* cada canção tinha, como ainda tem, uma razão de ser. Acho que o meu gosto pela música e pela poesia nasceu nesse período. E, talvez tanto eu como a Ava, conhecendo bem os códigos e mensagens secretas que escondemos naquelas cassetes, sabemos que será difícil classificar como uma "coisa de verão" aquilo que vivemos em Kristiansund. Talvez deva ir para casa e fazer-te uma *mixtape*, só que ao invés de a enviar-ta pelo correio, bater à tua porta pessoalmente, e antes que me digas algo, admitirei o quão imaturo fui estes anos todos. E digo-o sem qualquer espécie de ressentimento, não faz o meu tipo, até porque, se pensarmos que a felicidade não se quantifica (é com a alegria dos que regressam a um lugar familiar, que sempre esteve cravado na memória, fazendo da distância um mero capricho circunstancial), afirmo que fui feliz contigo. Mesmo que esta felicidade estivesse circunscrita a meia dúzia de verões, mesmo que nunca te tenha pedido ou sugerido, senti-me teu namorado sempre que caminhando ao teu lado na rua, afogavas a tua mão na minha, sempre que os nossos lábios se encontravam. E como o amor não se possui, antes é usufruído, posso afirmar que usufruímos do amor assim como quem visita um jardim. Não fugi de ti, mas tão pouco soube dizer-te que, para nos consumirmos, não precisávamos de ter o que outros têm, pois nos bastávamos. E espero que me devolvas esse teu sorriso de criança, diante do reencontro incompreensivelmente adiado.

Custou-me tanto ter deixado escapar a oportunidade de lhe ter dito estas palavras. O tempo é menos misericordioso com os amantes que querem e vivem num impasse, num adiar cauteloso, fruto de um medo inconsciente. Ainda que o tempo seja matéria moldável e ainda que mínimo, com a fome do desejo, multiplicar-se-á, deixando rastos na memória, fazendo com que uma noite juntos pareça meses. Como aquela passada naquela cozinha, só os dois, o café nas duas chávenas de porcelana e a música que se fazia ouvir alta, mas sem nunca se impor. Será que ela sabe que nessa nossa equação do tempo, um ano juntos seria como atingir a eternidade? Naquela cozinha, o meu pensamento encheu-se de ideias e variações sobre o tema "para sempre", mas não as partilhei. Construi-as em silêncio, enquanto tentava, em vão, captar o segredo que usava para fazer desdobrar o tempo, mudando a velocidade das horas e eternizando cada instante que partilhamos. Nunca como naquele instante estive tão certo do que significa o querer e não possuir.

"And to ask her now it ain't fair, so yeah, she lost one."

Chega, disse para mim, levantei-me e dei dois passos na direção do aquário quando vi Mari levantar-se da cadeira e dirigir-se a porta. Fiz um desvio rápido para a máquina de café, antes que o inspetor me visse e me obrigasse a ter que mergulhar naquela sala. Não me apetecia estragar o meu fim de semana a responder sobre o caso do angolano. Não tenho nada melhor para ocupar o meu tempo, é certo, mas não há mais nada que possa arrancar-lhe nesta fase. Ele não está no sistema, tudo o que aparece são artigos sobre música e pode muito bem estar a falar a verdade. Mas Mari, conhecendo a minha fixação pelo rap, não demorou a perguntar quantos rappers usam a música para cobrir atividades ilícitas. Tive que concordar. Espero honestamente que o Kalaf tenha aprendido alguma coisa com a coleção de discos do Jay-Z que tem no iPod. Quando vasculhei os seus pertences, fiz questão de correr a lista do que ele ouvia. Continuo a acreditar que uma playlist diz mais sobre uma pessoa do que as palavras que lhe saem da boca. Estavam lá o obrigatório *Reasonable Doubt*, o clássico indiscutível, *The Blueprint*, o unânime, *The Black Album*. Imagino que antes dele embarcar na viagem que o fez cruzar todo o continente de autocarro sem documentos, para ganhar coragem, deve ter colocado nos ouvidos o *PSA* servido por Just Blaze. Pelo menos era o que faria se estivesse no lugar dele, talvez não começaria com o *The Black Album*, mas sim com o *Vol. 2... Hard Knock Life*, ou talvez até com o recente e conceptual *American Gangster*, um dos melhores álbuns motivacionais para quem está prestes a embarcar numa aventura que pode mudar para sempre a sua vida. O disco começa por narrar a vida de um jovem sem muitas opções para singrar na vida, fantasiando sobre como entrar no mundo do crime, com as inaugurais "Pray" e "American Dreamin". Mas o jovem eventualmente consegue e, uma vez dentro, ele não se coíbe de celebrar os seus triunfos com o festivo "Roc Boys (and the winner is...): I wish for you a hundred years of success but it's my time". Até que as dúvidas começam a assombrá-lo e rapidamente se torna paranoico. "Success", com a participação de Nas, que aparece aqui num dueto histórico, interpretando um seu rival, num momento da arte imitando a vida. E, finalmente, a penitência com o "Fallin": "*The irony of selling drugs is sort of like you using it/ Guess it's two sides to what substance abuse is*".

Mesmo que o angolano não tenha perdido tanto tempo a dissecar o conteúdo lírico do Jay-Z, só espero que ele tenha pelo menos interiorizado as linhas: "*Like I told you sell drugs; no, Hov did that/ So hopefully you won't have to go through that*". Pelo que consigo ler na cara do inspetor, estou certo de que, por ele, nem seria posto numa cela até ser visto pelo juiz na segunda-feira. Se entretanto aparecer algum indício de que o sr. Kalaf Epalanga está envolvido num crime, o inspetor fará questão que seja deportado imediatamente para África. Mari Gunnhild, minha parceira, aproximou-se e, entre os dentes, soprou "o inspetor está furioso".

Perguntei-lhe se havia alguma coisa errada no meu relatório, e ela apontou os seus olhos azuis frios na minha direção. "Nosso relatório, corrigi." "Qual relatório, qual quê! O inspetor recebeu um telefonema do chefe Jan Egil Presthus. Ele ligou a perguntar pelo angolano." Por que raio ligaria a Unidade Especial para Assuntos de Polícia por causa desse Kalaf Epalanga? Ou é a encarnação de Moisés que se perdeu algures a atravessar o Mediterrâneo e veio em peregrinação até à nossa fronteira, ou deve ter um cadastro criminal maior que o do Galdhøpiggen. Quando olhei para dentro dos olhos dele, não tinha bem a certeza do que estava a ver neles. E provavelmente nem ele conseguia colher nada dos meus. Éramos dois estranhos tentando decifrar-se, e seria fácil concluir que eu era quem detinha o poder. Entre ele e a liberdade estava eu, ele tinha que obrigatoriamente passar por mim, isso poderia ser entendido como poder, ter a vida de alguém nas nossas mãos. Mas nos seus olhos nunca li medo, parecia até que ele é que detinha o poder, que, até existirem provas, ele é que detinha a verdade, valor que nos confere dignidade. Podemos até ser apanhados no outro lado da lei, e, mesmo que os tribunais nos condenem, a verdade é o que nos vai ajudar a resistir. Como polícia, aprendemos muito cedo que é praticamente impossível prender o espírito de um indivíduo, pode tentar-se quebrá-lo com violência, restringir-lhe os movimentos, colocá-lo numa solitária e privá-lo do contacto com o mundo exterior, mas a verdade irá manter aceso o fogo dentro daquela alma. "O advogado do OYA Festival ligou a pedir que soltássemos o angolano. Eles queriam saber tudo o que conseguimos recolher do indivíduo", disse-me Mari. "Perguntaram sobre música?", Mari respondeu simplesmente que não, isso eles já deviam saber, o advogado do OYA deve tê-los elucidado.

A Federação deve ter entrado em pânico e disparado todos os alarmes, lembrando-se do caso Polícia *vs* Samvirkelaget. O risco de perderem novamente em tribunal contra aquele que é um dos maiores festivais de música do país, envolvendo uma banda estrangeira, deve tê-los feito aceitar todos os termos.

"É para soltarmos o angolano."

18h28

Mari sentou-se e colocou os pés sobre a mesa, reclinando a cadeira para trás. Parecia exausta. "Por que é que prender famosos é sempre complicado?", perguntou para si, mas sabendo que eu a estava a ouvir. "O inspetor queria saber se têm que se preocupar com o angolano, queria saber todos os pormenores da detenção e interrogatório, queria saber se lhe tocámos. Estão com medo que ele possa mover um processo contra nós. O inspetor voltou a relembrar-lhe a lei e os regulamentos que somos obrigados a adotar. Devemos tentar prender suspeitos sem aplicar força desnecessária. Disse-lhe que estou bem ciente dos riscos a que estamos sujeitos quando recorremos ao uso da força. No caso do angolano, foi bastante suave, não foi preciso insistir para acompanhar-nos, era como se ele soubesse o que o esperava, como se já estivesse estado numa situação semelhante." Concordei, de facto só usámos algemas quando o retiramos do carro para entrar na esquadra. Não fazemos parte da estatística daqueles que não sabem colocar as algemas da forma correta. O inspetor não precisava puxar do livro de regulamentos, estamos na linha da frente, colocamos mais algemas que um polícia de segurança pública, nunca nenhum imigrante se queixou que as algemas estavam muito apertadas. A maioria, coitados, devem achar um luxo o tratamento que lhe damos. Quando se mostram agitados, nunca puxamos da arma, nunca nos vimos envolvidos em situações em que fosse necessário mais do que um spray de pimenta.

Mas gato escaldado é mesmo assim, eles não querem passar pela mesma humilhação, aquando do caso Obiora, quando o Ministério Público concluiu que, no caso de três oficiais envolvidos, não haveria provas suficientes para levar a cabo uma acusação. O quarto oficial, que conduziu a carrinha da polícia na altura, foi imediatamente ilibado. No entanto, a unidade especial que estava a tomar conta do caso, enviou uma citação à Direção Nacional da Polícia indicando que fossem tomadas medidas para uma punição corporativa, aquilo que o nosso inspetor queria assegurar que não acontecesse no caso de fazerem uma investigação interna e sobrasse para ele. No caso

Obiora, a coisa era mais grave porque os oficiais negligenciaram completamente o treino sobre o posicionamento do suspeito, com o estômago para o chão e, claro, a chave de perna aplicada, que infelizmente se revelou fatal. Mas, como se veio a verificar-se mais tarde, os erros não vieram só da parte dos oficiais envolvidos. O chefe nacional da Unidade Especial para Assuntos de Polícia não deu seguimento a esta recomendação, e não demorou muito tempo até mil e cem pessoas protestarem em comício nas ruas de Trondheim, onze dias depois, as manifestações de protesto saíram para nas ruas de Oslo. Já era tarde de mais. A imprensa começara a dar voz às testemunhas oculares do caso. O circo estava montado, o escândalo rebentou na nossa cara, foi o que aconteceu.

Em maio do ano passado, os familiares de Eugene Obiora vieram apelar junto do Procurador-Geral pedindo a demissão da comissão de investigação nomeada para o caso, e com os olhos do país sobre nós, o Procurador teve que fazer o seu papel, e ordenou à Unidade Especial de Assuntos Policiais uma nova investigação. Abid Q. Raja, o advogado da família de Eugene Obiora, exigiu que os três agentes fossem acusados de homicídio intencional no caso. Raja também afirmou que um dos oficiais envolvidos na prisão ensinava técnicas de detenção no Colégio da Universidade Norueguesa de Polícia, uma posição que implica que seja especialmente consciente das consequências do abuso de força. É claro que o advogado que defendia os oficiais reclamou, acusando o sr. Raja de sensacionalismo. A verdade é que essa troca de acusações fez com que a formação na Academia de Polícia sofresse mudanças e a comissária Ingelin Killengreen exigiu uma revisão completa e geral dos métodos policiais. O público, principalmente as minorias étnicas, queria a cabeça dos quatro agentes. Não aconteceu. Três deles, durante a investigação, tiraram licenças com vencimento e um quarto abdicou por iniciativa própria. O chefe de polícia de Sør-Trøndelag,

Per Marum, respondeu em várias ocasiões às alegações de que os polícias foram suspensos, de acordo com a lei norueguesa, e a demissão sumária só poderia ser feita quando existissem informações irrefutáveis que levassem a tal medida. As circunstâncias que levaram à morte de Eugene Obiora não se incluíam nessa lista. No entanto, além das mudanças na formação dos cadetes, uma outra novidade foi implementada. Era preciso reforçar a confiança dos cidadãos na integridade dos seus polícias e na capacidade de conduzirmos todas investigações de forma imparcial. Assim sendo, segundo Jan Egil Presthus, o chefe da Unidade Especial para Assuntos de Polícia, desde setembro de 2007 que todas as investigações sobre a conduta policial de casos que terminaram em mortes são colocadas na internet. Mas essa ideia não foi nossa, a polícia não gosta de revelar os esqueletos que tem no armário, e falo por mim, eu próprio tenho alguns, se um dia alguém se lembrar de abrir uma investigação envolvendo a morte da jovem Kedijah, não sei o que me poderia acontecer. Mas não há nada a fazer, cabeças iriam rolar se não se tomassem medidas. A lista de casos que o *Dagsavisen* publicou provocou um tsunami na cúpula da nossa polícia. O jornal fez questão de revelar todos os casos que resultaram em morte desde a criação da Unidade Especial para os Assuntos de Polícia, em 2005. Dos dez casos mais graves, todos eles terminaram com os polícias envolvidos absolvidos.

Quem é este Kalaf Epalanga?

Por que é que prender famosos é sempre complicado?, perguntava-me, desta vez.

Mari girava o lápis entre os dedos como se fosse executar um truque de magia que pedisse atenção absoluta, fazia isso sempre que estava irritada com algo. "O meu pai prendeu um músico famoso em 1968. Jimi Hendrix."

Soltei uma gargalhada. Só me apercebi o quão sonora foi quando vi que todos se viraram para nós, menos o inspetor, que estava ao telefone, provavelmente sossegando o chefe Jan Egil Presthus. "Foi a 3 de janeiro de 68, em Gotemburgo."

1968 foi um ano altamente turbulento, disse Bob Dylan, um dos heróis musicais do meu pai. Sei que é porque sempre que a rádio tocava a versão que o Jimi Hendrix gravou do "All Along the Watchtower" ou a do Neil Young com a Chrissie Hynde, dos The Pretenders, ou ainda mais recentemente, a versão do Eddie Vedder & The Million Dollar Bashers, a superbanda que junta Lee Ranaldo of Sonic Youth, John Medeski dos Medeski Martin & Wood e o baixista do Dylan, Tony Garnier, o meu pai não deixava a escapar a oportunidade de nos relembrar que o original é do grande Bob Dylan, mas que para ele a versão de Hendrix é a definitiva. Até o próprio Dylan concorda, e chegou a dizer, depois da morte de Hendrix, que sempre que toca o tema tenta aproximar-se da versão do Hendrix, fazendo desta forma um tributo ao génio da guitarra. O "All Along the Watchtower", que abre com as linhas "*There must be some kind of way outta here*", é para mim um daqueles temas que refletem bem o caos que foram os anos 1960, os tempos estavam realmente a mudar e, 1968 em particular foi um ano de grande turbulência política e social que mudou a história do mundo.

Foi o ano do maio de 1968 em Paris, o ano que os nossos estudantes, a maioria de esquerda, saíram para se manifestar em frente às embaixadas levando a nossa polícia a usar bombas de gás lacrimogénio para os dispersar e reinstalar a ordem. O ano em que os nossos políticos, com medo de se reproduzir uma versão nórdica do maio de 1968 parisiense, trouxeram para a mesa de discussão no Parlamento, durante o debate sobre política externa, assuntos quentes como a crise no Médio Oriente, o conflito de Biafra na Nigéria, a Junta na Grécia, as políticas de Portugal em África e a Guerra do Vietname. E quando a NRK interrompeu os programas para dar a notícia da invasão soviética na Checoslováquia, o tempo dos debates mornos terminou e seguiu-se uma das semanas mais agitadas da nossa história. O meu pai contou-nos que a rádio passou a tocar música checa insistentemente. Manifestantes reuniram--se em frente à Embaixada da Rússia, gritando slogans como "Viva a Checoslováquia!!", "Viva Dubcek!", "Parem a tirania!" e "Soviéticos fora da Checoslováquia!". E, ao mesmo tempo que ocorriam as manifestações contra a invasão soviética da Checoslováquia, organizadas pela juventude do Partido Conservador, outra em simultâneo se desenvolvia contra a presença americana no Vietname, organizada pela Juventude Socialista. O choque entre as duas organizações juvenis foi inevitável. Em Trondheim, os manifestantes tocavam o hino nacional checoslovaco na frente de um navio da Marinha soviética, atiraram pedras, tinta, ovos podres e tomates. A bandeira soviética foi retirada do mastro e tentou-se, sem sucesso, cortar as amarras do navio. Em Kristiansand, o discurso do presidente da Câmara, Leo Tallaksen, foi interrompido por uma violenta manifestação juvenil que perdurou durante duas noites seguidas. Atacaram um autocarro de passageiros, atacaram a esquadra da polícia com pedras, tomates e maçãs. Atearam fogo à praça central e, no meio desse caos todo, o nosso príncipe e futuro rei, Harald V, casou-se com Sonja Haraldsen, a nossa rainha plebeia.

1968 foi o ano de Tommie Smith e John Carlos, com punhos erguidos, de luvas pretas, no pódio olímpico na Cidade do México. O ano em que a universidade de Yale abriu as portas para alunas do sexo feminino. Foi o ano da missão *Apollo 8* na órbita da Lua. O ano em que *2001: Uma odisseia no espaço*, o *Planeta dos macacos* e o *Três homens em conflito* fizeram história no cinema. Mas 1968 será para sempre lembrado como o ano da morte de Martin Luther King e Robert F. Kennedy. Tudo acontecimentos que dizem pouco à agente Mari Gunnhild Riisnæs. Para ela, 1968 será sempre uma marca, um ano simbólico para a relação entre a lei e a fama. Para quem é famoso, a lei será sempre condescendente.

E tudo começou na manhã de dia 3 de janeiro, quando Jimi Hendrix e entourage embarcaram no aeroporto de Heathrow, e, duas horas depois, aterraram no aeroporto de Torslanda, em Gotemburgo. Ele, calças escuras com um cinto de argolas de metal à volta da cintura, uma camisa preta plissada ao estilo aristocrático, um colete de couro negro e sobre este um casaco de azul cobalto pálido, de veludo, sobreposto por um casaco de pele branco que seria comum ver vestido por uma mulher, completado por um medalhão com forma de um sol e um chapéu de cowboy, ornado por uma faixa roxa com crachás e penas de aves, anéis nos dedos. Fez o check-in no Hotel Opal, no número 73 da rua Engelbrektsgatan, a meio da tarde, já o sol se despedira, e foi-lhe atribuído o quarto 623. Antes que subisse para os seus aposentos, Gerry Stickells, o *tour manager*, indicou-lhe que o jornalista Gösta Hanson estava à sua espera. A entrevista seria publicada no dia seguinte na *Goteborgs-Tidningen.* Naquela noite, acompanhado pelo baterista John "Mitch" Mitchell, saiu para uma ronda noturna pelos clubes da cidade. Voltaram ao hotel por volta das duas da manhã do dia 4 de janeiro, dia em que estava agendado o primeiro concerto de uma mini tour pela Escandinávia. Lorensbergs Cirkus, Göteborg, Jernvallen, Sandviken, Tivolis Koncertsal, København e Stora Salen, Stockholm. Por volta das quatro da manhã, depois de queixas de ruído por parte dos hóspedes, o rececionista da noite, Per Magnusson, abriu a porta do quarto do baterista e deparou-se com o quarto completamente revirado e Jimi deitado na cama com um corte na mão direita. Havia sangue por todo lado. Per Magnusson fez o que qualquer rececionista de hotel está treinado para fazer quando o assunto envolve uma rockstar e quartos de hotel destruídos – chamar a polícia. Dois agentes atenderam à ocorrência. O primeiro, veterano, acostumado a lidar com estudantes universitários bêbados, não se impressionou com a cena. Depois de tirar notas dos objetos danificados, algemou o guitarrista e agarrou-o pelas axilas. O segundo agente era um *rookie*, que até já conhecia o "Hey Joe", e cujo sémen, de pontaria certeira, fertilizaria o óvulo da mãe da nossa agente Mari Gunnhild, cinco anos depois daquela noite, numa única e tórrida foda ao crepúsculo, num quarto de hotel muito parecido com aquele em que se encontravam. Carregaram o infrator que barafustava e gritava asneiras até que, dando-se por vencido, começou a brindar os seus comparsas Mitch, Noel Redding, o baixista, Neville Chesters, o *roadie* e Chas Chandler, o manager, com um verso inusitado: "Sinto-me como um pássaro", disse enquanto era levado para fora do quarto, para as emergências do Hospital Sahlgrenska, onde recebeu pontos na mão, seguindo depois para a esquadra.

Mari Gunnhild, soube pela mãe que aquele foi um dos momentos altos da breve carreira do seu progenitor ao serviço da polícia sueca. Na noite em que foi fecundada, os pais encontram-se num bar. Ela estava a celebrar o fim de uma temporada no Stadsteater, ele a beber pela alma de Jimi Hendrix, falecido em Londres, no final da manhã de 18 de setembro. Ela repousava a cabeça no peito dele e falava-lhe de teatro, ele fingia-se interessado mas tinha os olhos na televisão que estava ligada sem som. De repente, ele levantou-se da cama para aumentar o som do televisor, e ela viu no ecrã Jimi Hendrix e a banda a interpretar a canção "The Wind Cries Mari", da edição americana do álbum *Are You Experienced*, e gravada para o programa *Popside*. Naquele momento, ela não sabia que ele era polícia, não sabia o seu sobrenome, não sabia que ele tinha acabado de completar vinte e sete anos e estava longe de imaginar que nove meses depois estaria a dar à luz uma criança daquele homem. Mas ela guardaria aquele momento para sempre, porque, quando a canção terminou, viu que aquele homem chorava como se lhe tivesse morrido um parente próximo. Para o consolar, ela beijou-lhe os lábios, as maçãs do rosto e sentiu o gosto das suas lágrimas, beijou-lhe os olhos, abraçou-o e voltou a puxá-lo para a cama. Mari confessou que a mãe lhe dera o nome Mari por causa daquela canção, dizia que quando ela nasceu, aquela era uma das poucas boas memórias que guardava dele.

"E já agora, de onde vem o Gunnhild?", perguntei-lhe, "de uma avó materna da minha mãe", sorriu em resposta.

Mari contou que Jimi Hendrix foi acusado de vandalismo e as autoridades proibiram-no de deixar a Escandinávia, forçando-o a apresentar-se numa esquadra, todos os dias, às duas da tarde, durante quinze dias, ficando ainda autorizado a realizar os concertos. Segundo o artigo que a revista *Tidningen* publicou, assinado por Gösta Hanson, o primeiro concerto da turné foi memorável. Com a mão direita enrolada em ligaduras, o génio da guitarra passou grande parte dos quarenta e cinco minutos em que esteve em palco a reclamar da sua pobre execução e do som horrível que saía dos quatro amplificadores atrás de si. Mas mesmo em baixo de forma, Jimi conseguia ser melhor que a maioria. Quando finalmente compareceu no Tribunal Municipal de Göteborg, na manhã de 15 de janeiro, acompanhado por uma pequena multidão de fãs e jornalistas, o juiz exigiu que pagasse uma multa de três mil e duzentas coroas suecas e mandou-o para casa.

"O nosso angolano teve mais sorte", respondi-lhe. Ela encolheu os ombros e desligou o computador, preparando-se para sair. "Há quanto tempo trabalhamos juntos? Em três anos nunca te lembraste de partilhar essa história?"

"Nunca prendi nenhum músico internacional e nunca antes vi alguém cometer uma infração e sair livre, por ser famoso", respondeu-me. "À la Jimi Hendrix?", perguntei. "Ou à la O.J. Simpson", respondeu-me. Ri-me. Que se saiba ele não matou ninguém mas tal como o "Juice", o angolano teve a sorte de ter um advogado igualmente bom, que não só conseguiu que este fosse solto imediatamente, como foi autorizado a entrar em Gardermoen e apanhar um avião de regresso para Lisboa, sem passaporte.

"Eles querem evitar a todo custo serem processados por pessoas tão mediáticas, só querem que ele saia daqui rápido e com o mínimo de ruído possível. Por isso, o inspetor queria saber se lhe tocámos num único fio de cabelo, se lhe amarrotámos a camisa ou se lhe partimos uma unha que fosse. A última coisa que eles querem é ouvir falar em tribunais. O que nos garante que ele chegue a Lisboa e não nos ponha um processo em cima? Ou pior, ele é cidadão angolano, pode muito bem levar o caso para os tribunais do seu país de origem e transformar o caso num Angola *vs* Noruega, Europa *vs* África."

"Deus nos livre", riu-se a Mari. "A comissária Ingelin Killengreen ia ter um ataque."

"Imagina que vinha atrás de nós a exigir reparações pelos danos psicológicos causados pelas horas em que ficou encarcerado e alegando que por conta disso o concerto no festival OYA teria sido desastroso. Imagina cerca de setenta mil festivaleiros a subir as escadarias do tribunal para testemunhar no caso, se este fosse julgado em Oslo, é claro." Seria praticamente impossível, interveio Mari.

"Mas supondo que fosse possível. Seríamos despedidos? O que farias se isso acontecesse?", perguntei-lhe. Não sei, respondeu Mari, que me devolveu a mesma pergunta logo de imediato. "Escreveria o próximo Rødstrupe", ela parou na entrada da esquadra, no mesmo lugar onde horas antes vimos o angolano, escoltado pelas agentes, a ser levado para a centro de detenção.

"Nunca te imaginei escritor. Queres ser o novo Jo Nesbø?", perguntou-me sarcástica.

"Talvez, mudava-me para para Kristiansund e dedicava-me à apanha do bacalhau", desconversei. Mari riu-se e perguntou-me se queria boleia para casa. Aceitei.

Oslo, 9 de agosto de 2008

I said, "What you wanna be?" She said, "Alive". It made me think for a minute, then looked in her eyes ...I coulda died.

Andre 3000, *Da Art of Storytellin (Part 1)*

19h25

Fizemos o caminho até Oslo sem grande conversa, conduzir em silêncio é algo que há muito nos acostumamos. Ainda pensei em contar o que ando a remoer, se não soubesse que ela iria rir e, provavelmente, espalhar por todo o departamento, dir-lhe-ia que queria ser rapper, mas, como não tenho talento para tal, ficaria contente com uma carreira que me permitisse ganhar a vida a publicar romances policiais. Há anos que estou para tirar uma licença sem vencimento e partir para Varsóvia para pesquisar uma história inspirada nos juízes do Tribunal Constitucional polaco, que iniciou um diálogo judicial com uma série de tribunais no estrangeiro para deliberar se um avião de passageiros sequestrado com o objetivo de cumprir uma missão terrorista poderia ser abatido ou não. Se o direito à vida de um indivíduo, ou grupo de indivíduos, pode ser privilegiado em detrimento do direito à vida de outro indivíduo ou grupo de indivíduos. Guardei tudo para mim, inclusive que não tencionava subir para casa. Mal ela me deixou na porta do meu prédio e a vi desaparecer na esquina, apanhei o primeiro táxi que me apareceu à frente em direção a Gamlebyen e juntei-me à multidão em frente ao palco Viga, no Middelalderparken, e lá estava ele, o primeiro angolano a pisar o palco do OYA, cantando numa língua que não entendia, mas que tinha como cama o beat, a língua franca que todo o ser com sangue nas veias consegue sentir, entender e comunicar sem usar um único verbo. Apenas movimento. O beat! Poucos são os géneros musicais que conseguem criar esta ligação hermética entre corpo e alma como a música de dança, incorporando ao mesmo tempo, e de forma camaleónica, tantas outras manifestações musicais cujo apelo emocional toca os corações de tanta gente distinta. Mais do que o rock ou a pop, esta é a verdadeira música comunitária. O ritmo apela ao coração do ouvinte, transporta-o para a essência daquilo que é a sua relação com a África umbilical, ainda que o mesmo nunca tenha pisado os pés naquela terra. Esta ligação é genética, é espiritual. Daí ser sentida como se de um culto religioso se tratasse, e a experiência só se torna completa quando partilhada com uma ou mais pessoas. Naquele momento, no meio daquela multidão que obedecia sem resistir às palavras de ordem do meu ex-recluso angolano, renascido, como se soubesse para que servem os pulmões, ao pulos em cima do palco como uma criança que aprendera finalmente que uso dar às pernas, senti-me também livre, imitei-lhe os movimentos, pulei, pulei, pulei, e no segundo em que o meu corpo se elevava, naqueles breves segundos em que o meu corpo desafiava a gravidade, ocorreu-me que nunca tinha levado Ava para ver um concerto. Naquele instante soube que não iria escrever-lhe para pedir a receita de como fazer um café libanês. Iria apanhar o primeiro avião para Beirute e levaria Ava ao primeiro concerto ao ar livre que nos surgisse, não importaria o género. Só nos queria ver ao lado um do outro, ombro com ombro, a minha mão estendida para que ela a buscasse e nela entrelaçasse os seus dedos, o único gesto-sinal que precisamos para responder à nossa ânsia, "valeu a pena toda a espera, e daqui em diante será tudo entrega".

Ela saberá o significado daquela minha mão estendida, saberá que ao entrelaçar os seus dedos nela estará a responder à loucura de um querer por demais urgente. Não importará o músico e nem a canção. De acordo com os ensinamentos de Duke Ellington: *Se soar bem e nos fizer sentir bem, então é bom!*

É tudo do que precisaremos.

Respeitou-se aqui a grafia usada na edição original.

capa
Pedro Inoue
revisão
Huendel Viana
Valquíria Della Pozza

1ª reimpressão, 2019

Dados Internacionais de Catalogação na Publicação (CIP)

——

Epalanga, Kalaf (1978-)
Também os brancos sabem dançar:
Um romance musical: Kalaf Epalanga
São Paulo: Todavia, 1ª ed., 2018
304 páginas

ISBN 978-85-93828-72-0

1. Literatura portuguesa 2. Romance
3. África e Europa 4. Música popular I. Título

CDD 869

——

Índice para catálogo sistemático:
1. Literatura portuguesa: Romance 869

Obra apoiada pela Direção-Geral do Livro, dos Arquivos e das Bibliotecas/Portugal.

todavia
Rua Luís Anhaia, 44
05433.020 São Paulo SP
T. 55 11. 3094 0500
www.todavialivros.com.br

fonte
Register*
papel
Munken print cream
80 g/m²
impressão
Geográfica